**POLÍCIA FEDERAL
A LEI É PARA TODOS**

CB018011

CARLOS GRAIEB E ANA MARIA SANTOS

POLÍCIA FEDERAL
A LEI É PARA TODOS
OS BASTIDORES DA OPERAÇÃO LAVA JATO

3ª edição

EDITORA RECORD
RIO DE JANEIRO • SÃO PAULO
2017

CIP-BRASIL. CATALOGAÇÃO NA PUBLICAÇÃO
SINDICATO NACIONAL DOS EDITORES DE LIVROS, RJ

Graieb, Carlos

G77p   Polícia Federal: a lei é para todos / Carlos Graieb, Ana Maria
3ª ed.   dos Santos – 3ª ed. – Rio de Janeiro: Record, 2017.

ISBN: 978-85-01-11052-7

1. Brasil – Política e governo. 2. Corrupção na política – Brasil.
3. Reportagens e repórteres. I. Santos, Ana Maria dos. II. Título.

CDD: 320.981
17-40525   CDU: 32(81)

Copyright © Carlos Graieb e Ana Maria dos Santos, 2017

Pesquisa: André Moreno

Todos os direitos reservados. Proibida a reprodução, armazenamento ou
transmissão de partes deste livro, através de quaisquer meios, sem prévia
autorização por escrito.

Texto revisado segundo o novo Acordo Ortográfico da Língua Portuguesa.

Direitos exclusivos desta edição reservados pela
EDITORA RECORD LTDA.
Rua Argentina, 171 – Rio de Janeiro, RJ – 20921-380 – Tel.: (21) 2585-2000.

Impresso no Brasil

ISBN 978-85-01-11052-7

Seja um leitor preferencial Record.
Cadastre-se em www.record.com.br e receba
informações sobre nossos lançamentos e nossas promoções.

Atendimento e venda direta ao leitor:
mdireto@record.com.br ou (21) 2585-2002.

Agradecemos aos delegados e agentes da Polícia Federal, aos integrantes do Ministério Público Federal e Justiça Federal de Curitiba que, generosamente, nos deram parte do seu tempo valioso, respondendo a perguntas e esclarecendo dúvidas, sempre com paciência inesgotável. Devemos a eles a conclusão deste livro.

Não podemos deixar de registrar nossa gratidão ao diretor geral da Polícia Federal, Dr. Leandro Daiello Coimbra, e ao procurador Deltan Martinazzo Dallagnol.

Sumário

Apresentação		9
I.	A caçada	13
II.	Fim da farsa	35
III.	As primeiras delações	59
IV.	Assim nasceu a Lava Jato	77
V.	Dia D: Juízo Final	95
VI.	Núcleo duro	121
VII.	Polícia Federal *versus* Polícia Federal	147
VIII.	O príncipe	165
IX.	O guerreiro abandonado	181
X.	Feira livre	197
XI.	Ele não sabia de nada	213
XII.	Um dia a parede trinca	261

Apresentação

Polícia Federal — A lei é para todos nasceu de muitas horas de pesquisa com os agentes da Polícia Federal no Paraná. Mas, da mesma forma que o filme não é um documentário, o livro não é uma reportagem.

O propósito era contar a história da Lava Jato — a maior operação de combate à corrupção jamais feita no país — pela ótica dos policiais que nela atuaram. O desafio: manter-se fiel aos fatos, usando recursos da ficção.

Em inglês, os *procedurals* formam um dos subgêneros da ficção policial. Eles acompanham times de investigadores e destacam suas técnicas de trabalho, seu jargão, os dramas e as intrigas do cotidiano de uma delegacia. Um exemplo clássico são os mais de cinquenta romances da série *Os mistérios da 87ª Esquadra*, do americano Ed McBain. Na televisão, *CSI*, em suas várias encarnações, mostra como a ciência colabora na solução de crimes e também é um caso típico de *procedural*.

A Lava Jato oferece um material riquíssimo para esse tipo de abordagem. Desde março de 2014, quando teve início, o grupo de trabalho em Curitiba já abrigou dezenas de delegados, analistas, escrivães, peritos e outros especialistas. Dos desafios logísticos que antecedem a deflagração de uma fase aos desafios técnicos ligados à decifração das provas, todas as engrenagens de uma grande operação da Polícia Federal podem ser vistas em funcionamento nessa investigação histórica. Mais ainda: a Lava Jato abriu caminhos novos. Esse é um dos seus legados. Enquanto peritos desenvolviam programas para lidar com os milhões de arquivos digitais obtidos em celulares e computadores apreendidos, os delegados testavam os limites de leis recém-editadas sobre os crimes de colarinho branco e debatiam os méritos de dispositivos como a delação premiada. O livro tenta captar todas essas diferentes dimensões do trabalho policial.

Embora muitos tenham contribuído de maneira indispensável para a Lava Jato na Polícia Federal, coube aos delegados Igor de Paula, Márcio Anselmo e Érika Marena encontrar o fio da meada da Lava Jato em meio a uma enorme pilha de inquéritos inconclusos. Os três haviam se conhecido uma década antes, durante a Operação Banestado, outra investida da PF contra a corrupção, e voltaram a se reunir quando Igor aceitou o convite do superintendente regional do Paraná, o delegado Rosalvo Franco, para assumir a Delegacia Regional de Combate ao Crime Organizado em Curitiba. Sem eles, a operação não teria nascido. Embora não tenha participado da investigação desde o começo, o delegado Maurício Moscardi ajudou a deflagrar a primeira fase da Lava Jato e mais tarde se juntou definitivamente ao time.

Nos dois primeiros anos da Lava Jato, seu núcleo duro se expandiu e se encolheu algumas vezes — com a saída do delegado Luciano Flores e a chegada de Filipe Pace, por exemplo — e sempre contou também com agentes da Sala de Inteligência, onde são fabricados os "tijolos" que mais tarde vão compor o edifício do inquérito policial. Os capítulos do livro sempre acompanham um desses personagens em momentos diferentes da operação. O leitor sabe apenas o que eles sabem e compartilha da sua maneira particular de enxergar os fatos. Tomou-se a liberdade de registrar seus pensamentos, como se faria num romance. Mas eles sempre correspondem àquilo que os autores puderam colher em documentos e, principalmente, entrevistas.

Desde 2014, autoridades como o juiz federal Sérgio Moro, o procurador-geral da República Rodrigo Janot e o procurador Deltan

Dallagnol tornaram-se rostos conhecidos nacionalmente. Isso não pode ser dito de nenhum dos delegados de Curitiba, e essa notoriedade nem mesmo condiz com a função que eles desempenham. Ressaltar o papel institucional da Polícia Federal, no entanto, é sim uma necessidade. Juntamente com o Ministério Público e o Judiciário, ela formou o tripé que deu vida à Lava Jato. Conhecer de perto os princípios que norteiam o dia a dia e o trabalho de investigação dos delegados e agentes da Polícia Federal foi uma experiência extraordinária que compartilhamos nas próximas páginas.

Ana Maria Santos e Carlos Graieb
Junho de 2017

I. A caçada

Os dois despertadores tocaram simultaneamente, um em cada canto do quarto. Moscardi saltou da cama e correu para desligá-los.

— Eu sei que você não dormiu nada — disse Amanda. — Então para que a barulheira?

— Para acordar você.

— Para me acordar, é claro. — Ela se ergueu um pouco na cama. — Vai ser perigoso?

— Não. Não vai ser perigoso.

— Vai com cuidado mesmo assim.

Moscardi deu a volta na cama e beijou a mulher. Ela deitou a cabeça no travesseiro, ele acariciou o seu cabelo castanho.

Amanda voltaria a dormir em poucos instantes. Ela sabia que raramente havia um risco maior nas saídas de Moscardi. Mas sempre fazia a mesma pergunta, dizia as mesmas palavras. Em dez anos de casamento, aquilo se transformara num pequeno ritual entre eles. Apenas nos últimos meses em que viveram no Acre uma nota de aflição verdadeira havia entrado na voz de Amanda. Ali, eles pisaram em um terreno escuro. A rotina se tornara opressiva. Eram apenas eles e Júlia, longe de toda a família — longe de tudo, aliás —, num estado pobre e odiados pelos donos do lugar. A Operação G7, conduzida por Moscardi, havia jogado luz sobre esquemas de corrupção que funcionavam há anos. Todos viam a coisa acontecer, de falsificação de documentos públicos a licitações fraudadas, e ninguém fazia nada. A G7 havia levado empreiteiros, secretários de governo e até um sobrinho do governador para a cadeia. Mas, às vezes, mexer com um problema é um problema para quem mexe. Moscardi se perguntava se um dia os irmãos Viana — especialmente Tião Viana, governador do Acre pelo PT — deixariam de enxergá-lo como um inimigo.

Não importava, aquilo já fazia parte do passado.

Eles não estavam mais no Acre.

Estavam em São Paulo, hospedados na casa da sogra de Moscardi. Não tinham do que reclamar.

Moscardi foi ao quarto vizinho para ver como estava Júlia. No final do corredor, Roger, o golden retriever mais preguiçoso do mundo, apenas ergueu as orelhas. Ele não era, definitivamente, nenhum Rin Tin Tin.

Júlia ressonava baixinho. Ele a beijou na testa e acariciou seus cabelos claros, iguais aos da mãe. Moscardi, ao contrário, tinha cabelos e olhos castanho-escuros, quase pretos. Alto, tinha quase 1,85 metro. A disciplina com o treinamento físico mostrava resultado no corpo forte, com apenas 8% de gordura. Aos 35 anos, ele ainda fazia experimentos com a barba, e de tempos em tempos deixava crescer o cavanhaque.

Júlia e o pai também tinham uma brincadeira entre eles. "O que você vai fazer amanhã?", perguntava a menininha. "Se eu disser, vou precisar prender você", respondia Moscardi.

Ele olhou para a tela do celular.

Segunda-feira.

17 de março.

2h40.

Ele tinha cerca de uma hora para se certificar de que a mesa estaria bem-posta na sede da Polícia Federal, na Lapa.

— Policial é uma desgraça com comida — dizia Moscardi. — Se você quer uma operação bem-feita, sirva um bom café da manhã.

Ele também havia cuidado pessoalmente do kit de lanche dos agentes. Ele e Amanda. E a sogra. Os três passaram a tarde de sábado preparando os kits.

— Toddynho? Sonho de Valsa? Isso aqui está parecendo lancheira escolar — disse Amanda.

— São coisas que eu gosto — respondeu Moscardi. Ele havia tentado obrigar as duas mulheres a dispor os alimentos numa determinada ordem dentro da caixa, mas elas se rebelaram. — Francamente, que diferença faz?

Seria ele um tantinho obsessivo?

E se fosse? Aquilo o ajudava em seu trabalho.

Eram quatro operações interligadas: Lava Jato, Bidone, Casablanca, Dolce Vita, que deveriam cumprir 81 mandados de busca e apreensão, dezoito de prisão preventiva, dez de prisão temporária, dezenove de condução coercitiva. Alvos espalhados por dezessete cidades.

A maior operação da história da PF do Paraná. A maior ação contra lavagem de dinheiro jamais feita no Brasil.

— É incrível, você realmente gosta de confusão — dizia Amanda. Sim, ele realmente gostava. Já fazia quase um ano desde a deflagração da G7, e a nova dose de adrenalina era bem-vinda.

Mas havia outra coisa em jogo.

Igor o chamara para cuidar do planejamento, embora sua remoção do Acre para o Paraná ainda não houvesse completado dois meses e ele estivesse temporariamente lotado no Núcleo de Inteligência Policial, não na Delegacia de Combate ao Crime Organizado. Ele trazia consigo a reputação de ser um especialista em logística de operações. Mas isso por si só não bastaria. A recomendação de Cassandra, amiga de ambos, fora provavelmente o fator determinante no convite.

Confiança era a moeda mais forte entre policiais. Moscardi entendia a mensagem: Igor havia feito um depósito em suas mãos, e cabia a ele cuidar para que rendesse. Márcio e Érika continuavam a tratá-lo com alguma reticência; Érika, em especial, mantinha a distância. Isso espicaçava Moscardi. Ele queria quebrar o gelo.

Por isso, não havia abraçado apenas as tarefas de planejamento, coordenando as diligências prévias e encaminhando a grande pilha de relatórios e petições. Também fez questão de cuidar da deflagração em São Paulo, onde trabalhara durante cinco anos e onde se concentrava o maior número de ações naquele dia.

Ele havia feito um acordo consigo mesmo: não deixaria nenhuma pendência para os colegas de Curitiba.

Na sexta-feira anterior, 14 de março de 2014, ele provavelmente já havia acumulado um bom crédito com eles.

* * *

— Mosca, a Nelma Kodama vai embarcar para a Europa em um voo às 22h30. Ela não pode decolar nesse avião.

— Vocês estão de sacanagem comigo.

Não, não estavam.

Eram quase 20 horas. Moscardi perguntou se havia sido um vazamento. No começo da semana, tinha circulado por São Paulo o boato de que a PF deflagraria uma operação contra doleiros na quinta-feira, dia 13. Nelma e Youssef haviam sido captados conversando sobre o assunto, meio em tom de brincadeira. Ela havia oferecido um helicóptero, estacionado no Campo de Marte, para uma eventual fuga dos dois.

— Se quiser, temos um Agusta no Marte, à nossa disposição, ok? Tá na mão — disse ela.

O dia 13 veio e passou. Não aconteceu nada. Os doleiros, em tese, estariam tranquilos. A menos que houvesse um vazamento de verdade.

— Não vazou nada, ela simplesmente vai usar a passagem — disse Igor. — E já está no aeroporto.

A PF sabia que Nelma Kodama havia organizado um fim de semana em Milão. Mas ela sempre tinha passagem comprada para algum lugar, marcava e desmarcava voos assim como gente comum deixa passar um ônibus. Seu agente de viagens emitia bilhetes aéreos de quinze em quinze dias, para ela "levar ou buscar tutu lá de fora". Nem sempre ela viajava na data prevista. Naquela sexta-feira, a escuta de dois telefones grampeados comprovou, tardiamente, que ela realmente estava prestes a partir.

Se a doleira estivesse fora do Brasil no momento da deflagração, poderia sumir do mapa, destruir provas, sabe-se lá o que mais.

Para chegar ao aeroporto internacional em Guarulhos, Moscardi teria de cortar a Marginal na hora do rush e tirar Nelma do voo. Havia uma boa chance de ela estar carregando dinheiro não declarado. Mas talvez não levasse nada. Primeiro Moscardi a abordaria, depois decidiria o que fazer.

Ele precisava organizar minimamente a ação. A primeira providência era ligar para o delegado de plantão no posto da Polícia Federal do aeroporto de Guarulhos. Não se chega de surpresa na casa dos outros sem pedir licença, ainda mais numa noite de sexta-feira. Moscardi não pretendia se estender em explicações sobre a ação para prender a doleira, a operação deveria ser mantida em sigilo, daí a importância ainda maior de mostrar deferência ao colega. Além disso, ele precisaria de suporte — um agente que soubesse se deslocar rapidamente pelo aeroporto. Moscardi não queria levar ninguém da sede de São Paulo com ele. Até aquele momento, apenas o superintendente da PF de São Paulo e sua secretária sabiam da operação que ele coordenava. O superintendente autorizava a mobilização do contingente, a secretária fazia as convocações. Desde que havia chegado, na quarta-feira, ninguém prestava muita atenção à sua presença na sede, e ele preferia que continuasse assim.

Feita a ligação para a delegacia da PF no aeroporto, Moscardi saiu em um carro ostensivo. Eram 20h30. Ele teria que percorrer exatos 29,2 quilômetros numa reta única, primeiro a Marginal do Tietê, onde ficava a PF, depois a Rodovia Ayrton Senna. Sem trânsito, o percurso levaria cerca de trinta minutos. Com tráfego intenso, era impossível prever.

Os carros se arrastavam pela Marginal. Moscardi ligou a sirene e começou a abrir caminho entre as fileiras de automóveis. Desistiu de olhar para o relógio. Concentrou-se no espaço estreito que a sirene rasgava à sua frente. Nem sempre a mágica funcionava. Ele fazia zigue-zague, rodava pelo acostamento, fechava gente afoita ou distraída.

Na rodovia, já perto do aeroporto, o trânsito ajudou e Moscardi acelerou o quanto pôde. Eram quase 21 horas quando entrou no posto da Polícia Federal. O lugar estava cheio.

— O senhor é o delegado Moscardi? — perguntou um agente que veio ao seu encontro. Seu nome era Masuia, e ele lhe daria apoio. O agente emendou: — Tem muito bandido aqui hoje!

Masuia já havia conferido os detalhes que Moscardi lhe passara. O voo TAM JJ8062 estava no horário. Moscardi gostou de saber que um ônibus levaria os passageiros até o avião. Preferia abordar seu alvo na pista pouco iluminada, e não na entrada congestionada de um finger. Antes, porém, queria ter certeza de que ela estava ali. Pediu que o levassem até o lado externo do portão de embarque, onde os ônibus estariam à espera dos passageiros. No caminho, ele mostrou para Masuia a foto de Nelma Kodama que estava em seu celular. O agente não sabia quem ela era. Melhor assim.

Nelma era de origem japonesa, mas a mulher na foto também poderia ter sangue índio, sul-americano. Lembrava, talvez, aquela velha cantora de músicas de protesto. Exato: Nelma Kodama era a Mercedes Sosa da lavagem de dinheiro. Tinha um rosto gordo, que mal se distinguia do pescoço. Na foto não se via o corpo, mas se podia adivinhar que era atarracado. O que mais chamava atenção era o olhar: insolente, inamistoso, desafiador.

Em poucos minutos, o motorista os deixou em frente ao portão de embarque. Lá dentro, o saguão estava apinhado. Moscardi e Masuia esquadrinharam o lugar. Nenhuma mulher se parecia com Nelma.

— Vai ver ela está resolvendo algum problema na PF — disse Moscardi. Os dois riram.

A fila do embarque se formou. A funcionária da companhia aérea começou a conferir os bilhetes. Um a um, os passageiros entravam no ônibus. Dois ônibus partiram. Moscardi se inquietou. Era o tipo de situação em que você começa a duvidar dos próprios sentidos. *Ela passou por nós*, pensou ele. Fez alguma feitiçaria e passou por nós.

No saguão, a coleta dos bilhetes prosseguia. Moscardi decidiu que precisava conferir os nomes. Passou pela porta e se aproximou da funcionária, uma mulher mais velha, experiente, que lhe ofereceu um daqueles sorrisos gélidos das comissárias de bordo. Moscardi não tinha a menor intenção de sacar um distintivo em público. Disse baixinho que era da Polícia Federal e que precisava verificar os canhotos. A mulher o mediu, entregou os papéis e o pôs de lado com um gesto rápido que significava "faça o que quiser, só não atrapalhe o meu embarque".

Boa notícia: Nelma não era invisível. Seu nome não constava nos canhotos.

Má notícia: ainda não havia sinal dela no saguão.

Moscardi mandou uma mensagem para Curitiba. Na sala de Inteligência, o monitoramento dos aparelhos de celular da doleira garantia que Nelma estava no aeroporto de Guarulhos. Onde, exatamente, era impossível dizer. Já restavam poucos passageiros na fila. Talvez ela tivesse desistido de viajar... Então, passados mais alguns minutos de aflição, no topo da escada que ligava o piso superior ao saguão de embarque, surgiu uma mulher que chamou a atenção de Moscardi. Ele cutucou Masuia. Os dois olharam a mulher da escada com cuidado. Magérrima, de rosto afilado e queixo pontudo, positivamente oriental, ela pouco se parecia com a figura da foto. Não era a Mercedes Sosa do câmbio ilegal. Mas era a doleira Nelma Kodama. O olhar insolente não deixava dúvida.

Coisa de traficante, deixar para embarcar por último, pensou Moscardi.

A viatura da PF havia retornado à base.

Rodrigo Masuia puxou Moscardi pelo braço.

— Vamos pegar carona num transporte de bagagens — disse ele.

— Tudo bem, mas eu vou na frente. Já sofri muito no trânsito hoje.

Masuia foi quicando atrás, no carrinho vazio.

O motorista os deixou no avião. O último ônibus chegou. Quando Nelma já estava perto da escada que dava acesso à aeronave, Masuia a abordou.

— Dona Nelma Kodama?

— Sim.

— Meu nome é Rodrigo Masuia, sou agente da Polícia Federal. Precisamos lhe fazer algumas perguntas, por favor.

— Seu guarda, o senhor já deve ter percebido que eu estou embarcando em um voo. Eu não tenho nada. Não tenho nada a dizer. Eu volto de Milão em poucos dias, aí o senhor pode me fazer quantas perguntas quiser.

— Dona Nelma, infelizmente não funciona assim.

— Ah, mas não tem nada a ver isso, viu? Nada a ver. Eu não sei o que vocês querem de mim. Eu sou uma empresária. E eu quero embarcar no meu voo.

Moscardi resolveu intervir.

— Dona Nelma, eu sou delegado da PF. Maurício Moscardi. Quanto mais tempo nós ficarmos aqui parados, pior vai ser. Só estamos perdendo tempo. Veja, quase todos os passageiros já embarcaram. A nossa demora vai atrasar o voo.

— Então me deixe subir, doutor.

A mulher começava a dar sinais de agitação. Moscardi respirou fundo e pensou nas recomendações básicas: não fazer estardalhaço. Não fazer alarde. Não pôr ninguém em risco numa pista de aviões.

— Vamos fazer o seguinte: a senhora aguarda aqui com o agente Masuia enquanto eu vou falar com o piloto. Vou pedir que ele espere.

— Avião não espera desse jeito, doutor. Me deixe subir de uma vez.

— A senhora espera aqui! Eu estou dizendo que o avião não vai sair sem a senhora.

A mulher, a contragosto, ficou ao lado de Masuia. Moscardi subiu as escadas e se apresentou à tripulação. Dessa vez, mostrou seu distintivo. Pediu que avisassem os pilotos, já trancados na cabine.

— Podem tirar as malas dela e decolar. Essa não embarca mais hoje.

A missão estava cumprida. Mas ainda havia um fim de semana inteiro até que a operação fosse deflagrada. A palavra da vez era sigilo. A doleira era esperta e ardilosa, e qualquer deslize seria suficiente para que ela percebesse o que estava por vir e avisasse os demais doleiros, que só seriam presos na segunda-feira. De toda forma, mesmo que ele se visse obrigado a liberar Nelma, o fim de semana em Milão já estava arruinado e era muito improvável que ela ainda quisesse deixar a cidade para qualquer outra aventura.

Faltava aplicar um cansaço à doleira na delegacia. Masuia os levou até a entrada mais próxima do prédio do aeroporto e seguiu na frente, para preparar uma sala para o interrogatório. Moscardi ficou com Nelma, que olhou para trás e viu seu avião se movendo na pista.

— Olha ali o avião taxiando! — disse. Mais uma vez agitada, Nelma falava alto, gesticulava. — O senhor disse que eles iam esperar.

— Eles só estão mudando de lugar, dona Nelma.

— Como é que ficam meus negócios em Milão?

As pessoas passavam por eles e lançavam olhares de curiosidade, especialmente para a agitada doleira. Moscardi dosou o tom das palavras para que não parecesse rude, mas suficientemente enérgico.

— Dona Nelma, por favor, a senhora precisa manter o mínimo de autocontrole.

— Eu não vou embarcar hoje, não é? Diga a verdade de uma vez, delegado.

— Não, dona Nelma. A senhora não vai embarcar.

Ela baixou a cabeça e ficou pensativa. Moscardi a pegou pelo braço para que continuassem. Nelma, então, mudou o comportamento radicalmente.

— O senhor tem um corpão, não é, delegado? Dá para ver que gosta de fazer exercício. Estou gostando. Pode continuar me pegando forte assim.

Moscardi relaxou a pressão no braço de Nelma. Ela se aproximou dele.

— Você vai me algemar?

— Não, dona Nelma.

— Sabe que eu nunca fui algemada por um policial... Você pode me algemar se quiser.

— Não será necessário, dona Nelma.

— Tem certeza?

Agora era Moscardi quem estava incomodado. *Masuia, seu filho de uma mãe, você me paga*, ele pensou.

Alguns passos à frente, Nelma tirou o celular do bolso do paletó.

— Dona Nelma, a senhora não pode usar o celular.

— Eu só quero mostrar uma coisa... Você vai ver como é lindo. São os móveis que eu preciso ver lá em Milão. É uma feira internacional.

— A senhora não pode usar o celular!

Moscardi desligou o aparelho e pediu que ela o guardasse na bolsa. Ela o fez. Quando os dois voltaram a andar, sem mais nem menos, ela pegou a mão de Moscardi.

— Vamos andar de mãos dadas.

— Dona Nelma! Por favor, a senhora não pode me tocar!

— Nossa! Já entendi. Não pode fazer nada. Não precisa ficar bravo.

A doleira continuou desinibida e fez outra investida. Desta vez, ela segurou mais forte a mão dele e começou a acariciá-la.

— Dona Nelma, eu só vou repetir mais uma vez: Não. Toque. Em. Mim. Por favor!

— Credo... — Ela parecia verdadeiramente decepcionada.

Eles chegaram a uma escada rolante estreita. Nelma foi na frente e Moscardi logo atrás. O delegado trincava os dentes. Caminhar com a doleira era uma missão altamente arriscada. Onde é que se desliga essa figura? Ele agora a olhava de um degrau mais alto. Nelma ajeitou o cós da calça uma vez. Depois ajeitou o blazer, tentando cobrir a cintura. — Preciso ir ao banheiro — falou.

E então ocorreu a Moscardi que ela estava escondendo alguma coisa.

— Só na delegacia, dona Nelma.

Enfim, eles chegaram. Masuia, que fora na frente para "deixar tudo preparado", havia dito ao delegado que Moscardi deveria ser atendido com prioridade. O delegado se sentiu afrontado, acreditando que aquela determinação partira do próprio Moscardi. E estava pronto para brigar. Moscardi olhou incrédulo para Masuia, pensando:

Foi para isso que você me deixou sozinho com essa doleira perigosa? Para eu ter que discutir a relação com um colega, depois de aguentar o assédio da doida? Ele ia começar a se explicar quando alguém chamou seu nome. Era Eliana, uma agente com quem havia trabalhado anos antes, quando ainda morava em São Paulo. Ela veio abraçá-lo, cumprimentando-o com festa. Sua chegada rompeu a tensão. Moscardi aproveitou a deixa e perguntou ao delegado, com o máximo de cortesia, se ele autorizava a agente a fazer a revista de Nelma.

— Está bem, vão logo fazer o trabalho — disse o homem, saindo em seguida.

Enquanto a colega de Moscardi buscava uma funcionária do aeroporto que pudesse servir como testemunha, ele se aproximou de Nelma, que havia ficado em um canto da delegacia apinhada, junto com outras pessoas detidas naquela noite.

Num pedaço de papel que tirou de dentro da bolsa, Nelma anotou o telefone do homem sentado ao seu lado e lhe deu uma piscadinha. Era um traficante, que também havia sido interceptado quando tentava embarcar.

Não acredito, pensou Moscardi. *Ela acabou de se sentar ao lado do cara e já está fazendo planos.*

O delegado quase se desculpou por ter de atrapalhar a paquera.

— Dona Nelma, por favor. Nós precisamos verificar sua bagagem de mão.

Moscardi e Masuia olharam com cuidado a bolsa de Nelma Kodama. Não havia nada de anormal ali.

— Está tudo bem, dona Nelma. Agora só falta fazer uma revista íntima.

Por um instante, Nelma perdeu o sangue-frio.

— Para que isso? Eu não preciso ser revistada por ninguém!

Mas ela logo absorveu o golpe. Seu olhar zombeteiro voltou e ela disse com voz açucarada:

— Ok, se não tem jeito... Ainda bem que é você que vai me revistar.

Nelma estendeu o braço como se fosse fazer um carinho no peito de Moscardi. Ele deu um salto para trás, e Masuia arregalou os olhos.

Nelma lançou um olhar malicioso para os dois policiais e tocou nos botões da blusa, insinuando que iria desabotoá-los ali mesmo.

— Não faça isso, dona Nelma. A senhora vai ser revistada por policiais mulheres.

A revista teve de ser feita no banheiro, porque todas as salas da delegacia estavam cheias. Eliana e a funcionária da Infraero que servia como testemunha descobriram que Nelma carregava 200 mil euros em um cinto elástico preso dez centímetros abaixo do umbigo. O dinheiro estava dividido em quatro maços com notas de 500 euros, que quase não faziam volume, porque haviam sido guardados em sacos de plástico fechados a vácuo.

Questionada pela agente, Nelma disse que tentou declarar o dinheiro, mas o guichê da Receita Federal estava fechado.

— Não tem guichê, dona Nelma. A declaração é feita pela internet.

Ela deu de ombros.

Moscardi foi informado do resultado da revista e comemorou em silêncio. Ele se ofereceu para cuidar dos trâmites burocráticos e lavrou o auto. No documento, constava que Masuia havia recebido uma denúncia anônima e requisitado sua ajuda para abordar Nelma Kodama. A doleira foi enquadrada no crime de evasão de divisas. Passava da meia-noite quando ele deixou o aeroporto levando Nelma Kodama, presa em flagrante ao tentar embarcar em um voo com dinheiro escondido, por assim dizer, na calcinha.

* * *

Moscardi tomou banho e vestiu o uniforme preto. O delegado caminhou pelo apartamento silencioso, tentando não fazer barulho, o que era um tremendo desafio para alguém tão elétrico. Saiu fechando a porta sem acordar o prédio inteiro. Pensou: *Ótimo, quem diria, não derrubei nada dessa vez!*

A ação da sexta-feira, com Nelma e suas loucuras, já era coisa do passado. Agora, cinquenta equipes precisavam ser postas nas ruas. No caminho para a sede da PF, Moscardi ficou procurando algo interessante na programação da madrugada do rádio. Gostava de música agitada. Sua mulher dizia que ele já não tinha idade para ouvir tanta música de adolescente. Por fim, encontrou a regravação de Elvis feita para o que mesmo? Para as Olimpíadas de Londres? *A little less conversation, a little more action...* Um pouco mais de ação, sempre um pouco mais de ação.

Moscardi sorriu. Tinha enorme admiração por um colega como Márcio, dono de uma das mais sólidas formações acadêmicas entre os quadros da PF. Ele mesmo não tinha essa inclinação acadêmica, embora houvesse passado em primeiro lugar em seu concurso para delegado. Era na preparação das grandes ações — a parte mais concreta de uma investigação — que Moscardi se sentia realmente realizado. Havia um lado burocrático nessa atividade, que muitos consideravam intragável. Moscardi se irritava com a burocracia como qualquer outra pessoa, mas alguém tinha de enfrentá-la. Cuidar do planejamento dava a sensação de que o desfecho de uma operação estava em suas mãos, antes mesmo que ela acontecesse. E se o acaso interferisse, como no episódio da doleira Nelma, bem, só restava lidar com ele. A menos que houvesse um desastre, Moscardi acabava se divertindo com coisas que davam errado.

Às 4 horas, o contingente convocado para a operação já ocupava o auditório na sede da Polícia Federal. Depois dos cumprimentos e do café da manhã — sanduíches com frios, queijos, sucos e café —, os agentes foram procurar seus nomes nos envelopes das missões, deixados sobre uma grande mesa. Cada papel tinha no topo o nome de uma das quatro operações que seriam deflagradas naquele dia, bem como uma tabela com os nomes de guerra dos policiais, seus telefones, respectivas equipes, incluindo a indicação de quem seria o motorista e a identificação da viatura que usariam pelo modelo e pela placa. Aquele papel sintetizava horas e horas de trabalho. Eram nada menos que cinquenta equipes em São Paulo. Muitos agentes não trabalhavam na capital. Vinham de outras cidades, de outros estados. Moscardi teve de dimensionar o contingente, encontrar os nomes certos para cada diligência e negociar com os delegados regionais o envio de cada policial. Era um xadrez estafante. Operações contra doleiros, como aquelas, requeriam cautela extra. Moscardi sabia, desde os tempos em que esteve lotado em São Paulo, quase dez anos antes, que alguns doleiros tinham amigos na PF. Era preciso evitar a todo custo que esses agentes "sensíveis" participassem das equipes.

Doleiros. A palavra já não retratava exatamente o que aqueles criminosos representavam, e foi isso que Moscardi disse no auditório, depois que as equipes abriram suas pastas e descobriram quais seriam as missões e os alvos. Ao que tudo indica, até aquele momento o sigilo havia sido preservado.

Em meados da década passada, continuou Moscardi, a PF havia realizado diversas operações contra casas de câmbio em São Paulo. Era gente que trabalhava para enviar dinheiro para fora do Brasil com métodos há muito conhecidos. Alberto Youssef, Nelma Kodama, Raul Srour, Carlos Chater, os alvos mais importantes daquela manhã, trabalhavam em um patamar diferente de ousadia. Estavam à frente de verdadeiras organizações criminosas — as ORCRIMs. Os quatro grupos se relacionavam uns com os outros e mantinham um sistema de créditos e débitos, análogo ao da compensação bancária. Movimentavam milhões de dólares todos os meses.

Eles funcionavam como grupos mafiosos, mas que, em vez de matar uns aos outros, trabalhavam aliados. Como cada um deles liderava seu próprio esquema criminoso, os delegados haviam decidido separar os inquéritos em quatro investigações distintas. A Operação Lava Jato mirava Carlos Habib Chater. A Bidone, Alberto Youssef. A Dolce Vita, Nelma Kodama. E a Casablanca, Raul Henrique Srour. As operações se interligavam e o nome Lava Jato, o primeiro a ser registrado nos sistemas da PF, poderia ser usado para englobar todas elas. Cabia a cada equipe colher as evidências para mostrar como as organizações criminosas se estruturavam. Se tudo desse certo — e precisava dar — elas trariam uma contribuição significativa à história da luta contra o crime organizado e contra o crime financeiro no Brasil.

— Vamos para a rua cumprir a nossa missão — disse Moscardi. — Quem tiver de ser conduzido, vai ser conduzido. Quem tiver de ser preso, vai ser preso. Sem incidentes. Vocês têm autoridade. Quando precisarem, sejam duros, sem abusar da força. Cuidem da sua integridade física e da integridade física dos seus alvos. Lembrem-se de que estão usando a insígnia da PF. Cada um vai zelar pela imagem da instituição. E não falhem nos procedimentos. Não vamos perder provas por causa de uma vacilada jurídica. Eu detesto a expressão margem de erro. Então, vamos combinar que margem de erro não existe. Ok, pessoal, vocês estão liberados para o deslocamento. Qualquer problema, façam contato com a base. Boa sorte.

O *briefing* estava encerrado. Escrivães, agentes e delegados já se levantavam quando Moscardi recebeu uma mensagem no grupo de WhatsApp dos coordenadores da operação.

— Luciano, espera um pouco! — gritou ele.

O delegado Luciano Flores viera do Rio Grande do Sul para cumprir os mandados de prisão e buscas no apartamento do alvo mais importante da Operação Bidone, talvez o mais importante de toda a investigação: o doleiro Alberto Youssef.

— Luciano, acabou de entrar uma mensagem. O Youssef não está mais em São Paulo. O cara simplesmente sumiu durante a madrugada.

Moscardi balançou a cabeça. *Lá vem o acaso querendo bagunçar de novo a minha operação*, pensou.

* * *

O auditório já estava vazio. Os carros pretos da PF já haviam deixado o prédio em cortejo, desgarrando-se aos poucos pelas pontes e saídas da Marginal Tietê. Cada equipe, com sua missão específica, só retornaria à base horas mais tarde, com documentos apreendidos e alvos sob custódia. Moscardi, agora, teria algumas horas de espera. As informações chegariam a ele por meio dos grupos de mensagens — um para os coordenadores, outro para todos os agentes. Luciano cumpriria diligência no apartamento de Youssef, em busca de provas. Curitiba lhe diria se a caçada a Alberto Youssef tivera resultado.

No fim da manhã daquela segunda-feira, Moscardi foi, então, realizar a tarefa que ainda lhe restava. Ele subiu de escada os três andares que separavam o auditório da carceragem.

— Dona Nelma, a senhora se lembra de mim?

A doleira se levantou de seu colchão e sorriu para Moscardi.

— Eu estou aqui para lhe dar voz de prisão.

— Mas você já me prendeu. Como assim? Eu não estou entendendo nada.

— A senhora foi presa na sexta-feira por causa do dinheiro escondido. Agora, a senhora está sendo presa em uma operação da PF sobre lavagem de dinheiro e outros crimes.

Nelma, dessa vez, perdeu a cor.

— Ah, tá... — Ela baixou a cabeça e murmurou algumas palavras que Moscardi não conseguiu entender.

Moscardi deixou a doleira completamente desorientada. Ele voltou para a sala onde estava trabalhando e acessou os relatórios que embasavam a operação. Com pouco tempo em Curitiba, Moscardi compreendia o alcance do trabalho que estavam fazendo. Os nomes dos envolvidos, no entanto, lhe diziam pouca coisa. Era diferente para seus colegas do Paraná. Youssef, especialmente, era um velho conhecido deles. Na década anterior já o haviam perseguido na Operação Banestado. Naquela ocasião, Youssef havia feito uma delação premiada, uma das primeiras firmadas no Brasil. Livrou-se, com isso, de uma punição mais forte — apenas para continuar a delinquir, como eles acabaram descobrindo. Era quase uma questão de honra não deixar que ele escapasse novamente.

Moscardi queria saber mais sobre Nelma. E não se surpreendeu ao descobrir que ela tinha orgulho do que fazia.

Uma das suas mensagens interceptadas dizia: "Confesso com tesão: Profissão, doleira. KKK."

Em outra, ela se comparava ao colega Raul Srour: "A mesma coisa que ele faz eu faço, e muito melhor que ele. Eu não devo pra ninguém, eu tenho nome, eu tenho credibilidade, eu tenho mercado."

De fato, passava muito dinheiro pelas mãos de Nelma.

Ela não descuidava do básico, ou seja, fazia operações no câmbio negro — o célebre "dólar cabo". Usando uma rede de contatos nas Américas, na Europa e na Ásia, ela disponibilizava dinheiro para seus clientes onde quer que eles precisassem.

Mas Nelma também dominava técnicas mais complexas de lavagem de dinheiro. Só entre 2012 e 2013, os agentes da Receita Federal que colaboravam com a investigação estimaram que ela havia movimentado 103 milhões de reais por meio de empresas de fachada estabelecidas tanto no Brasil quanto no exterior. As empresas trocavam dinheiro entre si, simulavam vendas e importações. Depois de passar pelo emaranhado de contas e transações do "sistema Nelma", moeda suja saía límpida do outro lado.

Moscardi já havia encontrado as cifras mais disparatadas para estimar o montante de dinheiro sujo que circulava pelo mundo anualmente. Alguns falavam em 500 bilhões de dólares anuais, outros em até 2 trilhões. Era um dinheiro que financiava todo tipo de atividade ilegal, do tráfico de drogas à compra de armas para grupos terroristas.

Nelma escolhia codinomes glamorosos para suas conversas cifradas: Greta Garbo, Cameron Diaz, Angelina Jolie. Era fácil rir de coisas assim.

A operação, no entanto, havia descoberto indícios de que Nelma trabalhava para a máfia chinesa que operava em São Paulo, na região de comércio popular da Rua 25 de Março.

Ela e seus comparsas, os grandes doleiros que a PF procurava atingir naquele dia, eram todos peças na grande lavanderia global.

Era gente barra-pesada.

* * *

Às 6h30, Moscardi recebeu uma mensagem de Igor. Alberto Youssef havia sido preso em São Luís do Maranhão. Pouco depois, os dois delegados conversaram sobre a caçada durante a madrugada.

No domingo, Luciano e sua equipe haviam feito uma última vistoria nas cercanias do endereço onde morava o "doleiro dos doleiros", no bairro de Vila Nova Conceição, em São Paulo. Era um prédio de altíssimo padrão, com todos os dispositivos de segurança. Por volta das 20 horas, os policiais se reuniram em um posto de gasolina na frente do prédio para definir a estratégia de abordagem na manhã seguinte. Deveriam entrar rápido, sem se deter na portaria, para evitar que alguém avisasse Youssef e ele tivesse tempo de se livrar de provas. Luciano fez algumas fotos com o celular e apontou os locais onde eles posicionariam viaturas para abortar uma eventual tentativa de fuga de Youssef.

Uma última olhada para o prédio.

A luz do apartamento de Youssef estava acesa. O doleiro estava em casa.

Bastava esperar até o dia seguinte.

Luciano e sua equipe deixaram a tocaia pouco depois das 21 horas e foram para o hotel onde estavam hospedados.

Segundo Igor, Youssef deve ter deixado a garagem em um de seus oito carros poucos minutos mais tarde.

Por sorte, o monitoramento dos celulares de todos os alvos continuava em curso, na sala de Inteligência em Curitiba.

Era 1 hora da madrugada de segunda-feira quando o sistema apontou que o BlackBerry de Alberto Youssef não estava mais em São Paulo. Ele havia sido ligado em São Luís, no Maranhão.

Igor havia saído da PF em Curitiba um pouco antes da meia-noite do domingo. Pretendia voltar à sede em torno das 5 horas da manhã, de onde acompanharia o andamento da operação. A equipe da sala de Inteligência o avisou da misteriosa transmigração instantes depois de percebê-la. Igor disse a Moscardi que sentiu uma mistura de aflição e raiva. Era preciso descobrir com urgência se Youssef estava mesmo na capital do Maranhão. Se fosse verdade, mais tarde tentariam entender como isso havia acontecido.

Igor, com a ajuda de Márcio Anselmo, deu início a uma operação dentro da operação. Eles pediram aos agentes que começassem a ligar para os melhores hotéis de São Luís. Youssef era Youssef: não ficaria em qualquer pardieiro. No primeiro hotel não havia nenhum hóspede com o nome de Alberto Youssef. No segundo, o Hotel Luzeiro, a recepcionista disse que iria averiguar. Em vez de retornar com a resposta, a funcionária transferiu a ligação para um quarto. O agente ouviu Alberto Youssef dizer alô do outro lado da linha e desligou imediatamente.

— Que merda! — Márcio Anselmo andava de um lado para outro na sala. — Podem apostar: Youssef sacou que essa ligação foi coisa nossa. Se ele estava desconfiado, agora tem certeza que estamos atrás dele.

O sentimento de todos foi o mesmo. Mas não havia mais o que pudesse ser feito.

Márcio ficou pensativo por alguns minutos; em seguida, ligou para o ramal do atendimento noturno da PF. Ele orientou o setor a listar os números de todas as ligações recebidas durante a madrugada.

A intuição funcionou. Dez minutos depois, o agente do plantão informou: alguém havia acabado de ligar e assim que ouviu a saudação "Polícia Federal", desligou. O agente informou que o número do telefone havia sido captado.

Márcio abriu uma tela do Guardião — um dos sistemas da PF — e conferiu: era o celular de Alberto Youssef.

— Mas que merda!

Os delegados descobriram depois que o doleiro, astuto, havia perguntado à recepcionista do hotel se era possível obter o número do telefone, disse que a ligação havia caído e ele precisava retornar.

Sim, era possível. O telefone era (41) 3251-7500.

Youssef teria de ser preso em São Luís. Mas antes era preciso encontrar alguém que autorizasse a ação. O novo superintendente da PF no Maranhão acabara de ser nomeado. Não havia assumido o cargo. Ninguém tinha o seu telefone. Ninguém em São Luís ajudaria àquela hora da madrugada.

O tempo estava passando. Igor pediu apoio a seu chefe. Rosalvo disse que entraria no circuito, mas que Igor também deveria continuar tentando algum contato. Finalmente, Rosalvo conseguiu falar com o superintendente recém-indicado, Alexandre Saraiva. Quase ao mesmo tempo, Igor descobriu que o chefe do Núcleo de Inteligência na terra do clã Sarney também era novo no cargo, mas um velho conhecido seu, Marcel.

Youssef teria tratamento VIP. Receberia uma visita do próprio Saraiva e do próprio Marcel, a nova cúpula da PF maranhense.

O doleiro foi preso às 6 horas da manhã, no quarto 704 do Hotel Luzeiro. Os delegados bateram em sua porta e ele abriu, impassível. Não tinha nada de valor com ele. Um único detalhe chamava atenção: havia sete celulares em sua bolsa. A PF monitorava apenas um.

— Se ele tivesse usado qualquer outro celular, nós jamais saberíamos onde ele estava. Podia ter evaporado — disse Igor a Moscardi.

* * *

No final da manhã, as equipes começaram a voltar. Por sugestão de Márcio, eles haviam decidido modificar o procedimento padrão para lidar com as provas coletadas. Em vez de lavrar o auto de apreensão em São Paulo, eles enviariam todo o material a Curitiba. Lá, seria feita uma triagem. Tudo que não fosse necessário para a investigação seria devolvido. Os delegados estavam quebrando velhos hábitos. Esperavam eliminar burocracia e acelerar os trabalhos dessa forma.

Moscardi supervisionou o fechamento dos grandes malotes negros.

Havia uma informação preocupante. Depois da prisão de Youssef no Maranhão, Luciano Flores e sua equipe fizeram a busca programada no apartamento do doleiro. No quarto, encontraram um papel com um número escrito a caneta: era o número do processo de Youssef no sistema eletrônico da Justiça do Paraná.

A informação de que existia uma investigação sobre ele havia chegado ao doleiro. Mas ele não recebera, ao menos aparentemente, os códigos que davam acesso ao conteúdo sigiloso.

Dias antes da deflagração, Youssef e Nelma discutiram o boato de que a PF ia agir contra doleiros. Youssef tinha o número do seu processo. *Quanto será que faltou para o trabalho todo ser comprometido?*, perguntou-se Moscardi.

Por volta do meio-dia, o rescaldo da operação era pouco.

Faltava apenas um cofre para arrombar.

O doleiro Raul Srour havia se negado a revelar o segredo do grande cofre que mantinha em seu escritório, no Shopping Higienópolis — um shopping de gente endinheirada em São Paulo. Também ficou em silêncio quando lhe perguntaram o que estava guardado em seu interior. Não havia a menor hipótese de deixar o cofre para trás.

Moscardi pediu a alguns colegas que encampassem a diligência. Alguns pareciam esgotados; outros revelavam falta de interesse. Nada no mundo abalava mais o bom humor quase inabalável de Moscardi que a má vontade para o trabalho. Isso valia para qualquer atividade, mas na investigação policial a má vontade era um pecado capital. Deixe escapar uma evidência porque você está entediado ou com pressa, e lá se vão semanas de esforço e um montão de dinheiro público jogados no ralo. Nem mesmo uma diligência negativa merecia um agente de má vontade. Diligência negativa é aquela que, por definição, você espera que não dê em nada. Mas, pela lei da probabilidade, sempre haverá uma exceção — contanto que você esteja disposto a fazer o trabalho com paciência e atenção. No código pessoal de Moscardi, querer era sinônimo de resultado. Por isso, não teve dúvidas: iria ele mesmo.

O cofre era imenso.

Moscardi chamou um chaveiro, que olhou atentamente a porta de aço, tocou displicentemente o segredo e passou seu veredito: seria trabalho para duas horas.

Cinco horas mais tarde, depois de muito auscultar em vão, o chaveiro se deu por vencido.

— Isso aqui só abre apelando para a força.

Moscardi quis saber em que exatamente consistiria o uso da força contra aquele inimigo poderoso.

— Um maçarico.

Um maçarico, é claro. Moscardi gargalhou. Mas decidiu providenciar a ferramenta.

Depois de algum tempo, os primeiros resultados foram, literalmente, sentidos. A fumaça tomou conta do escritório de Raul Srour, se espalhou por corredores e ganhou outros andares do prédio. O Shopping Higienópolis, de repente, lembrava uma siderúrgica.

Os clientes reclamaram.

Os lojistas reclamaram.

A administração do shopping reclamou.

Quanto mais difícil ficava, mais Moscardi se obstinava.

Mas, às 22 horas, ele também teve de se dar por vencido.

Depois de onze horas de ataque, o cofre se mantinha firme, forte e seguro.

II. Fim da farsa

Não dá para acreditar? É claro que dá para acreditar. Seria surpresa se fosse o inverso: se ele escancarasse todo o esquema, se resolvesse botar para quebrar. Em vez disso, ele faz o de sempre. Nega tudo e vai desfiar mentira após mentira com essa cara ridícula de quem foi injustiçado. Para que continuar assistindo?

Apesar de tudo, o delegado Márcio Anselmo continua sintonizado na TV.

São dez e pouco de uma gloriosa terça-feira, 10 de junho de 2014. A CPI da Petrobras convocou Paulo Roberto Costa para prestar depoimento. Nominalmente, o propósito da CPI, instalada há cerca de um mês no Senado, é apurar os indícios de corrupção que a Lava Jato fez jorrar como petróleo, além de histórias mal contadas como a da aquisição da refinaria de Pasadena, nos Estados Unidos. Mas cada movimento dos políticos faz pensar numa ópera bufa.

Lá está o ex-diretor de abastecimento da estatal, de cabelinho penteado para o lado, gravata bordô sobre camisa branca, terno azul, e o olhar triste de um homem honesto que alguém, por pura maldade, decidiu arrastar na lama.

O auditório está em completo silêncio quando ele começa a discursar. Ele explica que tem uma longa história na Petrobras. São 35 anos de trabalho. Quando foi nomeado para a Diretoria de Abastecimento, ele já tinha 27 anos de casa. Não lhe faltava experiência, nem conhecimento técnico. Mas agora querem colocar uma pedra sobre tudo isso e fazer de conta que sua carreira nunca existiu. Quando diz esse tipo de coisa ele parece realmente indignado. Mas não se exalta. É uma indignação contida:

— Tudo isso me feriu profundamente e me entristeceu muito, porque você não joga 35 anos na lata de lixo dessa maneira.

Paulo Roberto Costa está magoadinho porque atacaram sua reputação "de forma antiética e sem provas". Sem provas.

É a mesma coisa deste lado, pensa Márcio Anselmo. Daria para espetar a indignação num garfo. Mas por causa das provas que estão em cima da mesa. Que estão logo ali, na sala de monitoramento. E do outro lado do oceano, na Suíça. O que não falta são provas. Há provas para tudo quanto é lado! Só não dá para saber se elas vão chegar ao processo. E, se chegarem, se vão servir para alguma coisa, como mandar o sujeito para a cadeia.

Os senadores são maravilhosamente cordiais com Paulo Roberto Costa. São todos da base governista. Os senadores da oposição decidiram boicotar a CPI porque dizem que as cartas estão marcadas, que está tudo preparado para não dar em nada. Eles têm razão. Mas isso não faz com que Márcio Anselmo tenha mais simpatia pelos senadores da oposição. "Acabar com a corrupção é o objetivo supremo de quem ainda não chegou ao poder." A frase é do humorista Millôr Fernandes, mas foi Paulo Roberto Costa que a copiou em uma agenda repleta de informações sobre o esquema de corrupção que "nunca existiu". E se ele mencionasse essa frase para os parlamentares e começasse a explicar por que a anotou no caderninho? O depoimento ficaria mais interessante.

Em vez disso, ele diz:

— Repudio veementemente que a Petrobras era organização criminosa, que tinha outra pessoa que fazia lavagem de dinheiro, que foi dito pela imprensa que eu tinha participação nos negócios, repudio. Foram colocadas dezenas de fatos e situações irreais, que eu repudio veementemente, que a Petrobras era casa de negócios, que existia organização criminosa lá dentro.

E se ele, Márcio Anselmo, pudesse fazer algumas perguntas para Paulo Roberto Costa naquela manhã agradável? Ou Érika. Ou Igor. Ou talvez o doutor Sérgio Moro. Os senadores tapariam os ouvidos para não escutar a resposta?

* * *

No começo, era apenas uma menção intrigante.

Márcio Anselmo estava na casa dos pais para comemorar o Natal de 2013, deitado na sua cama estreita de adolescente. Lá fora fazia um calor desumano. Era aquele horário da tarde em que baixa um silêncio completo no campo, porque os bichos se escondem do sol, e até os passarinhos e os insetos ficam quietos. Não havia a menor possibilidade de pisar fora de casa. A pele muito branca agradecia.

Não que Márcio se importasse. Ele gostava de estar com os pais e com o irmão mais novo, mas lá fora nada lhe interessava. Ele já tivera a sua cota de vida caipira. Não estava ansioso para dar comida aos porcos, e caçar passarinho era crime ambiental. Às vezes era difícil entender como conseguira sobreviver ali por cinco anos, dos 14 aos 19. O pai havia surtado em Londrina e levou a família para o meio do nada, o interiorzão do interiorzão, numa cidade de 4 mil habitantes onde nada chegava. No final de 2013, ainda não havia internet no lugar.

Pelo menos havia eletricidade.

Márcio Anselmo sentou-se na cama e apoiou o computador da PF sobre as pernas cruzadas. Ele tinha as transcrições das conversas telefônicas e uma cópia dos e-mails de Youssef no HD. Eram centenas de páginas em que existia de tudo: coisas engraçadas, tramas, negociatas, romances e traições, conversa jogada fora. Informações reveladoras se misturavam a um blá-blá-blá sem importância. Ele já estava razoavelmente familiarizado com o material, já havia conseguido decifrar alguns dos códigos que Youssef usava com seus comparsas. Mas muita coisa ainda lhe escapava, eram peças difíceis de juntar. Havia conversas veladas, cifradas, cheias de lacunas e expressões como "é pra esquecer aquela?" e "então, cê conseguiu o lance lá?" A informação precisava se acumular no cérebro e então, com sorte, de um momento para o outro acontecia o clique.

Márcio foi lendo e tomando notas. Aqui e ali aparecia algo que chamava atenção. Por exemplo: segundo uma conversa do doleiro com alguém na conta de e-mail paulogoia58@hotmail.com, Youssef havia recebido, de uma concessionária em São Paulo, a nota fiscal de um Land Rover Evoque zero quilômetro. Emitida em 15 de maio de 2013, a nota tinha o valor de 250 mil reais. Mas o carro de luxo não era para Youssef. Ele havia sido registrado em nome de um certo Paulo Roberto Costa. Estava lá, bonitinho, com CPF e tudo. Márcio não se lembrava de ter visto esse nome antes. Seu primeiro instinto foi abrir o navegador de internet, mas ele estava irremediavelmente off-line. Nem o celular funcionava ali. Papai Noel não iria ajudar.

Às 20 horas do dia 24 de dezembro, Márcio ainda estava trabalhando. Saiu do quarto de olhos vidrados para ir ao banheiro e beliscar alguma coisa na cozinha. Ele estava voltando para o quarto quando a mãe o surpreendeu com a comida proibida.

— Larga isso e vai se vestir para a ceia, menino! — disse a mãe.

Márcio saiu correndo para o quarto com o petisco na mão, e ela se divertiu com o filho. O menino havia crescido, e os cabelos castanhos desapareceram precocemente do topo da cabeça. Mas piadas sobre calvície não o incomodavam. Ele tinha resposta pronta para essas ocasiões: o mais importante é o que tem dentro da cabeça. Aos 36 anos, o delegado já era dono de um dos currículos acadêmicos mais estrelados da corporação. Organizado, obcecado por trabalho, estudioso, capacidade fora do comum para processar informação. Tudo isso era Márcio Anselmo. Seu jeitão largado, de nerd distraído, combinava com o jeans surrado usado com camisetas soltas ou camisas xadrez.

Completamente encafifado, ele voltou para as mensagens de Youssef. Precisava descobrir quem era esse tal de Paulo Roberto. Depois, seria bom esclarecer por que a nota fiscal do carrão de luxo estava em nome dele, mas o endereço no documento era do doleiro.

Uma hora depois, foi a vez de o pai puxá-lo pelas orelhas.

— Estou aqui olhando uma história de um Land Rover — disse Márcio.

— Meu presente de Natal?

— Isso, comprado com salário de delegado da PF.

Márcio Anselmo finalmente foi se juntar à família. O encontro de Natal era uma tradição de que ele gostava. Só era difícil controlar a ansiedade.

Depois do Natal, o delegado voltou a Curitiba. Assim que entrou em seu apartamento, jogou a bolsa de viagem no chão e ligou o computador. A consulta à internet trouxe o resultado: Paulo Roberto Costa havia sido diretor de Abastecimento da Petrobras.

Youssef, ex-diretor de estatal, Land Rover, Petrobras... Interessante!

No dia seguinte, Márcio Anselmo foi até Igor e lhe mostrou sua descoberta.

— O que você acha disso?

— Acho estranho — respondeu Igor.

Márcio também achava — o que equivalia a dizer que ele ia seguir a pista até o fim.

* * *

Paulo Roberto Costa continuava falando na televisão. Os senadores queriam que ele explicasse o seu relacionamento com Youssef.

O executivo trazia um script nas mãos. Ele consultou brevemente o documento.

— Nós nos conhecemos por volta de 2004. Fomos apresentados pelo deputado José Janene, do PP. Na época me disseram que ele tinha negócios na área hoteleira. Um pouco mais tarde fiquei sabendo que ele havia respondido na Justiça por causa da sua atuação no mercado de câmbio, mas nunca fiquei perguntando sobre isso.

E eles haviam feito algum tipo de negócio?

— Só bem mais tarde — afirmou Paulo Roberto Costa. — Foi em 2012, eu já estava aposentado da Petrobras. O Youssef queria saber se valia a pena ou não adquirir uma empresa na área de petróleo e eu fiz consultoria para ele.

E o carro, o Land Rover Evoque?

— Acertamos a consultoria em 300 mil reais, e em maio de 2013 ele me pagou com o Land Rover. Não tenho nenhuma relação com as empresas do Youssef. Não conheço seus sócios.

O cara não se abala, pensou Márcio. Era mesmo um profissional.

Na manhã de 17 de março de 2014, dia da deflagração da Operação Lava Jato, uma equipe da PF chegou à casa do ex-diretor da Petrobras em um condomínio da Barra da Tijuca, no Rio de Janeiro. Eram 6 horas. Haveria uma busca, e ele seria conduzido à delegacia para prestar depoimento.

As respostas que Paulo Roberto Costa ofereceu à delegada designada para ouvi-lo em março tiveram diferenças mínimas em relação àquilo que ele dizia ao Senado naquela segunda-feira, 10 de junho. Pequenas variações de datas e outros detalhes sem importância.

O que mudou profundamente é aquilo que sabemos, pensou Márcio.

Diante da delegada, Paulo Roberto parecia se abster a muito custo de fazer aquela célebre pergunta — "Você sabe com quem está falando?" Impaciente, de cara amarrada, ele disse em seu depoimento que o Land Rover Evoque havia sido o pagamento por serviços de consultoria efetivamente prestados. Youssef o havia procurado em 2013, depois de sua aposentadoria da Petrobras, para que ele o aconselhasse em negócios no "mercado futuro". A consultoria, prosseguiu Paulo Roberto, aconteceu principalmente por meio de "reuniões presenciais e debates verbais", e por isso não existiam relatórios para documentá-la.

A polícia também estava interessada em compreender o envolvimento de Youssef com as obras na Refinaria Abreu e Lima realizadas por cinco consórcios de empreiteiras. Qual poderia ser o envolvimento do doleiro com um projeto bilionário da Petrobras? Paulo Roberto disse que, por óbvio, estava ciente das obras, mas que a Diretoria de Abastecimento da Petrobras, que ele havia ocupado, não cuidava das licitações que escolhiam os consórcios. Isso era de responsabilidade da Diretoria de Engenharia. Sobre comissões pagas por Alberto Youssef a quaisquer pessoas, em decorrência das obras na refinaria, o executivo foi lacônico: de nada sabia, e nada tinha a dizer. Quando a delegada lhe perguntou especificamente sobre a Camargo Corrêa, uma das cinco maiores construtoras brasileiras e a segunda que mais havia recebido dinheiro da União em 2013, atrás apenas da Norberto Odebrecht, Paulo Roberto seguiu a mesma linha: ele não havia participado de nenhuma das fases das licitações; embora, é claro, conhecesse pessoas de todas as grandes construtoras do país.

A cara fechada de Paulo Roberto Costa não apenas demonstrava o seu mau humor; ela também escondia ansiedade. Logo cedo ele havia se assustado ao ouvir a PF bater à sua porta. Ele ligou para a filha Arianna e pediu que ela fosse ao seu escritório retirar documentos e dinheiro. Foi um movimento arriscado, uma vez que outra equipe policial cumpria um mandado de busca e apreensão na consultoria Costa Global, que ocupava a sala 913 do edifício Península Office, também na Barra da Tijuca.

Num primeiro momento, pareceu que tudo correria bem para a família Costa.

Ao chegar ao escritório, a polícia descobriu que não havia chave na portaria. Em vez de arrombar, decidiu ir em busca da chave na casa do dono.

Policiais saindo, as filhas de Paulo Roberto Costa e os respectivos maridos chegando. Entre 8h16 e 9h14, a família do ex-diretor da Petrobras fez um vaivém pelos elevadores, carregando mochilas, sacolas e computadores. Como a polícia descobriu mais tarde, ao retornar e perguntar ao chefe de segurança se algo de estranho havia acontecido no intervalo, toda a movimentação ficou registrada nas câmeras do condomínio — que ainda operavam no horário de verão.

Márcio se lembrava das imagens.

Primeiro vieram Arianna e Márcio Lewkowicz, seu marido, em um carrão preto — um Ford Edge. Ela estava de vestido branco, bolsa e sapatos bege, com os cabelos castanhos penteados numa onda caindo sobre o ombro direito. Parecia pronta para o trabalho. Ele estava de calça jeans e camisa polo verde. Ambos subiram e, cinco minutos depois, Márcio retorna carregando uma mochila e uma bolsa pretas. Ao longo da hora seguinte ele fez o trajeto outras três vezes, sempre carregando sacolas, que deixava no banco de trás do carro.

Shanni e o marido Humberto Mesquita chegaram às 8h20. Ela estava de tênis, roupa de ginástica azul e preta e o cabelo escuro preso em um rabo de cavalo. Ele usava terno e gravata. Ao entrar no elevador fixaram a câmera de segurança com olhos arregalados. Humberto permaneceu pouco tempo no escritório. Desceu e ficou do lado de fora, vigiando a entrada. Shanni saiu às 8h53, apenas com a bolsa a tiracolo que trazia ao chegar.

Foi diferente com a irmã, que partiu às 9h14 carregando, além da sua bolsa pessoal, um notebook e duas sacolas coloridas cheias de papéis.

Sem perceber, Paulo Roberto havia colocado um holofote sobre a própria cabeça. A malandragem atraiu ainda mais a atenção dos delegados.

No dia seguinte, enquanto assistiam às imagens do edifício Península Office, Igor resumiu o que todos estavam pensando.

— Esse cara trabalhou anos na Petrobras, ganhou um carrão do Youssef, mandou a família dar fim em documentos. Pode ter um esquema maior por trás disso. Vamos abrir uma 2ª fase da operação, pedir autorização para prender o Paulo Roberto e tentar recuperar os documentos, se ele ainda não destruiu tudo.

A operação, que havia sido deflagrada para ter começo, meio e fim em uma única fase, começava a proliferar.

Márcio entrou no seu modo de processamento de informações — os colegas conheciam aquela expressão em seu rosto.

— O que foi? — perguntou Igor. — Eureca? Um presságio?

— Esse cara me intrigou desde o momento em que li a primeira mensagem que mencionava o nome dele — disse Márcio. — Vai dar merda.

O que não era ruim.

* * *

Um dos senadores resolveu fazer uma pergunta cabeluda a Paulo Roberto Costa. Por que, afinal de contas, a polícia havia descoberto uma pequena fortuna em dinheiro vivo em sua casa, no dia em que foi buscá-lo para prestar depoimento?

Paulo Roberto Costa não decepcionou Márcio Anselmo com a resposta que deu.

— Qual o problema de ter isso em casa? — perguntou o ex-diretor da Petrobras.

Ele estava inteiramente à vontade. E, pela reação nula dos senadores, a resposta lhes pareceu muito sensata.

Paulo Roberto Costa disse que os 760 mil reais apreendidos deveriam ter sido usados para pagar obrigações de sua consultoria, a Costa Global. *Mas a Polícia Federal malvada pegou o dinheiro*, pensou Márcio Anselmo.

Quanto aos 180 mil dólares e aos 10 mil euros, bem, nesse caso Paulo Roberto Costa precisava fazer uma pequena confissão: ele não havia declarado esses valores no seu imposto de renda.

Não! Sério mesmo? Mas quem nesta vida não está sujeito a um pequeno deslize, não é verdade?

* * *

Três dias depois de a polícia encontrar uma dinheirama em sua casa e de Paulo Roberto Costa pedir à família que ocultasse documentos da Justiça, ele teve sua prisão decretada e foi levado para Curitiba. A operação estava saindo de seu leito original, que mirava doleiros, e atingia um ex-diretor da gigantesca Petrobras, um homem com recursos, com uma reputação e muito bem relacionado.

Quando chegou à custódia na sede da Polícia Federal, Paulo Roberto tinha motivos para pensar que não ficaria detido por muito tempo. A mesma ideia, era impossível negar, passava pela cabeça de Márcio Anselmo e de seus colegas.

Mas as coisas aconteceram de uma forma diferente.

Primeiro Paulo Roberto Costa falhou em aproveitar uma oportunidade que a Justiça lhe dera. Sua prisão era temporária e poderia expirar em cinco dias caso as provas surrupiadas de seu escritório aparecessem. Isso não aconteceu, e no dia 25 um novo mandado foi expedido — dessa vez, prisão provisória, com prazo indeterminado.

Depois vieram reveses nos tribunais. Um após outro, seus pedidos de *habeas corpus* passaram a ser negados. E não foram poucos: dezesseis ao todo. As decisões do Tribunal Regional Federal da 4ª Região eram mantidas pelo Superior Tribunal de Justiça e pelo Supremo Tribunal Federal, mostrando que a ocultação de provas pela família de Costa realmente abrira um buraco em suas chances de defesa.

A defesa de Paulo Roberto Costa também tentou transferi-lo para o Rio de Janeiro. Para isso, espalhou a ideia de que ele não recebia da PF um tratamento compatível com o "princípio da dignidade".

Em meados de abril, pouco antes de um feriado, a defesa reclamou que Paulo Roberto não tinha acesso ao banho de sol e ao banho higiênico nos fins de semana. O feriado poderia estender por mais dias essa situação "vexatória".

Depois disso, um agente teria visitado o célebre detento em sua cela para ameaçá-lo. Uma foto sua no parlatório, exibindo um bilhete para os advogados, chegou à imprensa no dia 25 de abril. "No último sábado à noite fui ameaçado por um agente da PF na minha cela. Ele disse que eu estava criando muita confusão junto com meu advogado Quirino sobre o pedido para tomar banho de sol e caminhar no feriado. Com certeza isso foi um recado do delegado. Disse também que eu estava dando um tiro no meu pé. E que desta maneira seria transferido para Catanduvas. Pode isto????"

Três dias depois, os advogados pediram sua transferência para o Rio de Janeiro, alegando que ele era submetido a "tratamento desumano" e que sua integridade física estava "sob risco concreto". Mas o pedido foi alterado logo em seguida. Naquele mesmo dia, Paulo Roberto reconheceria que estava sendo tratado corretamente pela custódia da Polícia Federal e que a suposta ameaça havia partido "de pessoa específica daquela delegacia, que exercia o plantão". Horas depois, seus advogados acharam por bem esclarecer que não havia indício "de que haja tolerância da administração da Polícia Federal em Curitiba" com o desrespeito aos direitos do cliente.

Paulo Roberto foi transferido para uma ala reservada do Presídio Estadual de Piraquara II, na região metropolitana de Curitiba. A defesa ainda quis dizer que aquilo era uma concretização da ameaça feita ao cliente, mas Piraquara II era um lugar muito mais ameno que a Penitenciária Federal de Catanduvas, onde todos os rigores de um presídio de segurança máxima eram aplicados.

Houve outra investida contra a PF. Sua defesa afirmou que os agentes encarregados de fazer a busca no sítio do ex-diretor da Petrobras em Itaipava, na região serrana do Rio de Janeiro, haviam usado violência contra os caseiros, para intimidá-los e arrancar informações.

Os policiais haviam gravado a diligência no sítio. Como acontecia em muitas ocasiões, principalmente em ações envolvendo alvos sensíveis, um dos agentes levava uma câmera GoPro fixada no peito, nas fivelas do colete à prova de balas. Lá estavam os caseiros recebendo tranquilamente a PF, acompanhando os policiais enquanto eles faziam buscas por uma casa cheia de compartimentos ocultos, indicando lugares onde papéis haviam sido queimados e onde coisas talvez houvessem sido enterradas (um detector de metais foi usado, mas não indicou nada no lugar), e sentados tranquilamente na sala enquanto a diligência era concluída. Só faltou oferecerem um cafezinho.

Mais uma vez, o ex-diretor da Petrobras havia sido traído pela imagem de uma câmera.

No lance seguinte, contudo, sua defesa acertou.

* * *

Senado, Câmara, CPI, plenário, tribuna, relator, presidente, Vossa Excelência... Toda a parafernália da vida "política" — assim mesmo, entre aspas — causava às vezes uma espécie de náusea em Márcio Anselmo, uma aversão física.

Esquerda, direita, centro: nada disso fazia o menor sentido no Brasil. Tudo que existia era o poder — quem estava ou não estava no comando. E o resto, pensava ele nesses momentos, era um grande, um imenso estelionato.

Márcio Anselmo recordava outro discurso no Congresso Nacional. Dessa vez, do deputado petista André Vargas, vice-presidente da Câmara.

Vargas também era paranaense, e de Londrina. Assim como Youssef. Assim como o próprio Márcio, que por isso sabia bem quem ele era e qual o seu estilo. Ele era aquele tipo de político que colocava o partido acima das instituições e do país. No começo do ano, na abertura dos trabalhos no Congresso Nacional, ele havia levantado o punho, ao lado do presidente do Supremo Tribunal Federal Joaquim Barbosa, em apoio aos petistas condenados e presos no julgamento do mensalão.

As primeiras frases daquele discurso no dia 2 de abril de 2014 já soavam cínicas. — Alguns entendem que a melhor defesa é o ataque, mas não eu — afirmou Vargas. — O homem público tem o dever de prestar esclarecimentos.

Sim, era por isso que o nobre deputado estava ali, na tribuna: para se explicar diante dos colegas e da opinião pública. Ele também pedia desculpas por ter exposto sua família, que era, dizia ele, o que mais o machucava.

Por que eles não pensam na família antes de pisar na bola?, perguntava-se Márcio.

Na semana anterior, a imprensa pela primeira vez havia associado Vargas às tramoias de Alberto Youssef.

Havia a história mal contada de um jatinho emprestado por Youssef e usado pelo deputado para levar a mulher e a prole a passeio nas férias de fim de ano. Custo do voo: 100 mil reais.

— Eu reconheço, fui imprudente — disse Vargas.

Segundo ele, tratava-se de um aluguel, mas sem contrato e cujo pagamento foi ficando para depois. Tudo porque ele e Youssef se conheciam há mais de vinte anos — embora, é claro, Vargas não soubesse das falcatruas do amigo.

Mais importante, havia a suspeita de que o deputado Vargas teria ajudado Youssef em tratativas com o Ministério da Saúde, de modo que uma das empresas de fachada do doleiro pudesse fazer negócios mais graúdos.

Desnecessário dizer que o deputado, rechonchudo, atarracado, pobre em oratória, mas pródigo em negativas, não tinha nada a ver com o pato:

— Quero deixar bem claro que não agendei, não soube previamente nem acompanhei desdobramentos de nenhuma reunião do Ministério.

As pistas que a imprensa explorava haviam saído da investigação da PF, do monitoramento de ligações e e-mails de Youssef. Nas semanas seguintes, mais detalhes do elo entre o parlamentar e o doleiro continuaram vindo à tona.

Acontece que Vargas, como deputado federal, tinha foro privilegiado. Só podia ser processado pelo Supremo Tribunal Federal. Este detalhe quase lançou por terra toda a operação.

Depois de ver todos os seus *habeas corpus* indeferidos, Paulo Roberto Costa trocou o escritório de advocacia Fernando Fernandes pela assessoria do criminalista Nélio Machado. E Machado se apoiou na prerrogativa de foro de André Vargas para levantar uma questão processual: ele argumentou que, ao deparar com o nome do deputado no processo, o juízo de primeira instância havia feito menos do que sua obrigação. O processo havia sido desmembrado, ou seja, as informações relativas a Vargas foram separadas e a corte superior avisada de que elas existiam. Segundo a defesa, contudo, todo o processo deveria ter sido remetido ao STF. Não cabia ao juiz dizer se, e como, o processo podia ser desmembrado. Só o tribunal tinha o poder de tomar essa decisão.

O argumento funcionou com o ministro Teori Zavascki, no Supremo.

Existiam precedentes sobre esses casos.

Em seu despacho, Zavascki escreveu: "Em caso em tudo assemelhado ao aqui examinado, decidiu o Plenário que, 'até que esta Suprema Corte procedesse à análise devida, não cabia ao Juízo de primeiro grau, ao deparar-se, nas investigações, com suspeitos detentores de prerrogativa de foro, determinar a cisão das investigações e a remessa a esta Suprema Corte da apuração relativa a esses últimos, com o que acabou por usurpar competência que não detinha'."

No dia 18 de maio de 2014, dois meses e um dia após a deflagração da Lava Jato, Zavascki determinou a suspensão dos inquéritos e ações penais que estavam em andamento, a remessa de todos os autos ao STF e a soltura imediata de Paulo Roberto Costa e de todos os demais investigados que estivessem presos.

Eram 11h15 da manhã do dia 19 de maio quando Márcio foi chamado à sala de Igor, no mesmo corredor que a sua. Logo em seguida vieram Érika e os analistas Prado, Adriano e João Paulo. O "núcleo duro" da Lava Jato estava quase todo ali com o titular da Delegacia Regional de Investigação e Combate ao Crime Organizado (DRCOR).

Igor adiantou: as notícias eram as piores possíveis. Sérgio Moro havia telefonado pessoalmente para avisar que, às 11h02, um despacho do ministro Teori Zavascki havia chegado por fax à 13ª Vara Criminal, mandando soltar todos os presos da Lava Jato e remeter os autos para Brasília.

Por alguns milésimos de segundo fez-se um silêncio indignado na sala enquanto cinco pares de olhos incrédulos fitaram o coordenador da Lava Jato. Igor ficou ali, parado em pé, com as mãos apoiadas na mesa. O delegado de 41 anos havia feito a barba naquela manhã, mas certamente voltaria a cultivá-la dali a uma ou duas semanas. Com o rosto barbeado, ele e o juiz Sérgio Moro tinham algo de semelhante.

O silêncio foi rompido. Com poucas palavras, Márcio resumiu o pensamento de todos eles:

— Se ficar em Brasília vai entrar naquela dinâmica que nós conhecemos. Os processos vão ficar parados, os advogados vão ficar operando, vai acabar prescrevendo tudo.

O silêncio, agora mais pesado, voltou a ocupar a sala.

— O Moro disse que vai pedir para o ministro reconsiderar — disse Igor.

— Como assim, reconsiderar?

— Eu não sei. Ele só disse isso. Que tinha de mandar soltar o Paulo Roberto Costa, porque a reclamação foi feita pelos advogados dele, mas que estava se fechando na sua sala e que ia pedir para o STF reconsiderar a respeito de todos os outros.

— Isso não existe. Juiz de primeira instância não questiona decisão do Supremo. Cumpre. Ele vai desafiar o ministro e a emenda pode acabar pior que o soneto.

— É. Pode ficar pior ainda. Mas vocês sabem como é o Moro.

Márcio se lembrava da atmosfera estranha da sala naquele momento. Havia muitos elementos misturados no ar: apreensão em relação ao futuro da Lava Jato, ceticismo em relação à ousadia de Moro — e uma partícula de esperança.

O incentivo para que Rosalvo reativasse o núcleo de investigação de crimes financeiros na PF de Curitiba partira de Moro. O juiz era um especialista naquele tema, bem como no papel do Judiciário e da polícia no combate à corrupção. Igor, Márcio e Érika o conheciam havia mais de uma década, mas o contato tinha estreitado nos últimos meses. Desde o início da Lava Jato ele falava com frequência com os delegados sobre o andamento da operação. Nenhum dos policiais poderia chamá-lo de amigo. O contato obedecia em tudo à liturgia dos cargos. Mas existia um vínculo palpável de respeito e confiança mútua.

Então, se havia alguém capaz de fazer aquela jogada dar certo era o juiz da 13ª Vara Criminal de Curitiba. Ninguém sabia exatamente como, com quais argumentos. Mas Moro tinha muito a seu favor. Os ministros do Supremo o conheciam. Ele havia passado uma temporada no tribunal, como assessor da ministra Rosa Weber durante o julgamento do mensalão. Ele tinha um sólido conhecimento técnico e uma reputação mais sólida ainda de firmeza na condução de seus processos.

— Vamos esperar — disse Igor. — E, caso a decisão não seja a que nós queremos, vamos fazer o que está ao nosso alcance, que é investigar mais fundo, conseguir mais provas e trazer todo mundo de volta.

Foi uma espera desconfortável.

Às 14h52, o sistema de processo eletrônico da Justiça Federal do Paraná registrou o despacho de Sérgio Moro, que atendia à ordem do STF. Paulo Roberto Costa recebeu uma cópia de seu alvará de soltura às 16h30 e deixou a carceragem da PF pouco depois, mal conseguindo esconder o sorriso dos repórteres que o aguardavam do lado de fora. Ele havia ficado 59 dias detido.

Na carceragem, os demais presos comemoraram.

Depois do alvará de soltura do ex-diretor da Petrobras, Sérgio Moro colocou em ação sua estratégia solitária. Em ofício ao ministro Teori Zavascki, ele escreveu: "A fim de evitar erros de interpretação, oficie-se, com urgência e por fax, ao Gabinete do Min. Teori Zavascki solicitando esclarecimentos do alcance da decisão."

Assim como a presença do deputado André Vargas nos documentos da investigação havia criado uma brecha por onde Paulo Roberto Costa estava fugindo, a existência de um traficante entre os alvos da Lava Jato poderia fechá-la. Essa era a aposta do juiz.

Enquanto investigava o doleiro Carlos Chater, a PF descobriu que ele lavava — com a ajuda do onipresente Alberto Youssef — o dinheiro de gente envolvida com o tráfico de drogas. Com isso, entraram na mira da Lava Jato os traficantes Rene Luiz Pereira e Sleiman Nassim El Kobrossy, integrantes de um grupo que trazia cocaína da Bolívia e do Peru e a embarcava do Porto de Santos para a Europa. Os dois faziam parte do núcleo financeiro da organização e eram responsáveis, principalmente, por fazer circular e "reinvestir" o dinheiro da droga.

Mas não era só isso.

Em 21 de novembro de 2013, uma viatura da Polícia Militar Rodoviária que trafegava perto de Araraquara, no interior de São Paulo, decidiu abordar um caminhão para uma vistoria de rotina.

O caminhão, informou o motorista, transportava palmitos. Ele tinha as notas para comprovar.

Quando um dos policiais foi conferir a carga, no entanto, o motorista perdeu o sangue-frio. Entregou tudo. Além de palmito, havia droga na carroceria. Ele havia recebido 10 mil reais para fazer o serviço.

Foi só levantar a lona do caminhão para encontrar a droga. Nada menos que 698 quilos de cocaína empacotados em "tijolos".

Nas ligações interceptadas pela Lava Jato, Rene foi apanhado conversando com certo boliviano de apelido Caballero. Os dois falavam de uma carga de 700 quilos de cocaína — e pelas datas ficou claro que a droga era aquela que havia sido apreendida. Rene era o seu importador.

Rene era também um dos presos em Curitiba que poderiam ser beneficiados pela decisão de Teori Zavascki.

Com cautela e respeito, Moro apontou esse fato ao ministro do STF no ofício em que pedia que ele esclarecesse "o alcance de sua decisão". Era um gesto incomum, sobretudo porque o despacho de Zavascki não era ambíguo. Ele dizia com clareza que os presos deviam ser soltos.

Mas Moro, nas entrelinhas, convidava o ministro a rever sua decisão.

Subscrevo este ofício, solicitando, respeitosamente, esclarecimentos sobre o alcance da decisão, já que não foram nominados os acusados que devem ser soltos e os processos que devem ser remetidos ao Supremo Tribunal Federal.

Esclareço que, entre os outros feitos originados na assim denominada Operação Lava-jato, encontra-se ação penal que tem por objeto tráfico de 698 kg de cocaína e lavagem do produto de tais crimes. Rene Luiz Pereira foi acusado ser o mandante de remessa, além de outras mencionadas na denúncia, como 55 kg de cocaína apreendidos em

Valencia, na Espanha. Há indícios de que compõe grupo organizado transnacional com diversas conexões no exterior e dedicado profissionalmente ao tráfico de drogas. A referida ação penal também tem por acusados Sleiman Nassim El Kobrossy, Maria de Fátima Stocker, Carlos Habib Chater, André Catão de Miranda e Alberto Youssef. Um deles, Sleiman, que não foi preso preventivamente, já está foragido. Outro está preso na Espanha. Assim, muito respeitosamente, indago à V.Exa. O alcance da decisão referida, se este feito de tráfico de drogas e lavagem também deve ser remetido ao Supremo Tribunal Federal e se devem ser colocados soltos os acusados neste feito, entre eles Rene Luiz Pereira, preso por risco a ordem pública pelos indícios de envolvimento em organização criminosa responsável por tráfico de cerca de 750 kg de cocaína.

Entre os outros feitos originados na assim denominada Operação Lava-jato, encontram-se ações penais que têm por objeto crimes financeiros e de lavagem de dinheiro envolvendo três grupos distintos dirigidos por supostos doleiros, um dirigido por Carlos Chater, outro por Nelma Kodama e o terceiro por Alberto Youssef.

Assim, muito respeitosamente, indago à V.Exa. o alcance da decisão referida, se estas três ações penais também devem ser remetidas ao Supremo Tribunal Federal e se devem ser colocados soltos os acusados neste feito, entre eles Carlos Chater, Nelma Kodama e Alberto Youssef. Informo por oportuno que há indícios, principalmente dos dois últimos, que eles mantêm contas no exterior com valores milionários, facilitando eventual fuga ao exterior e com a possibilidade de manterem posse de eventual produto do crime. Nelma Kodama, aliás, foi, nas vésperas da operação policial, presa em flagrante em tentativa de fuga do país quando portava, no aeroporto de Guarulhos, sub-repticiamente 200 mil euros.

Por oportuno, mais uma vez manifesto meu elevado respeito pelas decisões de V.Exa. e esclareço que objetivo é apenas esclarecer o total alcance da decisão comunicada a este Juízo, a fim de evitar que os processos, a ordem pública e a aplicação da lei penal sejam expostas a riscos por mera interpretação eventualmente equivocada de minha parte. [...]

Desde logo, peço escusas pela solicitação de esclarecimentos acerca do alcance da decisão, tendo, não obstante, parecido a este Juízo que tratava-se da postura prudente de minha parte. Evidentemente, caso esclarecido que todos os processos devem ser remetidos e que todos devem ser soltos, a decisão será imediatamente cumprida.

Cordiais saudações
Sergio Fernando Moro

A resposta veio no dia seguinte. Mais uma vez, Igor chamou os delegados e analistas à sua sala.

— Vocês não vão acreditar.

— O quê, pô?

— O Teori aceitou os argumentos do Moro.

— Como assim? Ele não mandou o cara à merda?

— Não. Ele mudou de ideia e manteve todos presos, com exceção de Paulo Roberto Costa.

— O Moro é foda.

— É. O Moro é foda.

O juiz havia tomado uma iniciativa incomum para um magistrado da primeira instância. Sua coragem havia sido recompensada.

Mas ainda era uma vitória parcial. Os autos seriam remetidos a Brasília, e Paulo Roberto Costa estava solto.

O sentimento geral na equipe podia ser comparado com o do motorista que capota o carro e é tirado das ferragens com uma fratura grave — apesar de estar vivo.

* * *

Já fazia algumas horas que Paulo Roberto Costa depunha ao Senado. O teatro começava a cansar. Em alguns momentos ele parecia um professor, explicando ao auditório como funcionava uma grande petroleira. Sobre o caso da Refinaria Abreu e Lima, ele foi enfático mais uma vez. Só gente mal-intencionada ou burra, que não entendia nada de projetos complexos como aquele, poderia achar que havia algo de errado no fato de o custo da obra ter saltado de 2,5 bilhões de reais para cerca de 18 bilhões.

— Nós não tínhamos ainda o projeto da refinaria. Com esse dado preliminar, a imprensa e as pessoas que não conhecem a área de projetos disseram: pô, era para custar 2,5, tá custando 18 — afirmou Paulo Roberto. E prosseguiu: — Não tem sobrepreço nisso, não tem superfaturamento, não tem nada. É que o dado foi divulgado de forma errada, na hora errada.

Márcio Anselmo continuava ouvindo quando Paulo Roberto Costa, sem hesitar, deu o passo seguinte.

— Pode-se fazer auditoria por cinquenta anos que não vai se achar nada ilegal na Petrobras, porque não há nada ilegal na Petrobras — disse ele. — Não existe organização criminosa, não sei o porquê de inventarem isso, mas é uma história inventada, fora da realidade. Não existe lavagem de dinheiro da Petrobras para Alberto Youssef.

Depois disso, o delegado desligou.

Ele agora queria que o relógio corresse depressa. Queria saber de uma vez qual seria o desfecho do caso. Naquele mesmo dia, a Segunda Turma do Supremo Tribunal Federal decidiria se a Lava Jato voltava para Curitiba, ficando em Brasília apenas as ações relacionadas às autoridades com foro privilegiado.

Era difícil prever o que aconteceria com Paulo Roberto Costa se os processos fossem transferidos para o STF.

Seria um tapa na cara se ele ficasse livre.

Por quê?

Porque Paulo Roberto Costa era corrupto.

Palavra por palavra, tudo o que o sujeito havia dito naquela manhã era mentira.

Sim, havia superfaturamento na Abreu e Lima. Sim, existia uma organização criminosa operando na Petrobras. Sim, havia um esquema milionário de desvio de recursos públicos, e Paulo Roberto Costa havia lambuzado nele muito mais que as mãos.

Márcio sabia disso. Não por intuição. Não por convicção. Mas porque desde a descoberta fortuita da transação com o Land Rover eles haviam encontrado mais e mais evidências mostrando que o ex-diretor da Petrobras era um criminoso.

Eles haviam conseguido demonstrar que o Consórcio Nacional Camargo Corrêa, vencedor de uma licitação para obras na Refinaria Abreu e Lima, superfaturou diversos itens do contrato. O sobrepreço era pago, sobretudo, às empresas Sanko Sider e Sanko Serviços, indicadas para a tramoia por Paulo Roberto e Youssef. Depois disso, o dono dessas empresas, Márcio Bonilho, repassava o dinheiro desviado a uma consultoria fajuta de um amigo de Youssef.

Havia uma conversa entre Youssef e Bonilho, reclamando de um dos executivos da Camargo Corrêa, Eduardo Leite, que eles chamavam de Leitoso:

> Pior que o cara acha que foi prejudicado, cê tá entendendo? É rapaz, tem louco pra tudo. Porra, foi prejudicado, o tanto de dinheiro que nós demos pra esse cara. Ele tem coragem de falar que foi prejudicado? Pô, faz conta aqui, cacete. Recebi 9 milhões em bruto, 20% eu paguei, são 7 e pouco, faz a conta do 7 e pouco, vê quanto ele levou, vê quanto o comparsa dele levou, vê quanto o Paulo Roberto levou, vê quanto o outro menino levou e vê quanto sobrou. Vem falar pra mim que tá prejudicado! Ah, porra, ninguém sabe fazer conta, eu acho que ninguém sabe fazer conta nessa porra. Não é possível. A conta só fecha pro lado deles...

"Vê quanto o Paulo Roberto levou..."

Na casa do ex-diretor, eles haviam encontrado uma planilha feita à mão com diversas entradas de dinheiro relacionadas a "primo", um codinome de Youssef entre seus comparsas.

No escritório de Youssef, eles acharam anotações com o título "Reunião Paulo Roberto Costa", que falavam da abertura de empresas offshore e aconselhavam que elas fossem colocadas em nome de sua mulher e sua filha, uma vez que o fato de o "Dr. Paulo" ter ocupado um cargo de indicação política na Petrobras poderia representar um problema.

Eles sabiam que uma das empresas de Paulo Roberto Costa dividia o endereço com a firma de "investimentos" de Youssef.

Eles sabiam, finalmente, que Paulo Roberto Costa e sua família tinham 23 milhões de dólares escondidos em cinco bancos da Suíça. O Ministério Público daquele país havia bloqueado o dinheiro, sob a suspeita de que fosse oriundo de crimes, e compartilhado essa informação com as autoridades brasileiras.

Ah, sim: Paulo Roberto tinha um passaporte português. Ele havia se "esquecido" de comunicar esse fato à Justiça.

A farsa de Paulo Roberto Costa no Senado repetia um padrão brasileiro. Márcio Anselmo havia assistido ao espetáculo — mas queria um final diferente dessa vez.

Então, ele aguardou a sessão de julgamento no STF.

E sorriu quando os ministros decidiram, por unanimidade, que o juiz Sérgio Moro não havia desrespeitado o Supremo ao desmembrar o processo na parte relativa ao deputado André Vargas. Assim, a Justiça Federal do Paraná receberia de volta todas as ações da Lava Jato que haviam sido remetidas para a corte.

Naquela mesma noite, Márcio foi avisado de que um novo mandado de prisão seria expedido contra Paulo Roberto Costa. O ex-diretor da Petrobras voltaria à cadeia no dia seguinte.

III. As primeiras delações

Era fim da tarde de uma quarta-feira, dia 29 de outubro de 2014. Érika estava sentada em uma das cadeiras na sala de Igor de Paula, o chefe da DRCOR do Paraná. Os dois tomavam café, tirado da máquina de expresso que ficava ali mesmo — a mais concorrida da Polícia Federal em 26 estados e no Distrito Federal.

— A Catta Preta pode ficar com a delação premiada. Eu continuo apaixonada por inquérito. Tem coisa melhor que um inquérito bem encorpado, bem cheio de provas, bem técnico, com o crime todo exposto ali na sua frente? Adoro.

— Mas que a delação ajuda, isso ajuda.

— Nada que umas diligências a mais não resolvessem, Igor.

Márcio Anselmo chegou de sua sala com um saquinho de chá nas mãos.

— É daquele? — perguntou Igor.

— Chá Dilmah, um presente da natureza para a humanidade.

— Bom proveito.

— Márcio, o Igor agora está todo excitado com as colaborações.

— Você é que está se fazendo de difícil, delegada Érika.

— Colaboração não é prova, é meio de obtenção de prova. Se não der para corroborar o que o sujeito diz, não vale. Nada substitui um inquérito policial bem-feito — disse Márcio.

— É o que eu estava dizendo para ele. Ouviu, Igor? O Márcio é acadêmico, ele sabe do que está falando.

— Eu vou ter que pedir agora a transferência de vocês para Roraima.

Os três haviam acabado de conversar por telefone com o delegado Felipe Hayashi, que estava em São Paulo para fazer a oitiva de Augusto Ribeiro de Mendonça Neto. Naquele primeiro dia ele havia preenchido seis termos — mais de 25 páginas de depoimento. No dia seguinte haveria mais. E no outro. Hayashi ficaria em São Paulo o quanto fosse necessário para que o executivo da empresa de engenharia Toyo Setal esgotasse o seu relato sobre o esquema de corrupção implantado na Petrobras.

Aquele era o terceiro colaborador da Lava Jato, depois de Paulo Roberto Costa e de Alberto Youssef. Uma quarta delação estava a caminho, e seria feita por um comparsa de Mendonça Neto: o consultor Júlio Camargo, um dos responsáveis por repassar dinheiro desviado da Petrobras para políticos. Camargo e Mendonça Neto haviam assinado seus acordos de colaboração simultaneamente, uma semana antes. Assim como Paulo Roberto e Youssef, eles eram representados pela advogada Beatriz Catta Preta.

— Agora a sério — disse Igor. — O cara revelou coisas importantes. Nós não tínhamos toda essa história do Clube, não sabíamos como o cartel funcionava por dentro.

— E tem uns nomes interessantes, como o do tal Pedro... — Érika consultou o papel em que havia tomado algumas notas -- ... Barusco.

— E nós não tínhamos a história de que eles disfarçaram propina como doação oficial para o PT — disse Márcio.

— Pois é, nós não tínhamos essa história — concorda Igor.

— Foi bom para o primeiro dia — disse Érika.

— Foi.

— São quantos anexos na delação dele?

— Acho que uns doze, se não me engano. Deve levar mais uns três ou quatro dias.

— E depois vem a do comparsa dele, o Júlio Camargo.

— Isso. Quatro colaborações.

— Vamos ver quando os advogados criminalistas começam a fazer estardalhaço — disse Márcio.

— O Nélio Machado, advogado do Paulo Roberto, ficou bem irritado com a delação do cliente dele — falou Igor. — Disse que se lembrou do tempo da ditadura, em que os presos eram torturados para entregar os companheiros. Disse ainda que na tradição em que ele se formou delação premiada é uma coisa execrável.

— Não sei se vocês lembram, acho que já faz uns dez anos, foi lá por 2004 ou 2005, o José Carlos Dias, advogado criminalista, escreveu que estavam trazendo para o Brasil o modelo da "extorsão premiada".

— Pois é, o Nélio vai na mesma linha.

— Esse argumento é muito fajuto. Primeiro porque a gente não está mais na ditadura. Uma coisa é torturar gente para ficar no poder, outra coisa é usar uma ferramenta que está prevista na lei para combater corrupção num Estado democrático. Aliás, a lei foi sancionada por uma ex-guerrilheira. Hoje em dia existe colaboração em tudo quanto é país, não só nos de tradição inglesa. Até a ONU e a União Europeia recomendam sua adoção. Além disso, essa coisa de comparar colaborador com traidor, com dedo-duro, é só para criar confusão. Como se a colaboração fosse uma coisa imoral. De que moral você está falando? Tem uma acadêmica espanhola que discute o assunto do ponto de vista da moral utilitarista, e diz que é preferível a impunidade de um dos cúmplices à de todos. E aí? Mas o que eu acho pior na discussão é que os advogados fazem de conta que ela vale para qualquer coisa, que vai servir para pegar ladrão de galinha, e não para uma coisa bem específica, que é crime organizado, e que ela serve para chegar aos chefões, aonde nunca se chegava.

— Falou, doutor Márcio.

— A Catta Preta vai nadar de braçada nessa história — disse Érika. — Ela é absolutamente pragmática. É uma forma de defesa prevista em lei? Então está valendo. Se as provas contra o cara forem muito avassaladoras e existir a possibilidade da colaboração, não tem motivo para negar esse caminho ao cliente.

— Ela vai ganhar uma fortuna.

— Tem advogado que recebe uma fortuna para alongar o processo para sempre — disse Igor. — Ela vai ficar milionária fazendo colaborações e acelerando o processo. Por mim, tudo bem.

— Sabe o que me dá birra de verdade? — disse Érika. — Que a gente não esteja propondo acordo de colaboração com autonomia. A lei é bem clara quando diz que o delegado tem tanta legitimidade para propor o acordo de colaboração na fase de investigação quanto o Ministério Público.

— Eu entendo o Moro — disse Igor. — Se a colaboração já causa celeuma do jeito que é, imagina se a PF fosse formalizar acordo. Se bobeasse, iam anular processo por causa disso.

— Nessas brigas sobre legitimidade é sempre a PF que acaba perdendo. Daqui a pouco vai ter procurador dizendo que é só o Ministério Público que pode propor acordo, e ponto-final. Não vou estranhar se daqui a pouco a gente não puder nem participar de nada. Quando o MP dá para ser corporativo, vocês sabem como é.

— Calma, Érika. Não foi você que disse que sua paixão é inquérito, investigação?

— Ah, é verdade. Eu tinha esquecido.

Os delegados riram, e Érika saltou de sua cadeira.

— É hora de mais um café.

Márcio e Igor a acompanharam até a máquina de estimação; os dois pareciam gigantes perto da delegada. A loirinha miúda com cabelos lisos e curtos já havia se acostumado a levantar a cabeça para encará-los. Ela fazia jus ao ditado de que tamanho não era documento. Érika, assim como Márcio Anselmo, era um dos nomes mais respeitados quando o assunto era crime financeiro e crime organizado.

Igor voltou ao assunto das delações.

— Quanto foi que a gente usou de colaboração para montar a fase sete, Márcio?

— Zero.

— Pois é, zero. E o mundo vai cair do mesmo jeito — disse Igor.

Desde o começo da Lava Jato os três delegados, amigos entre si, discutiam a questão dos acordos de colaboração premiada. Todos eram veteranos da Operação Banestado e haviam assistido à implementação do primeiro acordo desse tipo no Brasil, em dezembro de 2003.

Uma boa dose de ousadia havia sido necessária para que se pusesse a ideia em prática. Não porque ela fosse nova. Desde 1990 existia na legislação brasileira o conceito de que um bandido que ajudasse a resolver os crimes cometidos por uma quadrilha poderia ter sua pena reduzida. A Lei de Proteção à Testemunha, de 1999, foi ainda mais longe, falando de perdão judicial para esses casos. O que faltava eram regras claras sobre como a colaboração deveria acontecer.

Coube então aos procuradores da República Carlos Fernando dos Santos Lima e Vladimir Aras, de um lado, e aos advogados Antonio Augusto Figueiredo Basto e Luiz Gustavo Flores, de outro, criar um método, sob inspiração daquilo que se fazia desde sempre nos Estados Unidos. O que a acusação e a defesa negociassem seria registrado por escrito, com cláusulas detalhadas, e depois submetido à aprovação do juiz.

Naquele caso pioneiro, o colaborador era ninguém menos que Alberto Youssef.

E o juiz era Sérgio Moro.

Ele mesmo.

A colaboração de Youssef rendeu bons frutos e abriu caminho para que outros acordos começassem a ser firmados pelo país afora, sobretudo em casos de assassinato e de tráfico de drogas.

Então, em agosto de 2013, entrou em vigor a Lei Anticorrupção, que disciplinou para valer o instituto da colaboração premiada. Assim, a Lava Jato foi deflagrada em um momento em que aquela ferramenta do direito penal já dispunha do seu atestado de maturidade no Brasil.

Será que alguém vai entrar no jogo?

A pergunta estava na cabeça dos delegados desde as primeiras prisões e foi ganhando força à medida que ficava evidente que os atores daquele drama não eram apenas doleiros: tratava-se, na verdade, de um grande esquema de corrupção, justamente o tipo de crime cuja apuração mais podia se beneficiar de uma colaboração — ou de várias.

Igor, Márcio e Érika queriam que houvesse colaborações. Mas queriam que elas fossem para valer — daí as brincadeiras sobre a importância do inquérito e do conjunto de provas e argumentos que ele contém.

Por que conceder benefícios a um criminoso se tudo aquilo que ele tinha a dizer podia ser demonstrado por meio de documentos já apreendidos, de escutas telefônicas ou interceptação de e-mails? Por que livrar a cara de um patife se ele não mostrasse o caminho para chegar a patifes maiores — aqueles que ficavam no topo dos esquemas criminosos, escondidos na sombra ou por trás de cargos de prestígio?

Como dizia Sérgio Moro, acordos de colaboração tinham de obedecer ao "princípio da escalada": só devia ser aceito o depoimento que ajudasse a subir na hierarquia do crime. Caso contrário, o que havia era tão somente uma "confissão premiada", que não fazia a Justiça avançar.

— Se nós tivermos delações vai dar para acelerar o trabalho e diminuir o risco de os crimes prescreverem — dizia Igor. — Quem sabe a gente derruba o tempo de tramitação de um processo de corrupção. De doze anos para uns seis anos, imaginem. Seria sensacional.

Márcio e Érika hesitavam em aceitar até mesmo esse argumento pragmático:

— A questão não é apurar rápido ou punir rápido, a questão é desvendar toda a estrutura da organização criminosa. Se não for para isso, melhor não fazer acordo.

Colaboração, mas não a qualquer preço. Esse era o raciocínio dos delegados da PF.

Para eles, não foi surpresa quando Antonio Augusto Figueiredo Basto, o mesmo advogado que, uma década antes, havia ajudado a costurar a inédita colaboração de Alberto Youssef, deixou entrever que um novo acordo não estava descartado. A reação dos delegados foi de rejeição absoluta. Na Banestado, Youssef havia prometido nunca mais retornar à vida bandida. Além de descumprir a promessa, acabou por se transformar em um pilantra mais audacioso e sofisticado do que antes. Se havia zombado uma vez da Justiça, o que o impediria de zombar de novo?

Agora mesmo, na Lava Jato, ele não havia passado a perna na polícia? Ao ser preso no Maranhão, Youssef estava tranquilo em seu quarto, sem nada de valor com ele. Dias mais tarde, ao obter as imagens do sistema de vigilância do hotel, a PF havia descoberto que ele estava viajando com um comparsa e que tinha deixado uma mala com ele às 3 horas da madrugada, pouco antes de ser preso. O sujeito, Marcão, havia saído de táxi carregando a mala, depois de toda a confusão no hotel, e voltado de tarde sem ela.

Youssef, sem dúvida, sabia muita coisa. Mas, mesmo que ele nunca mais dissesse uma palavra, suas ligações telefônicas e mensagens de texto, assim como todos os papéis e contratos fraudulentos apreendidos em seu escritório, continuariam sendo uma fonte preciosa de informações.

Alberto Youssef, que não era marinheiro de primeira viagem, também aconselhava o comparsa a esperar. Não era, obviamente, um conselho desinteressado. Se Paulo Roberto falasse, Youssef não teria escapatória. Como havia resistência a uma colaboração de sua parte, podia se ver totalmente exposto, sem chances de obter uma redução de pena em troca de contar o que sabia. A perspectiva de passar muitos e muitos anos na cadeia era bastante concreta. Enquanto seus advogados exploravam os caminhos legais, o melhor para ele era que todos mantivessem o silêncio.

O doleiro se esforçava, inclusive, para tornar menos opressivo o ambiente da carceragem. Conversava com todos, encorajava-os e parecia não desanimar — embora o seu senso de humor fosse, no mínimo, peculiar. Em 8 de julho de 2014, dia de Brasil e Alemanha na Copa do Mundo de Futebol, ele se certificou de que uma pequena televisão estaria disponível para os presos assistirem à partida e se pôs a cantar desde cedo o hino da seleção de 1970:

— Noventa milhões em ação, pra frente, Brasil do meu coração!

Quando o jogo começou a desandar, ele não perdeu o rebolado. Continuou cantarolando e, a cada gol da Alemanha, dizia ao colega:

— Não fica triste, Paulinho! Ainda dá tempo de virar esse jogo!

Para os delegados, a delação dos sonhos era mesmo a de Paulo Roberto Costa, o executivo da estatal, o apadrinhado de políticos, o grande insider.

Em momentos diferentes, em circunstâncias diferentes, Igor, Márcio e Érika sugeriram esse caminho a Paulo Roberto, principalmente depois de seu retorno à cadeia, em 11 de junho de 2014. Em paralelo, a mulher e as filhas do ex-diretor da Petrobras, também alvo da atenção da Justiça, ponderavam se o melhor caminho para a família não seria acertar uma delação.

O advogado de Paulo Roberto, Nélio Machado, era contra o expediente. Ele acreditava que os recursos clássicos da defesa surtiriam efeito e que um *habeas corpus* libertaria o seu cliente em algum momento próximo.

Esse equilíbrio se manteve por várias semanas.

Mas, em 22 de agosto, Paulinho percebeu que não teria como virar o jogo.

Nesse dia, a PF deflagrou a 6ª fase da Lava Jato e fez devassa em treze empresas de consultoria ligadas a Arianna e Humberto — a filha e o genro de Paulo Roberto Costa. Não bastasse o célebre vídeo em que eles apareciam carregando documentos para longe das mãos da PF, na 1ª fase da Lava Jato, havia indícios consistentes de que Arianna era cúmplice do pai em seus negócios escusos. Suas empresas cresceram enormemente enquanto ele dava as cartas na Petrobras.

A certeza de que sua família seria devastada foi o ponto de virada para Paulo Roberto Costa. Mais pai, menos vigarista, ele avisou a Nélio Machado que faria o acordo de colaboração premiada e contratou os serviços de Beatriz Catta Preta, de quem suas filhas já haviam se aproximado.

Os dias seguintes foram de negociação intensa. Por fim, no dia 27 de agosto, o termo de colaboração com dezesseis páginas e 26 cláusulas estava pronto.

Nele, Paulo Roberto Costa reconhecia que, "enquanto diretor de Abastecimento da Petrobras e mesmo após, atuou como líder de organização criminosa voltada ao cometimento de fraudes em contratações e desvio de recursos em diversos âmbitos e formas, totalizando dezenas de milhões de reais, tendo sido a vantagem distribuída entre diversos agentes, públicos e privados, em grande parte ainda não identificados".

Paulinho se obrigava a identificar toda a hierarquia e a divisão de tarefas da organização criminosa, a esclarecer como funcionava o esquema e a entregar todas as provas documentais que estivessem ao seu alcance.

Ele ainda se comprometia a entregar à União o produto dos seus crimes — uma fortuna considerável. O dinheiro escondido no exterior totalizava quase 26 milhões de dólares. Como indenização pelos danos que havia causado à administração pública, Paulo Roberto Costa teve de pagar outros 5 milhões de reais. Ele abriu mão de uma lancha avaliada em 1,1 milhão de reais, do dinheiro apreendido na época de sua primeira prisão e — fecho simbólico — do Land Rover Evoque recebido de presente de Alberto Youssef.

Igor pediu e Sérgio Moro concedeu: o Land Rover passaria a ser usado pela PF.

Como contrapartida, Paulo Roberto Costa obteve dois grandes benefícios. Primeiro, ele deixaria a cadeia. Passaria imediatamente à prisão domiciliar, com tornozeleira eletrônica, e depois ficaria sujeito a no máximo dois anos de prisão em regime semiaberto. Segundo, ele conseguiu que sua mulher, suas filhas e genros também entrassem no acordo. Nenhum deles iria para trás das grades.

Havia chegado a hora de falar. No dia 29 de agosto, a última sexta-feira do mês, Paulo Roberto foi conduzido da custódia para a sala de Igor, onde havia uma grande mesa de reuniões — além da máquina de café. Estavam presentes os advogados Beatriz Catta Preta e Luiz Henrique Vieira para lhe prestar assessoria. Pelo Ministério Público, o procurador Diogo Castor de Mattos. Para conduzir o depoimento, os delegados Érika e Felipe Hayashi.

Érika começou os trabalhos mencionando as obrigações e os direitos do colaborador, depois apresentou o tema daquele primeiro depoimento: aquilo que Paulo Roberto havia chamado de "Triângulo Políticos-Governo-Empreiteiras". O ex-diretor da Petrobras logo mostrou que não pretendia ser hipócrita. Disse que numa estatal a competência técnica só permitia que um funcionário ascendesse até um certo ponto na carreira. Depois disso, era necessário contar com apadrinhamento político. Seu padrinho, para que ele chegasse ao posto de diretor de Abastecimento, havia sido José Janene, o cacique do PP, o Partido Progressista. E prosseguiu, de maneira implacável: — Uma vez que você ocupa o cargo de diretor por indicação política, o grupo político sempre demandará algo em troca. Toda indicação política no país para cargos de diretoria pressupõe que você propicie facilidades ao grupo político que o indicou, realizando desvio de recursos de obras e contratos firmados.

Paulo Roberto então abriu um parêntese para dissecar a lógica do processo eleitoral brasileiro.

— É uma grande falácia afirmar que existe doação de campanha no Brasil — afirmou. — Na verdade, são empréstimos a serem cobrados posteriormente a juros altos. Nenhum candidato no Brasil se elege apenas com caixa oficial de doações. Os valores declarados como custos de campanha correspondem em média a apenas um terço do montante efetivamente gasto. O restante é oriundo de recursos ilícitos ou não declarados.

Com poucos minutos de depoimento, todos na sala sentiam um arrepio de espanto. Aquilo que Paulo Roberto contava não era inusitado. Eram segredos de polichinelo. Ainda assim, ouvir os fatos relatados de maneira tão cândida por alguém que fazia parte do esquema causava um estranho impacto.

O delator disse que recebia demandas frequentes do PP e do PMDB. Esporadicamente, havia assédio do PT. Mas até o PSDB o havia abordado uma vez, pedindo dinheiro para impedir a instauração da CPI da Petrobras em 2010. Paulo Roberto explicou que a Petrobras estava toda loteada. A sua cadeira era atrelada ao PP. A Diretoria Internacional era feudo do PMDB. Na diretoria que respondia pelos maiores contratos, a de Serviços, o PT havia instalado um preposto seu, Renato Duque. O partido também controlava a presidência e outras três diretorias — a de Gás e Energia, a de Exploração e Produção e a Financeira.

Outro vértice do triângulo eram as empreiteiras. No Brasil, eram poucas as empresas com a capacidade técnica necessária para realizar as obras demandadas pela Petrobras. Segundo Paulo Roberto revelou, elas haviam se organizado em um cartel. Seus representantes se reuniam periodicamente em São Paulo ou no Rio para decidir quem tocaria cada um dos projetos. Mas seu poder parava aí. Se não pagassem ao grupo político que controlava a diretoria com quem estavam contratando, as empreiteiras deixavam de ser chamadas para licitações ou eram impedidas de fazer aditivos nos contratos em andamento — sendo que esses aditivos eram bastante comuns e resultavam de "falhas" no projeto básico. Essas "falhas" eram a razão de tantas obras da Petrobras terem preço final muito maior do que o originalmente anunciado.

Para atender aos políticos, as construtoras haviam desenvolvido um método. Elas engordavam sua margem de lucro com valores que representavam de 1% a 3% do preço final da empreitada.

— O pagamento desse percentual para repasse aos grupos políticos é algo institucionalizado — disse Paulo Roberto Costa. Em outras palavras, corrupção institucionalizada.

Cada empreiteira contava com seus próprios mecanismos para fazer o dinheiro chegar aos partidos, e cada partido contava com seus operadores de confiança. No caso do PT, tratava-se do tesoureiro João Vaccari Neto. No caso do PP, o operador era Alberto Youssef. O PMDB contava com os préstimos de Fernando Soares, mais conhecido como Fernando Baiano. Mas os diretores da estatal também eram remunerados por sua fidelidade ao esquema. Ele, Paulo Roberto, em geral recebia uma parcela de 20% do dinheiro desviado para o PP. Guardava a parte do leão para si próprio e entregava uma fatia ao amigo Youssef.

O primeiro depoimento do ex-diretor de Abastecimento da Petrobras estava encerrado. Érika estava atônita. Por trás das porcentagens escondiam-se milhões e milhões de reais. Era repugnante ouvir com que facilidade o dinheiro público era surrupiado. Ela sentia um nó no estômago. Mas também se sentia eletrizada. Aquele primeiro depoimento deixava entrever o funcionamento de um maquinário gigantesco, que abrangia toda a estatal.

Como previsto no acordo de delação, a fala de Paulo Roberto seria dividida em "anexos". Cada um diria respeito a uma pessoa ou a um fato. A previsão era que fossem nada menos que oitenta anexos. Dito de outra forma, a PF poderia investigar em detalhes oitenta engrenagens do maquinário da corrupção.

Os delegados montaram uma agenda frenética para colher os depoimentos. Seria uma longa, longuíssima corrida de revezamento. Eles fariam oitivas em dias consecutivos, inclusive finais de semanas, alternando-se para ouvir o colaborador. Só Márcio se safou dessa rotina extenuante: ele se preparava para defender uma tese — sobre delação premiada — na Universidade de São Paulo e vinha a Curitiba de maneira esporádica.

Aquele trabalho absorveu os delegados de Curitiba e reforçou sua convicção de que não havia necessidade de oferecer a Alberto Youssef um acordo de cooperação — exceto se as cláusulas fossem bastante rígidas.

O doleiro, no entanto, sabia que passaria o resto da vida preso se não conseguisse convencer os investigadores de que seria vantajoso abrandar sua pena em troca das revelações que ele tinha a fazer. Ele orientou seu advogado a manter as negociações em aberto. Antonio Augusto Figueiredo Basto investiu nas tratativas com o Ministério Público e, por fim, foi bem-sucedido: os procuradores concluíram que o cardápio de denúncias de Youssef era valioso.

Mais uma vez, era preciso redigir um acordo. Paulo Roberto Costa havia feito o possível para manter seus bens. Argumentou que seu salário, e não apenas o dinheiro de propina, havia permitido que comprasse propriedades como o sítio onde ficaria em prisão domiciliar, na região serrana do Rio de Janeiro. Da mesma forma, Alberto Youssef não deixou barato. Ele desceu a detalhes. Que nem pensassem em confiscar o relógio que seu pai lhe havia dado de presente. E os 3.400 reais que estavam no seu bolso quando ele foi preso — ele fazia questão de sair com eles da cadeia. Dois carros blindados que a polícia pleiteava para a sua frota? Ora, estavam querendo deixar suas filhas desprotegidas, bem na hora em que ele se preparava para expor gente graúda...

O acordo acabou listando, sobretudo, imóveis de uma empresa hoteleira de Youssef, confessadamente adquiridos com dinheiro de roubalheira.

Ao contrário de Paulo Roberto Costa, ele não conseguiu autorização para deixar a cadeia tão logo acabasse de prestar seus depoimentos. Teria de ficar preso por pelo menos três anos. Ainda assim, a defesa julgou que o acordo era bastante positivo para Youssef.

A PF ficou com a mesma impressão.

Mas, depois que Youssef começou a falar, no dia 2 de outubro, véspera do primeiro turno das eleições de 2014, os delegados reconheceram que estava valendo a pena.

Logo de cara, o doleiro corroborou as afirmações de Paulo Roberto Costa sobre o loteamento da Petrobras entre partidos, o jogo de cartas marcadas entre empreiteiras e o fluxo das propinas. Sem que lhe fizessem uma pergunta específica, ele emendou: o governo federal, comandado pelo PT, certamente tinha conhecimento de todo o esquema.

No dia seguinte, 3 de outubro, ele voltou ao mesmo tema para abrir os trabalhos, agora com mais detalhes. Tanto a presidência da Petrobras quanto o Palácio do Planalto tinham conhecimento da estrutura que envolvia a distribuição e o repasse de comissões na estatal, repetiu Youssef. Quando lhe perguntaram a quem ele se referia ao mencionar o Palácio do Planalto, Youssef não hesitou em dar nomes: Luiz Inácio Lula da Silva, Dilma Rousseff, Gilberto Carvalho, Ideli Salvatti, Gleisi Hoffmann, Antonio Palocci, José Dirceu, Edison Lobão — todos eles, à exceção do peemedebista Lobão, ministro de Minas e Energia, ocupavam a alta cúpula do petismo. Por que era possível afirmar que eles sabiam? Youssef não disse ter participado de reuniões com qualquer um desses figurões. Mas uma coisa ele podia afirmar: as disputas de poder entre partidos, relacionadas à distribuição de cargos na Petrobras, eram comuns — e tais discussões sempre acabavam no Palácio do Planalto para solução.

Era o "princípio da escalada" em ação.

Como prevê a Lei Anticorrupção, as colaborações premiadas de Paulo Roberto Costa e Alberto Youssef estavam sob segredo de justiça. Havia cláusulas detalhadas sobre isso nos acordos. As próprias folhas de papel timbrado onde os depoimentos eram registrados traziam um alerta adicional: "A difusão não autorizada deste conhecimento caracteriza violação de sigilo funcional capitulada no art. 325 do Código Penal Brasileiro. Pena: reclusão de dois a seis anos e multa."

Mas o sigilo não se aplicava àquilo que fosse dito em juízo. Desde o início da Lava Jato, o juiz Sérgio Moro havia advertido que daria publicidade a todos os atos do processo, por acreditar que em casos de corrupção essa era a melhor forma de atender ao interesse público. Assim, no dia 8 de outubro, Paulo Roberto e Youssef foram à 13ª Vara Criminal de Curitiba prestar declarações. Àquela altura, a ideia de que, mais do que petróleo, a Petrobras havia produzido uma lama malcheirosa na qual o governo chapinhava já estava disseminada. Mas ouvir participantes do esquema desnudar candidamente as tramoias era uma novidade que poria fogo no ambiente político em qualquer circunstância, tendo ganhado em octanagem pelo fato de a campanha eleitoral para a Presidência da República estar na reta final. Era o segundo turno, e nele se enfrentavam a petista Dilma Rousseff, que tentava a reeleição, e o tucano Aécio Neves.

— Estamos vendo que a corrupção se institucionalizou no seio da nossa maior empresa — dizia Aécio.

— Acho muito estarrecedor que no meio de uma campanha eleitoral façam esse tipo de divulgação — respondia Dilma.

Na sexta-feira 24 de outubro, às vésperas da votação definitiva que aconteceria no domingo, a revista *Veja*, como já havia feito em outras campanhas eleitorais, antecipou sua edição — com uma capa bombástica. Ela trazia as imagens de Dilma e Lula e o título: "Eles sabiam de tudo." A revista tivera acesso aos trechos da delação de

Youssef que implicavam os dois grão-petistas. Na mesma noite, manifestantes de esquerda fizeram um protesto em frente à editora Abril, que publica a revista.

Aécio Neves pediu ao Ministério Público Federal que investigasse Dilma e Lula.

A presidente disse que a reportagem era "uma tentativa de intervir de forma desonesta no resultado das eleições".

O dia da votação começou com um susto. Alberto Youssef passou mal na carceragem da PF em Curitiba. Foi socorrido por dois traficantes que estavam presos na mesma cela que ele e depois levado às pressas ao Hospital Santa Cruz, na capital paranaense, onde constataram um problema cardíaco que requeria atenção séria.

Na internet, no entanto, corria outra versão: Youssef teria sido envenenado. O ministro da Justiça, José Eduardo Cardozo, teve de ir a público para explicar que o doleiro estava vivo.

Quando a apuração começou, ficou claro que a disputa fora acirradíssima. Nenhum dos dois candidatos abria uma margem consistente sobre o outro. Só por volta das 20 horas Dilma começou a se desgarrar. A votação de Aécio fora decepcionante em seu estado de origem, Minas Gerais, e isso permitiu que Dilma vencesse. A reeleição foi constatada às 20h31, quando, como mais de 98% das urnas apuradas, a petista alcançou 51% dos votos, não podendo mais ser superada pelo adversário, que marcava 48%. A diferença de apenas três pontos percentuais era a menor desde a chegada do PT ao poder.

Em sua cobertura online, *Veja* registrou, logo depois do resultado: "Dilma se reelege para enfrentar a Lava Jato."

O período eleitoral havia dado à operação iniciada sete meses antes uma nova dimensão. Ela era, agora, um fato político incontornável.

A equipe em Curitiba sentia isso. Como regra, eles mantinham silêncio sobre questões políticas. Durante a campanha, em um grupo fechado do Facebook, compartilharam mensagens e notícias sobre a disputa, à medida que ficava mais e mais evidente o impacto daquilo que estavam fazendo. As ondas de choque poderiam continuar se propagando por meses, até mesmo anos. Bastava que eles continuassem fazendo o seu trabalho e usando de maneira sábia as ferramentas de que dispunham.

A colaboração premiada era uma dessas ferramentas. Naquele 29 de outubro de 2014, Augusto Ribeiro de Mendonça Neto havia permitido que os delegados enxergassem o esquema da Petrobras sob um novo ângulo — aquele das empreiteiras. Ele disse que o conluio entre construtoras que a Lava Jato desvendava nascera de uma iniciativa positiva, no começo dos anos 1990. Naquela época, para contornar uma crise no setor, a associação de classe das empresas e a Petrobras formaram um grupo de trabalho para criar novas regras de contratação. Os resultados foram bons, seguiram padrões internacionais e tornaram a relação entre as duas partes mais eficiente.

Mas então as empreiteiras decidiram dar um passo além e "ajustaram uma forma de proteção entre si". Surgiu um Clube, inicialmente com oito, e mais tarde com dezesseis empresas. Dentro dessa estrutura existia um Clube VIP, formado pelas gigantes do setor, que impunham sua vontade quando necessário. Chegou-se inclusive a redigir um regulamento, com o título "Campeonato de Futebol", que explicitava como tudo deveria funcionar. Mendonça Neto disse que havia destruído sua cópia, mas que poderia escrevê-la novamente.

O arranjo poderia ter ficado restrito às empresas, mas elas encontraram parceiros no interior da Petrobras: primeiro o diretor Renato Duque, mais tarde o diretor Paulo Roberto Costa. Embora a petroleira contasse com um processo licitatório cheio de fases, esses diretores tinham grande poder para influenciar as decisões da comissão que fazia as escolhas finais. Eles não faziam isso de graça. Recebiam "comissões". Corroborando aquilo que Paulo Roberto Costa e Alberto Youssef já haviam dito, Mendonça Neto afirmou que o acerto dessas comissões dependia também da anuência de políticos. Nas negociações com Paulo Roberto, quem influía era o PP. Quanto a Renato Duque, era o PT que o controlava.

No quinto anexo de sua delação, Mendonça Neto detalhou os seus acertos com Renato Duque. Os dois haviam negociado diretamente o pagamento de propina — o que foi feito entre 2008 e 2011. No dia a dia, contudo, o gerente da corrupção era um subordinado de Duque, chamado Pedro Barusco. Segundo o delator, os pagamentos foram feitos de três formas: parcelas em dinheiro, remessas para contas no exterior e, finalmente, doações oficiais ao PT.

IV. Assim nasceu a Lava Jato

*Se tudo der certo amanhã, a ideia de que os poderosos sempre se sa-
fam no Brasil vai receber um duro golpe. Nós vamos mostrar que a lei
é para todos.*

Assim pensava o delegado Igor de Paula enquanto dirigia para
casa, já perto do fim da noite, naquele 13 de novembro de 2014.

Ao mesmo tempo, o chefe da Delegacia Regional de Combate ao
Crime Organizado do Paraná não conseguia evitar um sentimento
de frustração e vergonha.

A 7ª fase da Lava Jato seria deflagrada no dia seguinte, sexta-
-feira, 14 de novembro. Todos os delegados, todos os analistas, todos os peritos envolvidos no trabalho sentiam que aquela fase era
diferente. Era um ponto de virada, que levaria a operação a um
novo patamar.

Seu nome era Juízo Final.

O que havia começado em março como uma investigação sobre
doleiros — criminosos especializados em evasão de divisas e lavagem de dinheiro, que serviam ao submundo do contrabando, do
tráfico de drogas e do crime organizado — transformara-se em algo
diferente e muito mais explosivo.

Um dos doleiros, Alberto Youssef, havia levado a polícia a um
ex-diretor da Petrobras.

O ex-diretor da Petrobras, Paulo Roberto Costa, havia deixado
entrever um esquema de corrupção no coração da estatal.

A prisão e a delação de ambos, somadas ao trabalho de detetive encabeçado por Márcio Anselmo em meio a centenas de páginas de e-mails, transcrições de escutas telefônicas e contratos fraudulentos, haviam demonstrado que esse esquema de corrupção era bilionário, envolvia as maiores empreiteiras brasileiras e também lideranças do governo e dos principais partidos políticos do país.

Boa parte desse enredo tornara-se de domínio público nos últimos oito meses. A roubalheira na Petrobras para financiar projetos eleitorais, enriquecer autoridades e privilegiar uma casta de empresários que acreditavam no vale-tudo fora amplamente divulgada. Mas agora a Polícia Federal, o Ministério Público e a Justiça estavam prestes a dar um passo decisivo.

Se tudo correr como esperado, pensava Igor em seu carro, *as seis celas da custódia da PF em Curitiba terão a maior concentração de riqueza por metro quadrado já vista na história da luta contra a corrupção no Brasil.*

O delegado, no entanto, não conseguia se livrar daquele nó na garganta. Naquele dia, seu time havia sofrido um baque. Um golpe que poderia ter sido evitado. Ele havia alertado várias vezes para a natureza do jogo em que eles estavam metidos. Disse que estavam ganhando exposição e que tudo que falassem poderia ser usado contra eles. Mas não seguiu os seus próprios alertas nem insistiu com a equipe para que tivessem mais cautela. Faltou, enfim, um pouco mais de malícia.

Na noite de quarta-feira, Leandro Daiello, diretor-geral da PF em Brasília, ficara sabendo com antecedência da reportagem que o jornal *O Estado de S. Paulo* iria publicar. Ele havia prevenido Rosalvo, em Curitiba. O superintendente chamou Igor para conversar. Sua expressão era carregada, diferente do habitual. Igor convocou o núcleo duro da operação à sua sala e alertou todos para que estivessem preparados. Mas a verdade é que não havia muito como se preparar para aquele tipo de situação, e todos sentiram o golpe quando viram o jornal.

O título da reportagem era "Delegados da Lava Jato exaltam Aécio e atacam PT na rede".

De alguma forma, o jornal tivera acesso às postagens que ele, Márcio, Érika, Moscardi e outros colegas faziam em um grupo fechado do Facebook. Durante o louco processo eleitoral daquele ano eles haviam compartilhado links, piadas e comentários ácidos pela rede. O jornal retratava aquilo como engajamento político.

Reproduziram um comentário de Márcio sobre uma comparação de Lula entre o PT e Jesus Cristo: "Alguém segura essa anta, por favor."

Destacaram um post de Érika sobre o medo dos políticos de Brasília diante de um depoimento de Paulo Roberto Costa à PF: "Dispara venda de fraldas em Brasília."

Apontaram que Moscardi havia compartilhado a capa da revista *Veja* publicada às vésperas do primeiro turno, dizendo que Dilma e Lula sabiam de tudo que acontecia na Petrobras, acrescentando uma observação: "Acorda!"

Ele mesmo, Igor, mereceu três parágrafos da reportagem, com destaque para seu cargo de DRCOR e para o fato de que os outros delegados eram seus subordinados. O jornal ressaltou que ele havia compartilhado duas propagandas eleitorais de Aécio e um editorial da revista inglesa *The Economist* defendendo o voto no tucano; que um de seus grupos fechados tinha uma caricatura de Dilma coberta pela faixa vermelha "Fora, PT!"; e ainda o seu post sobre a montagem de Aécio com cara de Don Juan, cercado de beldades: "Esse é o cara!!!!"

O jornal havia preparado um segundo texto ouvindo professores de Direito. "As pessoas têm liberdade para expressar sua opinião", dizia um professor da Universidade de São Paulo. "Agora, o funcionário público, ainda mais quando atuante numa situação penal, deveria ter alguns resguardos." Todas as declarações iam mais ou menos nessa toada. Mas o texto também afirmava, sem pôr a frase entre aspas, que o episódio poderia, em última instância, provocar a nulidade de toda a Lava Jato.

E não parou por aí. À tarde, o ministro da Justiça convocou uma entrevista coletiva e anunciou que havia pedido à Corregedoria da PF que apurasse o caso o mais rápido possível. José Eduardo Cardozo havia sido cauteloso, é verdade. Se não houvesse indícios de que "as crenças dos delegados haviam passado para a investigação", não haveria mais o que discutir, disse ele. No entanto, não seria admissível a "partidarização da investigação".

O acionamento da Corregedoria, o início de uma investigação disciplinar — tudo isso anunciava um período de pressão e desgaste, um peso a mais no seu cotidiano. Todos os delegados seriam atingidos, mas cabia a Igor tentar absorver uma parte desse impacto, servir de anteparo para que pudessem continuar fazendo o seu trabalho de investigação.

Igor estacionou o carro na garagem e tomou o elevador. Daniele ainda estava acordada quando ele entrou no apartamento.

— Oi.

— Oi.

— A Valentina dormiu direitinho?

— Sim, está bonitinha no berço.

Igor foi até o quarto da filha. Ela estava linda no berço. Ele gostaria de ter mais tempo para cuidar dela. Valentina tinha três meses quando da deflagração da Lava Jato. Agora, estava quase completando um ano. Ele tentava chegar em casa todos os dias no final da tarde para dar banho na menina, mas nos dias que antecediam uma nova fase da operação era impossível. Na verdade, era difícil fazer isso até mesmo nos dias normais. Além da Lava Jato, havia todas as outras investigações do Estado que demandavam sua atenção. Ele fechou a porta com cuidado e saiu.

— Você vai querer comer alguma coisa? — perguntou Daniele.

— Acho que não.

Outro desarranjo dos últimos meses: Igor havia engordado. E não era pouco. Cinco ou seis quilos. Resultado de uma dieta gourmet de McNuggets e refrigerante, três vezes ou mais por semana. Daniele o convidava para almoçar com frequência, mas ele acabava pedindo alguma porcaria pelo delivery. E aquela famosa portaria da PF, que autorizava todo policial a tirar uma hora do dia para fazer exercícios? Seu maior exercício era caminhar até uma das duas máquinas de café que ficavam em seu escritório. Não ajudaria nada comer àquela hora da noite.

Igor e Daniele se sentaram na sala, ele numa poltrona, ela no sofá. Ela tirou o som da TV.

— E então? — perguntou Daniele. — Aconteceu mais alguma coisa?

— Depois da entrevista do Cardozo, mais nada. Como você acha que vai ser essa história da Corregedoria?

— Uma chatice, não é? Vocês vão perder tempo com isso em vez de investigar. Ou melhor, vão perder tempo com isso e vão ter de continuar investigando do mesmo jeito. Haja hora extra.

— A sindicância sobre a escuta na cela do Youssef levou mais ou menos um mês. E no caso do Youssef teve de fazer análise técnica do equipamento para mostrar que estava inativo. Era complicado.

— Não adianta ficar especulando. Depende de quem eles mandarem, da pressão que vier de Brasília. Em tese é simples, mas vai saber.

— Você bem que avisou que a gente não devia fazer grupo no Facebook.

— Pois é, eu bem que avisei. Mas santo de casa não faz milagre, não é? Depois daquela sua gracinha com as mulheres peruas do Aécio, eu é que devia ter estourado a coisa toda.

— A gente não estava fazendo nada de errado. Era um grupo fechado. Éramos apenas nós jogando conversa fora. A gente não pôs ali nada que fosse sigiloso da investigação, não compartilhamos nenhum conteúdo com gente de fora. Até os advogados que o jornal ouviu disseram que a gente tem direito de se manifestar como qualquer cidadão. E você sabe que a investigação é sobre crimes, não é sobre pessoas.

— Eu sei, Igor. Mas...

— O Márcio estava muito puto hoje. Ele disse que não dá para deixar todo o resto da vida de lado por causa do trabalho. Que não dá para virar um robô porque está participando de uma investigação.

— Igor, você mesmo alertou todo mundo desde o começo que iam levar porrada. Você mesmo disse que era inevitável. Então é isso, alguém enxergou uma brecha e partiu para cima.

— É, eu sei. O ruim é que até agora estava tudo tranquilo. Agora vem essa coisa de desqualificação pessoal.

— Bom, vai passar. Vocês vão ter de aguentar a sindicância e depois passa.

— E quem você acha que foi?

— Como é que eu vou saber? O Moscardi tem um monte de gente no Facebook dele, o Márcio mais ainda. Fica difícil.

— Vocês é que fazem monitoramento de redes sociais lá no NIP. Como é que a gente pode descobrir?

— Sei lá! Precisa ver quem segue vocês quatro ao mesmo tempo. Esses aí é que poderiam ver todas as mensagens. Eu acho.

— Quem você acha que foi?

— Não enche, Igor.

— Dá um palpite.

— Palpite? O Paulo Renato.

— Ah, pelo amor de Deus! O Paulo Renato vai todo dia até a minha sala para conversar. A gente se dá bem. A gente foi no casamento dele. Fala sério.

— Você pediu um palpite, eu dei. Ele é meio garoto enxaqueca e está com uma cara azeda nos últimos tempos. Ele não está no grupo de todo mundo?

— Nada a ver, Dani.

82

— Então está bem. Eu vou dormir. Vem para a cama também, você já está podre e só vai ter umas três horas de sono.

— Eu já estou indo. Vou assistir um pouco de TV para desanuviar. Senão vou ficar virando na cama.

— Você é quem sabe. Vem deitar logo.

Igor ficou zapeando e parou em um filme de ação qualquer. Ele não conseguia afastar a cabeça do trabalho. A situação, pensou ele, era ainda mais inquietante do que aquela enfrentada em abril, no episódio da escuta na cela de Alberto Youssef.

Naquele episódio, era preciso reconhecer, o advogado Antonio Augusto Figueiredo Basto não havia feito nada mais que o seu trabalho. Seu cliente, de fato, havia encontrado o equipamento em sua cela, na custódia da PF em Curitiba. O defensor aproveitou a situação ao máximo. Fez uma foto de Youssef no parlatório, com os braços estendidos segurando o artefato, a roupa toda amarrotada, a barba grande por fazer e os olhos cansados por trás dos óculos. Para um expectador desavisado, o doleiro era a personificação do pobre coitado perseguido pela polícia. Depois, Basto levou a foto a um perito. Dez dias mais tarde, partiu para o ataque. "O fato é grave. Temos um perito que afirma que o dispositivo localizado pelo meu cliente é uma escuta. Agora queremos saber se ela é clandestina ou se foi autorizada", disse ele ao jornal *Folha de S.Paulo*. No primeiro momento, pareceu que a equipe de Igor espionava Youssef para registrar suas conversas com os outros presos. A repercussão negativa foi enorme.

No entanto, Rosalvo agiu rápido, destacando Moscardi para fazer uma sindicância. A apuração concluiu que a escuta ambiental com tecnologia GSM — a mesma dos celulares, com grande capacidade de captação e transmissão de sons — havia sido instalada em 2012 e estava inativa. O agente Dalmey Werlang, da equipe de Daniele, e especialista na instalação de "equipamentos discretos", afirmou em seu depoimento que a Justiça havia autorizado a utilização do aparelho por solicitação do antecessor de Rosalvo, o superintendente José Alberto Iegas. O objetivo era monitorar o traficante Fernandinho Beira-Mar, no período em que ele ficou detido na PF em Curitiba. Depois da saída desse hóspede famoso, a escuta permanecera inoperante. O assunto morreu.

Você pode não gostar do estilo dos advogados, pensou Igor, *mas eles são parte do jogo*. O vazamento das mensagens de Facebook, no entanto, sugeria que uma guerra silenciosa estava instaurada dentro da corporação: PF contra PF. Não bastassem as maquinações de réus e advogados, seria preciso ficar alerta contra dissidentes.

Igor se remexeu na poltrona.

E se a investigação ruísse por causa de uma página no Facebook? E se alguns comentários em um grupo fechado de rede social virassem pretexto para enterrar a Lava Jato? A operação deixaria algum legado?

Ele pensou na Banestado, mais de dez anos atrás. Aquela operação havia sido um fracasso absoluto? Havia argumentos para os dois lados.

Em 2003, uma força-tarefa do Ministério Público e da PF começou a investigar um esquema formidável de evasão de divisas, sonegação de impostos e lavagem de dinheiro por meio das famigeradas contas CC5. As contas deveriam ser um meio legítimo para que estrangeiros, fossem indivíduos ou empresas, movimentassem dinheiro no Brasil. Como não estavam sujeitas a uma fiscalização rígida, acabaram se transformando em uma pista expressa para falcatruas.

A investigação começou com movimentações estranhas entre a agência do Banestado em Foz do Iguaçu e sua agência-irmã em Nova York. Como o Banco Central não ajudava, um juiz federal paranaense, um tanto fora da curva, tomou uma decisão absolutamente inusitada: mandou quebrar o sigilo de todas as CC5 do país. Todas.

Igor percebeu que estava sorrindo — um dos poucos sorrisos do dia — ao pensar em Sérgio Moro. Dez anos atrás, à frente da Banestado, ele já mostrava a ousadia e a firmeza que agora tem na condução da Lava Jato.

Aquela quebra monstruosa de sigilos resultou em mais de 2 mil inquéritos. A força-tarefa descobriu transações financeiras equivalentes a 130 bilhões de dólares. Dizem que dinheiro não tem cheiro. Mas, daquela soma estratosférica, 28 bilhões tinham cheiro de crime.

O que deu para recuperar? A Receita Federal ficou feliz. Foram quase 5 bilhões de reais em autuações fiscais. Além disso, um monte de gente rica decidiu declarar espontaneamente o dinheiro que mantinha lá fora. Nada como uma investigação para deixar todo mundo "espontâneo". Outros 16 bilhões de reais entraram nos cofres do Estado.

O que foi varrido para baixo do tapete? Dos 684 denunciados, 97 foram condenados. Mas os processos, como sempre, se arrastavam com todo tipo de chicana jurídica. Muita gente se safou porque os crimes prescreveram. Ainda havia recursos rodando, rodando... Além disso, nem se arranhou o que parecia estar escondido bem no fundo: políticos e grandes construtoras usando os serviços de doleiros para esconder dinheiro de propina e desvio de recursos públicos.

Havia mais alguma coisa?

Sim, uma coisa que a maioria das pessoas não podia enxergar, mas que fazia toda a diferença do mundo para ele, para Márcio, para Érika, para Deltan, para Moro. Havia muito aprendizado.

Na Banestado e nos seus desdobramentos eles haviam treinado o faro para lidar com crimes financeiros. Não havia tramoia de doleiro que eles não houvessem esmiuçado, das operações de dólar cabo à abertura de empresas no exterior com as mais bizarras e complexas estruturas jurídicas. Durante as investigações, a força-tarefa fez mais de duzentos pedidos de cooperação com autoridades estrangeiras. Além disso, eles celebraram dezoito acordos de delação premiada, os primeiros do Brasil. Youssef, o velho e bom Alberto Youssef, o rei dos doleiros em 2003, havia sido o pioneiro das delações.

Não seria errado dizer que sem Banestado não haveria Lava Jato. Ali, eles haviam acumulado conhecimento e experiência. E até mesmo a frustração com a impunidade de tantos envolvidos nos cambalachos das contas CC5 ficou queimando como um combustível secreto na carreira de Igor, na de Márcio, na de Érica. Quando essa energia foi liberada, resultou na Lava Jato.

Mas primeiro foi preciso reunir a equipe novamente em Curitiba.

Às vezes Igor ficava tentado a dizer que só poderia ser obra do destino o reencontro do time em circunstâncias tão especiais.

Nesse caso, o destino tinha os bigodes e o sorriso aberto de Rosalvo Franco.

No início de 2013, após quase trinta anos de carreira, Rosalvo havia sido convidado para assumir o posto de adido da Polícia Federal na Itália. Aceitar de imediato seria a decisão natural. O filho do jogador de futebol Zequinha — da seleção brasileira de 1962 e do Palmeiras — ficou obviamente atraído pela ideia de morar em Roma. No entanto, ele recusou o convite. "Eu não sei exatamente o porquê, mas senti que aquele não era o momento para sair do Brasil", havia dito Rosalvo em uma de suas conversas com Igor. Ele, que havia passado os últimos dois anos na Superintendência da PF no Rio Grande do Sul, assumiu o mesmo cargo no Paraná.

Na sua posse, o delegado se encontrou com Sérgio Moro, que também acabava de retornar a Curitiba, para a 13ª Vara da Justiça Federal, depois de uma estada em Brasília como auxiliar da ministra Rosa Weber, do Supremo Tribunal Federal. Moro lançou a sugestão: reativar em Curitiba o grupo que investigava crimes financeiros. "Faz tempo que a gente não tem uma investigação desse tipo por aqui", dissera ele. A gestão anterior, do superintendente José Alberto Iegas, havia priorizado o combate ao tráfico de drogas e com isso deixou a delegacia de combate a crimes financeiros definhar.

Rosalvo aceitou a sugestão de Moro. Ela estava alinhada aos propósitos do diretor-geral da Polícia Federal, Leandro Daiello. Em seu discurso de posse, em janeiro de 2011, o DG, como Daiello era chamado pelos delegados, havia enfatizado a meta de combater crimes de corrupção e de lavagem de dinheiro. O seu apoio institucional era essencial, porque investigações sobre crimes de colarinho branco enfrentavam todo tipo de resistência, inclusive política, e seriam abortadas se o DG não tivesse o traquejo e a disposição necessários para enfrentar "forças ocultas".

Rosalvo aceitou a sugestão de Moro também por outra razão: sabia quem convidar para a tarefa.

Igor era o primeiro da lista.

Entre 2005 e 2011 eles haviam trabalhado juntos em Curitiba em várias funções, Igor às vezes diretamente subordinado a Rosalvo. Eles se entrosavam muito bem. Igor admirava a maneira como Rosalvo havia construído a carreira, dedicando sua energia, que era considerável, não à politicagem de repartição pública, mas à ação. Rosalvo não gostava de deixar nada parado em sua mesa. Se uma encrenca surgisse no final do expediente, ele daria um jeito de encaminhar a questão corretamente e ainda sair do trabalho no horário. Nisso, aliás, eles eram parecidos. Quando alguém dizia a Igor que ele era um bom gestor ele agradecia e não perdia tempo com falsa modéstia. Nem ele nem Rosalvo tinham medo de puxar problemas para si. Havia outros méritos no superintendente. Rosalvo era simples, despretensioso, mas quem tentasse atropelá-lo se daria mal: não lhe faltavam firmeza e autoridade. Ele era, além disso, um homem leal e que inspirava lealdade.

Igor e Daniele estavam na PF de Alagoas quando Rosalvo, depois de conversar com o superintendente daquele estado, o delegado Omar Mussi, os convidou para voltar a Curitiba. Era um pacote irrecusável. Igor seria o DRCOR, com todos os delegados do estado sob a sua supervisão, e Daniele chefiaria o NIP, o Núcleo de Inteligência

Policial, que faz o trabalho correcional e o trabalho disciplinar da PF — ou seja, o controle de qualidade das investigações e o controle de conduta dos policiais. Os dois responderiam diretamente a Rosalvo.

— Começamos quando? — perguntou Igor assim que ouviu a sondagem feita por telefone.

— Não vai consultar a Dani?

— A resposta dela vai ser mais rápida que a minha.

Profissionalmente, a estada em Alagoas havia sido importante para Daniele. Lá, lotada no Núcleo de Inteligência, ela havia encontrado um mentor, o delegado João Bosco, que lhe ensinara tudo de importante na rotina daquele departamento. O problema é que o casal não havia se adaptado bem ao Nordeste. Voltar ao céu encoberto de Curitiba não lhes faria mal.

A segunda integrante da equipe foi Érika. Ela estava ainda mais longe que Igor, no Amazonas, cuidando de crimes fazendários. Igor foi até lá para um encontro com ela.

Os dois se conheciam da época da Banestado. Naquela ocasião, Érika havia demonstrado ter olho clínico para detectar as artimanhas dos doleiros, adquirido em parte no período em que havia trabalhado como técnica do Banco Central. Mas a boa intuição não a tornava afoita, pelo contrário. Ela era cuidadosa ao extremo e expunha cada prova coletada a um bombardeio cético. Só faria parte do inquérito aquilo que de fato parasse de pé, que pudesse levar o processo adiante. Por causa da convicção de que fazia um trabalho cauteloso, as falhas do assim chamado "sistema" a exasperavam profundamente.

— Obrigado, Igor, mas não vou fazer isso comigo mesma — disse Érika ao ouvir a proposta. — A gente investiga e o caso morre, ou por burocracia, ou porque muda o comando e cai tudo. Por que você acha que seria diferente desta vez?

— Porque os astros estão alinhados — brincou Igor. — O DG quer. O Rosalvo quer. Eu vou dar tudo que puder. Além disso, nós todos estamos mais maduros, mais calejados. Não vamos mudar o Brasil, mas alguma coisa a gente faz.

— Tem centenas de casos parados lá desde que eu saí. Quem vai limpar aquela bagunça?

— Eu pensei que fosse você.

Érika ficou em silêncio.

— Eu topo com uma condição: se você também conseguir a transferência do Márcio.

Mais que uma imposição, era uma oportunidade, pensou Igor. Márcio Anselmo e Érika haviam se tornado amigos em 2009, quando ela o recebeu em sua equipe na Delefin de Curitiba. Eles tinham um temperamento parecido. "A gente se irmana no gênio ruim", dizia Érika. Ou, na versão de Márcio, eram os dois "revoltados com o mundo". E daí? Além de o tal gênio ruim ser temperado com um humor afiado, um DRCOR seria um tolo se não quisesse ter um investigador com as características de Márcio em sua equipe. Márcio, paranaense, ele também um "aluno" da Banestado, ia se firmando, aos poucos, como uma autoridade no meio acadêmico e uma referência na Escola Superior de Polícia. Em 2011, havia se tornado o segundo delegado na história da PF a concluir um mestrado, com uma tese sobre cooperação internacional no combate à lavagem de dinheiro. Já no ano seguinte, havia se candidatado a um doutorado sobre o mesmo assunto na Universidade de São Paulo. Em algum momento Igor teria de lhe dar uma licença para escrever a nova tese, mas um currículo daquele naipe não poderia fazer mal a ninguém. Márcio Anselmo, além disso, era um policial focado, organizado, que trabalhava com uma velocidade inacreditável. Ele seria o terceiro integrante da trupe.

— Tudo bem, aceito — disse Márcio ao receber o convite. — O que vai ser de vocês se eu não fizer parte do time?

Em março de 2013, a DRCOR de Curitiba voltou a funcionar. O volume de documentos antigos era imenso. Pilhas e mais pilhas de caixas recheadas com pilhas e mais pilhas de pastas. Havia inquéritos vindos de todo o Paraná. Márcio fez jus à sua reputação de gatilho rápido. Começou por separar, de um lado, inquéritos cujos crimes já estavam prescritos ou prestes a prescrever e, do outro, aqueles que tivessem perspectiva útil. Depois, debruçou-se sobre estes últimos em busca dos que tivessem evidências mais robustas.

Um dos inquéritos que lhe chamou atenção tinha entre os investigados o doleiro Carlos Habib Chater, velho conhecido dos delegados — um dos alvos, lá atrás, da Operação Banestado.

O inquérito vinha de 2010 e rastreava a movimentação suspeita de dinheiro entre uma empresa de Londrina, ligada ao ex-deputado paranaense José Janene, tristemente célebre por seu envolvimento no escândalo do mensalão, e um posto de gasolina em Brasília, o Posto da Torre, cujo dono era Chater. Postos são bons para lavar dinheiro, porque movimentam muita moeda em espécie.

Em abril de 2013, Érika foi convocada a Brasília, para colaborar com outra investigação sobre lavagem de dinheiro, a Operação Miqueias, que procurava desarticular uma rede de empresas fantasmas pelas quais se estimava que houvessem circulado cerca de 300 milhões de reais. Entre os cabeças do esquema estava o doleiro Fayed Traboulsi, sócio de Chater. Ao voltar, Érika conversou com Márcio. Eles decidiram pedir a interceptação do telefone do dono do Posto da Torre, para verificar se algum dinheiro sujo do esquema de Brasília passeava pelo Paraná, ou vice-versa.

O passo seguinte, a partir dali, era cadastrar a investigação no Guardião.

Esse costumava ser um momento de divertimento para os policiais. Havia nomes épicos, poéticos, cinematográficos, bíblicos, sem noção nenhuma. Havia nomes para todos os gostos.

Em 11 de julho de 2013, Érika foi registrar a operação no sistema interno.

Usou o método freudiano da livre associação — aquele que consiste em deixar o paciente pular de ideia em ideia sem restrições.

Havia um crime de lavagem de dinheiro. Havia um posto de gasolina. Postos lavam carros. Doleiros compram jatinhos.

Operação Lava Jato.

Sem "a" no meio, como em lava a jato, para garantir o duplo sentido: era tanto dinheiro ilegítimo que daria para comprar um avião.

Em 28 de julho, a PF começou a monitorar um telefone BlackBerry de Carlos Habib Chater. Naquele momento, bandidos com todos os tipos de pedigree acreditavam que o sistema operacional do BlackBerry era indevassável pela polícia. Por isso tagarelavam e trocavam mensagens à vontade no aparelho. A verdade é que a PF já havia dominado a técnica de interceptação.

Uma dificuldade inesperada veio de dentro da própria corporação. Desde o final de 2012, os agentes da PF estavam em greve branca, reivindicando aumento de salário. Como cabia a eles fazer a oitiva e a transcrição de aparelhos monitorados, quase nenhuma operação avançava a passos largos. O primeiro relatório das escutas de Chater foi desanimador. Então, os "revoltados", Márcio e Érika, foram ouvir eles mesmos as ligações. Finalmente, Igor conseguiu dois agentes, Bart e Jonas, que se comprometeram com a tarefa. E foi justamente Bart quem fez o grande achado.

Ele estava havia semanas intrigado com um certo "primo", que aparecia o tempo todo nas conversas e mensagens. Ele era um doleiro. Um doleiro importante. Mas quem? Então, no meio de uma das negociatas de Chater, alguém chama o "primo" de Beto. Ele avisou os delegados pelo grupo de WhatsApp que usavam. Igor, Márcio e Érika correram para a sala de escuta.

Mantendo a tradição, os agentes fizeram suspense, dando detalhes de como haviam matado a charada e descoberto quem era o "primo". Os delegados suplicaram para que eles, somente daquela vez, falassem sem rodeios.

Súplicas não atendidas, eles se divertiram com a curiosidade do trio de delegados.

— Prestem atenção nesta transcrição de uma mensagem do Chater — disse Bart.

Mulher desconhecida: Me Fala onde eu mando pagar Voce???
Chater: Endereço: renato paes de barros, 778 segundo aandar. Itaim. Falar com Rafael ou Damaris'

— Agora chega, tratem de desembuchar. — Os agentes gargalharam. Érika brincou: — É uma ordem!

— Ouçam só um trecho de uma ligação, talvez refresque a memória de vocês. — Bart apertou um botão.

Homem desconhecido: Alô.
Chater: Oi, tudo bem?
Homem desconhecido: Tudo bem, e você?
Chater: Tranquilo.
Homem desconhecido: E aê?
Chater: Deixa eu te falar. O portador já tá no avião indo entregar aquele documento lá.
Homem desconhecido: O Ceará falou que eu podia pagar a conta real pra você.

— Alberto Youssef! — Os delegados, completamente incrédulos, disseram em coro. Eles não precisavam continuar ouvindo.

Outra coisa que a Banestado deixou de herança, pensou Igor, *foi a voz do Alberto Youssef no meu ouvido*. Depois de tanto ouvir aquela voz em ligações interceptadas, ele jamais a esqueceria. Então, quando ela reapareceu, não foi preciso mais de um instante para Igor saber quem era a pessoa que os codinomes escondiam — e para ter certeza de que Youssef continuava no crime, apesar de ter se comprometido a endireitar a vida depois da colaboração premiada feita em 2005.

Jonas completou:

— O endereço, que Chater deu para a mulher, já levantamos, é do escritório do Youssef. E mais: Rafael é assistente dele!

Não havia dúvida de que Youssef merecia uma investigação só para ele. Já estava claro que Chater e o "primo" comandavam organizações criminosas que tinham negócios entre si, mas operavam de maneira autônoma. Havia também uma questão de técnica policial: quanto mais investigados houvesse em um inquérito, mais chances de embargo existiriam — os advogados analisariam os procedimentos com lupa, em busca de um deslize na investigação. E, caso encontrassem algo, poderiam jogar por terra todo o trabalho. A criação de mais inquéritos reduzia os riscos.

Dessa vez, coube a Márcio registrar o nome. Ele foi buscar a inspiração em um filme antigo de Federico Fellini, que falava de trapaceiros. A operação foi batizada de Bidone.

E depois, à medida que eles progrediam, ficou evidente que seria possível enquadrar como organização criminosa dois outros grupos comandados por doleiros — um por Nelma Kodama, o outro por Raul Srour.

Márcio também recorreu ao cinema para batizar as operações no Guardião: Dolce Vita e Casablanca.

Em cerca de quatro meses, um prazo muito curto para uma investigação de crime financeiro, Márcio — ele, sobretudo — havia conseguido mapear as atividades dos quatro grupos criminosos e a maneira como se relacionavam. Igor se lembrava da mistura de excitação e cautela em que eles viviam naquele momento. Eram os mesmos personagens da época da Banestado, um enredo parecido e a expectativa de um desfecho que, dessa vez, desse a cada um a punição devida. Nada mal.

No fim de 2013, o trabalho policial estava concluído e a operação — embora fossem quatro ações, eles já começavam a se referir a todas pelo nome da primeira, Lava Jato — poderia ser deflagrada. Mas

Sérgio Moro pediu que esperassem até depois das férias do Judiciário. Youssef e companhia também eram velhos conhecidos seus. Ele queria estar presente no momento em que as prisões fossem feitas e responder a cada requerimento da defesa. Os delegados ganharam mais tempo para analisar as ligações telefônicas e os e-mails que haviam sido interceptados. Márcio, no retiro bucólico de seus pais no interior, descobriu o Land Rover que ligava Youssef a Paulo Roberto Costa. Em março de 2014, quando os policiais finalmente foram para a rua cumprir suas missões, a Lava Jato já estava fadada a ir muito além de seu escopo original — a punição dos delitos de um quarteto de doleiros.

Igor estava cansado. As lembranças já não vinham articuladas e claras, mas se atropelavam. No estado em que se encontrava, ele só tinha a certeza de que haviam feito um trabalho notável até ali, um trabalho de que podiam se orgulhar. Eles haviam desnudado, como nunca antes, o conluio de políticos e empresários para usar o que era público em proveito próprio. Ou melhor: eles estavam prestes a desnudar como nunca antes esse conluio. Como o Brasil iria lidar com essa notícia, ele descobriria dentro de poucas horas.

V. Dia D: Juízo Final

Igor entrou no carro e conferiu a hora. Eram 4h35 do dia 14 de novembro. Em poucos minutos, ele estaria na Superintendência Regional (SR). Novamente, lembrou-se da reportagem que atacava seu time e imaginou quem seriam os conspiradores — as fontes do jornalista. Uma mistura de raiva e desprezo o dominou por alguns instantes. Mas seria a última vez que se preocuparia com esse assunto naquele dia. Seu pensamento deveria estar focado apenas na Operação Juízo Final e seus 85 mandados judiciais: seis de prisão preventiva, 21 de prisão temporária, nove de condução coercitiva e 49 de buscas. Paraná, São Paulo, Rio de Janeiro, Minas Gerais, Pernambuco e Distrito Federal. Em menos de uma hora, equipes com agentes, delegados, escrivães estariam nas ruas para prender ilustres moradores em várias cidades daqueles estados.

Dia cheio, tenso, sem hora para acabar.

Os documentos apreendidos nas fases anteriores à Operação Juízo Final comprovavam que uma dinheirama havia saído da Petrobras para abastecer campanhas eleitorais, partidos políticos, autoridades públicas e dirigentes da estatal. Gatunos que serviam como operadores, lobistas e outros aproveitadores também estavam se lambuzando com o dinheiro que jorrava, aos bilhões, da gigante petroleira.

A novidade da Juízo Final seria a prisão, temporária ou preventiva, de figurões do mundo empresarial. Presidentes e executivos de sete empreiteiras seriam levados a Curitiba. Não eram quaisquer empreiteiras. Eram algumas das maiores do Brasil: Camargo Corrêa, OAS, UTC, Engevix, Queiroz Galvão, Galvão Engenharia, IESA.

Talvez aquele fosse o dia em que a velha frase ganharia um significado concreto, deixando de ser um lugar-comum vazio e demagógico: a lei é para todos.

Talvez.

Márcio achava que os figurões não ficariam presos nem por 24 horas. Igor achava a mesma coisa, mas resolvera interpretar um papel diferente dessa vez.

— O cético aqui sou eu — havia dito no dia anterior. — E eu acho que eles vão ficar em cana.

Talvez.

Bom, basta de divagação, pensou Igor. Ele respirou fundo. Chegando à sede, cumprimentou os seguranças na guarita. Os dois homens uniformizados e armados se entreolharam. A chegada do delegado coordenador da Lava Jato àquela hora da manhã sugeria que algo estava para acontecer. Depois de alguns instantes, o carro de Márcio Anselmo também passou pela guarita. Os dois estacionaram lado a lado e caminharam juntos para o interior do prédio.

Márcio havia trabalhado como um louco para reunir todas as provas e finalizar os inquéritos da 7ª fase. Semanas antes de tudo ficar pronto, discussões acaloradas foram travadas na tentativa de definir qual seria a melhor data para deflagração. A eleição para presidente, tão polarizada naquele ano, não podia ser ignorada. Deflagrada antes da eleição, a 7ª fase poderia sugerir que a Polícia Federal favorecia o PSDB. Deflagrada depois, poderia indicar a intenção de resguardar o PT. Prevaleceu a tese de que a impressão de que a polícia tentava influir no resultado da votação seria mais danosa para a imagem da instituição.

Enquanto esperavam o elevador, Márcio quebrou a tensão.

— Pelo amor de Deus, Igor, você está horrível! Desse jeito a Dani vai querer trocar você por um promotor.

— Se algumas horas de sono resolvem o meu problema, você está perdido, porque para você não tem mais jeito.

Quando eles saíram do elevador, no terceiro andar do prédio, encontram o corredor completamente vazio. O silêncio foi quebrado pelos passos dos dois. Caminharam calados até a entrada da sala de Inteligência. Márcio pressionou o polegar sobre o sensor biométrico instalado na parede. Eles entraram em uma antessala repleta de prateleiras com pastas azuis, contendo provas e segredos da Lava Jato. À esquerda, uma porta com mais um sensor. Márcio novamente liberou o acesso. Os agentes Prado e Witt já estavam lá. Na verdade, eles haviam dormido ali mesmo. Os papelões que serviram de cama, num espaço entre duas mesas, estavam agora jogados num canto.

— Olha aí, Márcio, os dois dormiram no chão. O papelão de casal está jogado no canto.

— Em vez de ficar de sacanagem — disse Prado — você bem que poderia pedir para comprarem um sofá, Igor. Assim, quando precisar, a gente dorme umas duas horas sem ganhar uma hérnia de disco.

— É, Igor, sem hérnia é mais divertido — emendou Witt.

— Não dá nem para fazer piada que já vem esculacho. E a madrugada?

— Vocês estão preparados? — perguntou Prado.

— Vazou?

Prado fez que sim com a cabeça.

Às 23 horas do dia anterior, Prado havia compartilhado com os dois delegados a gravação de uma conversa entre dois empreiteiros, cujos telefones vinham sendo monitorados. Eles falavam sobre "ventos frios vindos do sul". Mas aquela frase, isoladamente, não era suficiente para provar que houvesse vazamento. Depois disso, até 1h30, já do dia 14, nada mais de relevante havia sido captado. Então, ele e Witt se esticaram no chão e dormiram até às 4 horas. Quando acordaram, foram conferir as movimentações. Havia outras ligações que indicavam, sem dar chance para dúvidas, que os empreiteiros já sabiam que a 7ª fase seria deflagrada. Em conversas igualmente cifradas, uns foram avisando os outros. Alguns ligaram para os seus advogados.

Prado acessou uma das gravações. Ricardo Pessoa, da UTC, conversava com o advogado: "Você viu o vermelhinho? (...) De onde vem o problema? Do sul do país? (...) É nossos colegas? (...) Não, é nossos inimigos!"

Em outra ligação, outro empreiteiro alertava um comparsa: "Vai ter café amanhã, amanhã cedo!"

— Tem gente que não vai atender a campainha às 6 horas — disse Witt.

Um deles era o empreiteiro Léo Pinheiro, da OAS. Na quinta-feira, véspera da deflagração, ele estava em viagem, fora do Brasil. Deveria ter voltado para São Paulo à noite. Contudo, Witt constatou que o avião particular que o transportava mudou de rota depois de decolar. A aterrissagem, agora, seria em Salvador.

O agente continuou firme no monitoramento do empreiteiro. Léo Pinheiro tinha residência fixa em Salvador. Mas não foi para lá que ele se encaminhou depois do pouso.

Witt olhou para a tela que mostrava a localização dos aparelhos de celular monitorados, não encontrando sinal do aparelho de Léo Pinheiro. A última indicação dizia que ele estava em Salvador, mas, agora, o sinal havia desaparecido.

Léo Pinheiro era um dos alvos sensíveis e precisava ser encontrado o quanto antes. Mas, naquele momento, não havia mais nada que pudesse ser feito. Eles precisavam aguardar até que o sinal voltasse e fosse possível localizá-lo.

Logo em seguida, Witt captou uma ligação feita do celular do empreiteiro. Léo Pinheiro estava pedindo uma pizza. Ele passou o nome do hotel e o número do quarto para entrega do jantar. Um fujão havia sido localizado.

Igor entrou em contato com a Superintendência em Salvador. O mandado de prisão foi enviado por e-mail. Uma diligência fez a prisão do empreiteiro no hotel, mas só depois da pizza.

Assim como Léo Pinheiro, outros investigados haviam passado a noite fora de casa.

Quando da convocação dos homens para integrar as diligências da 7ª fase, a operação foi descrita como sendo de combate à lavagem de dinheiro na Rua 25 de Março, endereço famoso pelo imenso comércio popular na cidade de São Paulo e também pela venda de produtos contrabandeados ou falsificados. Só durante o *briefing* os policiais receberiam as informações corretas sobre a operação. O vazamento mostrava que aquelas precauções não eram nem exageradas, nem suficientes.

O vazamento acarretava muitos riscos. Contratos de prestação de serviços fictícios, dados de empresas fantasmas ou offshores, comprovantes de depósitos, registros de movimentações em bancos estrangeiros, notas fiscais frias, planilhas com detalhes sobre pagamentos de propina, troca de mensagens: tudo poderia ser queimado, rasgado, destruído. Suspeitos poderiam combinar versões entre si. Poderiam esconder dinheiro, encerrar contas, transferir imóveis para o nome de terceiros, intimidar testemunhas. Por fim, havia um risco de segurança para quem seria preso e para os policiais. Os empreiteiros não eram bandoleiros armados. Não se esperava que recebessem a PF a tiros. Em geral, quem sumia usava as horinhas surrupiadas da Justiça apenas para se conformar com a ideia de encarar os policiais. Mas a perspectiva de ser preso levava algumas pessoas a reações extremadas. Era algo que não se podia prever.

Não adiantava lamentar. Se os alvos estavam desgarrados, era preciso descobrir onde haviam se escondido. Depois disso, mandados adicionais teriam de ser redigidos e enviados ao juiz Sérgio Moro, com os novos paradeiros. Por sorte, Moro atendia as demandas da equipe da PF, não importava a hora. O aliado era o e-Proc, o sistema de processos eletrônicos da Justiça. O juiz podia acessá-lo remotamente e fazer os despachos necessários.

Era na sala de Inteligência que todas as informações seriam levantadas. Era de lá que as equipes que iriam para as ruas receberiam orientações de como agir para contornar suas dificuldades.

Grupos no WhatsApp haviam sido criados para que a base ficasse informada de cada passo. O aplicativo era o principal meio de comunicação entre os policiais nos dias de deflagração. Às 5h15, todas as equipes, sem exceção, já haviam confirmado presença nos auditórios das sedes estaduais da PF e recebiam instruções sobre a missão do dia.

Minutos antes das 6 horas, os agentes Gabriel, Adriano, Fontana, Macedo e Vale chegaram à SR em Curitiba e somaram esforços na caça aos fujões. Witt ainda não havia localizado todos eles. Alguns pareciam estar em trânsito, talvez com os telefones desligados.

Os grupos do WhatsApp já trabalhavam sem parar. Mais e mais mensagens iam chegando, equipes a caminho de suas missões, equipes já posicionadas em frente aos locais. Cada movimento foi sendo anotado em um grande mapa, que mostrava as cidades, endereços, alvos, o tipo de mandado e a hora prevista para conclusão da missão, que era estimada de acordo com o que os analistas já haviam apurado, considerando o volume de documentos potencialmente existente e o tamanho de cada local.

O trabalho prévio fora feito com cuidado. Muitos dos delegados, líderes das diligências, tinham como missão encontrar documentos específicos: um contrato de prestação de serviços, planilhas cobrindo um determinado período, documentos que reforçassem as provas já existentes dos crimes dos quais os alvos deviam ser acusados.

100

Às vezes, contudo, uma busca revelava uma mina de ouro: arquivos de computador ou documentos impressos com registros detalhados de valores, datas, nomes de beneficiários.

Assim a operação avançava.

* * *

Um dos momentos mais sensíveis das diligências era a entrada em um imóvel. Na maioria das vezes, os alvos recebiam os policiais sem resistência. Se houvesse problemas, a porta teria de ser arrombada. Via de regra, o intervalo entre esses dois momentos — batida e abertura da porta — não deveria exceder trinta segundos. Na prática, os policiais repetiam seu aviso de entrada, para evitar o ato de força.

As equipes policiais recebiam informações detalhadas do local onde iriam entrar. Colher essas informações fazia parte da preparação, por métodos que iam da consulta ao Google Street View a visitas disfarçadas ao endereço.

O celular dos delegados na base de apoio em Curitiba começou a receber mensagens consecutivas.

"Entramos"

"Entramos"

"Entramos"

"Entramos"

A operação havia marcado seu primeiro gol. Às 6h10, o mapa estava atualizado. Uma coisa já era certa: os mandados de busca e apreensão seriam cumpridos.

Não demorou para que outras mensagens, agora informando sobre a presença dos alvos, chegassem.

"Fernando Baiano sumiu. Sem informação de onde ele está."

Fernando Baiano era Fernando Antônio Falcão Soares, acusado de ser operador de propina para o PMDB. Ele ainda não podia ser considerado um foragido, mas seu nome deveria ser colocado imediatamente na lista de procurados e impedidos da Polícia Federal, o que o proibia de sair do Brasil. Se tentasse, seria detido no aeroporto.

Depois de quase uma hora, o delegado responsável pela diligência na residência de Baiano tinha informações atualizadas para passar. Como não havia ninguém no apartamento do operador de propinas, a equipe pediu para ver as câmeras do circuito interno do prédio, um luxuoso edifício no Rio de Janeiro. As imagens mostraram Fernando Baiano e a família deixando o local aproximadamente às 5h30 daquele mesmo dia.

Por volta das 7h30, Fernando Baiano foi oficialmente considerado um foragido.

Dentro da sala de Inteligência, as informações continuaram pulsando nas telas dos computadores e celulares. Os ramais tocavam, e assim o mapa ia sendo atualizado.

Também chegavam histórias.

O trabalho de buscas ainda não havia sido finalizado na casa de um empreiteiro. A mulher do empresário se mostrava nervosa, impaciente. O delegado tentou acalmá-la.

— Fique tranquila, senhora. Em mais alguns minutos a ação estará concluída.

— Que bom. Eu não quero perder minha aula de yoga.

A equipe ficou em silêncio e continuou trabalhando. Passado mais algum tempo, um dos filhos do empreiteiro, que também testemunhava a aflição do pai, se aproximou. Ele também queria saber quando a devassa ia terminar.

— É que eu tenho um almoço agendado — disse o rapaz.

O policial mandou seu comentário por WhatsApp: "Acho que o pai ir para Curitiba não vai alterar a rotina da casa."

Outro desaparecido. Agora, Adarico Negromonte Filho, irmão do ex-ministro das Cidades, Mário Negromonte. Adarico trabalhava para Alberto Youssef. Ele era um dos responsáveis pela entrega de "envelopes e outros volumes" para os beneficiados pelo esquema de pagamento de propina.

Mais dois: Márcio Faria da Silva e Rogério Santos de Araújo. Os dois executivos da Odebrecht seriam levados para prestar depoimento na sede da Polícia Federal em São Paulo. Mas os mandados de condução coercitiva não puderam ser cumpridos, pois os investigados não estavam em suas respectivas casas.

Um dos empreiteiros fujões havia recebido uma ligação de alguém que, naquele momento, não se sabia quem era. O estranho afirmava: "Estou saindo agora de Rio de Janeiro. O outro lá foi conversar com o representante da base do governo..."

A mensagem cifrada dava a entender que o fujão estava tentando usar sua influência no governo para barrar o seu mandado de prisão. Seria isso mesmo?

E o que dizer de "saindo agora de Rio de Janeiro"? Ninguém fala desse jeito, saindo de Rio de Janeiro... Prado ficou encafifado com a frase. Na verdade, ficou obcecado em desvendar o que aquilo significava.

— Essa desgraça não vai sair da minha cabeça — ele disse. — Sabe quando você quer se lembrar de alguma coisa, mas não vem? Está na ponta da língua, e você fica fissurado? Então, fissurei. — Prado era considerado um dos agentes mais promissores do time. Teve um excelente professor, o agente Milhomem, que ajudou a moldar um talento natural para juntar peças e ler nas entrelinhas.

Mas Igor e Márcio só saberiam mais tarde se a charada tinha solução. Eles precisavam descer até o auditório, no andar térreo, para explicar a operação numa entrevista coletiva.

* * *

A coletiva começou com quarenta minutos de atraso. Igor apresentou os números da Juízo Final: trezentos homens da PF, cinquenta homens da Receita Federal, 21 prisões temporárias, seis preventivas, nove coercitivas, 49 buscas e apreensões em residências, empresas e escritórios de advocacia.

Até aquele momento, 63% dos mandados de conduções coercitivas, prisões temporárias e preventivas já haviam sido cumpridos. Todas as buscas e apreensões haviam sido iniciadas. As buscas que estavam sendo conduzidas nas empresas, normalmente mais extensas que as residenciais, não tinham hora para acabar. Deveriam ser finalizadas todas naquele dia.

A palavra "cartel" foi introduzida no vocabulário da Lava Jato para designar o modo de atuação das empreiteiras alvos da 7ª fase. As sete empreiteiras faziam parte de um grupo maior, de quinze a dezesseis empresas, que, juntas, respondiam pelas grandes obras de infraestrutura da Petrobras.

Um dos jornalistas quis saber se as prisões tinham relação com as delações de Paulo Roberto Costa e de Alberto Youssef. Márcio tomou a palavra e respondeu que não, as evidências dos crimes vinham de documentos apreendidos nas fases anteriores. A Polícia Federal já possuía provas robustas da existência do cartel e de desvio de recurso para agentes públicos, independentemente das colaborações.

Os executivos das empreiteiras eram o foco principal da Juízo Final. O alvo secundário eram os investigados pela participação no esquema como operadores da propina. Um número chamava atenção: 49 bilhões de reais. Era o valor dos contratos entre a Petrobras e as empreiteiras que, a princípio, estavam sendo investigadas.

Igor e Márcio voltaram para a sala de Inteligência. Havia uma sensação estranha no ar. O que viria a seguir? O que seria da Lava Jato depois da reportagem no *Estadão*, que atingia os delegados, e da prisão de tanta gente importante na 7ª fase?

A Juízo Final repercutia em todo o país. A internet procurava dar conta dos fatos. Também emergiam temores e insinuações. Por que nenhum executivo das duas maiores empreiteiras do Brasil, a Odebrecht e a Andrade Gutierrez, havia sido preso? As duas gigantes da infraestrutura estavam sendo preservadas? Talvez a PF não tivesse poder para encarar as duas potências.

Mas nada se comparava à repercussão da prisão de Renato Duque. No mundo político, sua prisão causou tanto rebuliço quanto a de todos os empreiteiros juntos. Duque havia liderado a diretoria de Serviços da Petrobras de 2004 a 2012. Ele havia sido indicado para ocupar o cargo pelo ex-ministro petista José Dirceu. Duque estava sendo acusado de manter contas em paraísos fiscais, alimentadas com dinheiro de propina. A analogia entre a prisão dele e a de seu colega Paulo Roberto Costa era inevitável. Se Paulo Roberto operava para os políticos que o haviam indicado, o mesmo devia valer para Renato Duque.

A própria presidente da República achou por bem falar da operação: "Eu acho que isso pode mudar, de fato, o Brasil para sempre. Em que sentido? No sentido de que vai se acabar com a impunidade. Nem todos, aliás, a maioria absoluta dos membros da Petrobras, os funcionários, não é corrupta. Agora, têm pessoas que praticaram atos de corrupção dentro da Petrobras." Dilma Rousseff acrescentou que o fato de "corruptos e corruptores" terem sido presos era "simbólico" para o Brasil.

O desaparecimento dos empreiteiros Ildefonso Colares, ex-diretor-presidente da Queiroz Galvão, Sérgio Cunha Mendes, vice-presidente da Mendes Júnior, Valdir Carreiro, da IESA Óleo e Gás, e Dalton Avancini, presidente da Camargo Corrêa, também repercutiu na imprensa.

Dentro da sala de Inteligência, Prado e Witt estavam como loucos. Eles monitoravam os deslocamentos de cada um dos fujões. Os agentes não estavam conseguindo precisar a localização de todos eles. O rastreamento dos aparelhos de celular estava sendo mostrado em uma tela. Mas o sinal de um ou outro aparelho, não raro, sumia e eles ficavam no escuro.

Quando as equipes chegaram à casa do ex-diretor-presidente da Queiroz Galvão, Ildefonso Colares, na Barra da Tijuca, Rio de Janeiro, não o encontraram. Cumpriram somente a busca e apreensão.

105

Os agentes haviam detectado que ele tinha passado a noite em um flat próximo ao Barra Shopping. Equipes foram mandadas para o local. No entanto, quando estavam chegando lá, o ponto na tela que indicava sua localização começou a se mexer. Ildefonso havia saído do flat. Por alguns minutos, Prado e Witt não conseguiram precisar onde ele estava.

Menos de uma hora depois, o sinal mostrou que Ildefonso estava no bairro Arpoador, possivelmente no Hotel Fasano. As equipes de campo foram reorientadas e correram para o hotel.

Ele ficou parado no mesmo local. Estava usando o celular. Witt e Prado conseguiram ouvir parte da conversa. O empreiteiro estava conversando com o advogado.

As equipes chegaram ao hotel. Mas, mais uma vez, deram com a cara na porta. Ildefonso não estava no Fasano, nem ao menos no bairro Arpoador.

Witt conferiu a tela, o sinal havia desaparecido novamente.

— Mas que diabo, onde esse cara se meteu?

— Que merda, você está vendo no que dá quando vaza que vai ter operação. E ainda tem quem diga que é a Polícia Federal que vaza informação! — falou Prado, irritado. Ele estava tentando achar Valdir Carreiro, da IESA Óleo e Gás, que também não havia passado a noite em casa. O empreiteiro era morador de Curitiba.

Os agentes tinham parado de praguejar sobre o "maldito vazamento" quando o advogado de Ildefonso Colares, que estava fazendo um tour pelo Rio de Janeiro, ligou. O empreiteiro estava a caminho da Superintendência, ele iria se entregar. E, de fato, se entregou aproximadamente às 15 horas!

— E precisava antes dar toda essa canseira?

— Sabe-se lá o tanto de documento que ele não aproveitou para destruir! — Prado ainda estava subindo pelas paredes. — Bom, pelo menos está se entregando! — disse já conformado.

Prado conseguiu falar com alguém na casa de Valdir Carreiro. Uma pessoa, que havia se identificado apenas como "a empregada", disse que o patrão não estava e que ela não sabia onde ele poderia ser encontrado. O agente solicitou a ela que anotasse o número do seu telefone e, caso conseguisse falar com o "patrão", que pedisse para ele retornar a ligação.

Alguns minutos depois, o advogado de Valdir Carreiro ligou. Prado disse que seria muito melhor ele se entregar.

— Nós iremos atrás dele. Temos um mandado de prisão para cumprir! Se ele insistir em não se entregar, vai ser pior. Ele só terminará nos dando mais trabalho, mas que nós vamos prendê-lo, isso nós vamos!

O advogado quis negociar a entrega do empreiteiro, pedindo que fosse em um momento melhor, quando a imprensa não estivesse concentrada na frente da sede da PF em Curitiba. Mas o momento "melhor" não existia, pois dificilmente a imprensa sairia da frente da Superintendência, especialmente porque ainda haveria muito movimento nas próximas horas.

Prado, então, orientou que o empreiteiro avisasse quando estivesse chegando; alguém o receberia com discrição no portão existente da parte posterior do prédio. E assim fizeram. Ildefonso chegou com um aparelho que, pelo que Prado havia entendido, servia para ajudá-lo a dormir, o empreiteiro tinha um problema qualquer relacionado ao sono.

Enquanto Valdir Carreiro era levado à custódia, o advogado de Sérgio Cunha Mendes, vice-presidente da Mendes Júnior, estava negociando com o coordenador da Lava Jato, o delegado Igor de Paula, a entrega do seu cliente.

O empreiteiro era mais um dos que não haviam dormido em sua casa, localizada em Brasília. Sérgio Mendes estaria em uma fazenda de sua propriedade, que ficava em uma cidade no interior de Minas Gerais. Bem cedo, naquele dia, os agentes acionaram a delegacia da

PF mais próxima. Policiais se deslocaram até a fazenda, mas não encontram o empreiteiro no local. Depois da visita da Polícia Federal, o advogado de Sérgio Mendes ligou.

O discurso era sempre o mesmo. Era melhor o investigado se entregar, porque mais cedo ou mais tarde ele seria encontrado. Entregando-se, pouparia dor de cabeça para todos, inclusive para ele próprio. Igor argumentou com o advogado de Sérgio Mendes, que concordou.

— Ele tem que chegar ao Rio de Janeiro a tempo de embarcar e seguir para Curitiba com os outros presos. O jato da Polícia Federal fará escala em São Paulo. Ele pode escolher o que achar melhor, desde que se apresente ainda hoje.

Igor passou detalhes acerca do horário previsto para decolagem do jato, quem procurar no Rio de Janeiro ou em São Paulo. O advogado ouviu em silêncio e depois respondeu com tranquilidade:

— Não se preocupe, ele irá para Curitiba no avião dele mesmo.

Igor finalizou a ligação e olhou para os agentes.

— O que foi? — Prado percebeu uma expressão curiosa no rosto do delegado.

— Como a gente é pobre e pensa como pobre, né?

Witt e Prado sorriram.

— Eu aqui passando mil e uma instruções para o advogado do Sérgio Mendes, para ele poder embarcar no jato da PF, e ele, educadamente, espera eu terminar para me dizer que não me preocupasse, pois seu cliente viajará em seu próprio avião. Não é genial?

Dalton Avancini, assim como seus amigos empreiteiros, também não havia dormido em sua casa na Vila Mariana, bairro de São Paulo. Mas o rastreamento do celular indicava que ele não havia ido para muito longe, tendo passado a noite em algum local próximo ao bairro em que morava. No entanto, ele se apresentou na Superintendência e voou no mesmo dia para Curitiba.

Igor deixou a sala de Inteligência e foi para sua sala. Preparou um expresso e se concentrou nos dois fugitivos com mandados de prisão em aberto. Fernando Baiano e Adarico Negromonte Filho eram os únicos que ainda não haviam dado nenhum sinal de vida.

Os dois investigados tinham diferentes pesos no esquema.

Fernando Baiano operava os repasses de propina para lideranças do PMDB. Ele sabia das coisas e seu desaparecimento dava margem a muita especulação: A ideia de sumir teria sido dele? Ele teria sido intimado a desaparecer por alguns dias? Desaparecer para sempre? Ele estaria se sentindo ameaçado?

Onde estaria Fernando Baiano?

Adarico Negromonte era funcionário do maior doleiro do país, fazia entrega de dinheiro em envelopes, malas, onde quer que a grana coubesse. Seria ele um simples emissário? Até onde sabia o que estava em jogo?

Do que Adarico Negromonte estaria fugindo?

Além dos dois, continuavam desaparecidos os executivos da Odebrecht Márcio Faria da Silva e Rogério Santos de Araújo. Mas eles não deviam ser presos, os mandados contra eles eram apenas de condução coercitiva. O mais provável era que tivessem sabido da operação com antecedência e dormido fora de casa para não serem encontrados.

Por que os dois temiam o simples fato de serem levados para depor?

* * *

As diligências estavam concluídas. Os investigados, com exceção dos desaparecidos, já estavam nas delegacias regionais da Polícia Federal, de onde seguiriam para o aeroporto e esperariam pelo jato da PF que os levaria a Curitiba, devendo chegar, no máximo, até o fim da noite.

Em São Paulo, onde se encontrava a maioria dos presos, havia alvoroço. O delegado Moscardi, responsável pelo apoio operacional na base paulista, reportou que tudo corria bem, exceto pela presença ruidosa dos advogados que, contrastando com o silêncio de seus clientes, esbravejavam e tentavam se impor.

— Igor, vocês se preparem, tenho certeza de que amanhã eles estarão aí em Curitiba. E será ainda pior. Os advogados querem partir para o confronto, vão querer ganhar no grito. Pode escrever. — Moscardi vaticinou.

Enquanto realizava o seu trabalho, organizando o material colhido nas diligências, Moscardi, mais de uma vez, ouviu frases dirigidas aos clientes como "Isso é um absurdo" e "Não se preocupe, até amanhã tudo vai ser resolvido e você voltará para casa". Era o que os advogados, unanimemente, prometiam.

— Igor, os caras estão confiantes de que não vão passar mais que uma noite aí em Curitiba.

Não é hora de alimentar o ceticismo de ninguém, pensou Igor.

— Eles podem dizer o que quiserem, Mosca. A questão é que eles não combinaram antes com os russos. Ou melhor, com o Moro.

Enquanto o "amanhã" não chegava, restava seguir para o aeroporto. O jato da PF vinha do Rio de Janeiro, onde havia feito uma escala para pegar outros passageiros.

Os investigados esperariam pela chegada do jato em uma sala da delegacia da Polícia Federal em Congonhas. O lugar em nada se assemelhava às salas VIPs dos aeroportos, com as quais eles estavam habituados. Antes de embarcar, havia procedimentos de segurança a serem seguidos, sob a supervisão do Comando Aéreo de Operações Policiais, o CAOP.

Entre a saída de suas casas confortáveis e a primeira noite em Curitiba, havia alguns momentos que poderiam ser descritos como definitivos para que um preso sentisse o que realmente estava em curso: suas vidas nunca mais seriam as mesmas e, mesmo quando retomassem a liberdade, tais experiências não poderiam ser apagadas.

Um desses momentos era a constrangedora, mas necessária, revista.

Mosca avisou que, um a um, eles seriam chamados para o procedimento. Mal ele terminou de falar, um oficial entrou. Os investigados olharam ao mesmo tempo para ele. Um homem alto, em torno de 50 anos, vestido em um uniforme verde-oliva e botas pretas impecavelmente lustradas.

Para Moscardi, aquele momento também tinha o seu peso. Era estranho ver tantos homens que, sem dúvida, haviam trabalhado duro antes de se tornarem donos de empresas importantes se igualarem a qualquer outro bandido por causa de sua própria inconsequência. Ele não sentia pena deles, mas tampouco sentia prazer. Mais desconfortável ainda foi vê-los depois da revista. Homens orgulhosos, alguns inclusive bastante arrogantes, voltaram cabisbaixos do encontro com o homem vestido de verde.

O procedimento começava com a retirada das roupas. Completamente nus, eles deveriam pôr os dedos entre os cabelos e movimentá-los em todas as direções. Depois, os dedos das mãos e dos pés deveriam ser afastados uns dos outros. E a revista prosseguia. Eles tinham de abrir a boca. Tinham de erguer os genitais e virar para os dois lados. Finalmente, era preciso conferir se nada tinha sido escondido em seu ânus. "Levante os braços esticados até a altura dos ombros", dizia o oficial. "Agora agache e levante três vezes, sem mexer os braços."

Não havia forma amena de cumprir essa rotina.

O mesmo se aplicava às mulheres presas. Uma agente do CAOP realizava a revista. Se tivesse alguma suspeita mais grave, estava autorizada a realizar uma averiguação íntima. Não era comum.

Alguns presos protestavam que aqueles procedimentos eram desnecessários, descabidos para um homem na sua posição. Eles não eram traficantes, não eram sequestradores ou bandidos violentos. O homem vestido de verde ouvia em silêncio. Pessoas são pessoas. Você nunca sabe qual o limite de cada um, quando alguém vai explodir e cometer uma loucura. Não se pode correr riscos a bordo de um avião lotado.

Assim, a revista prosseguia.

Finalmente, por volta das 17 horas, a aeronave pousou em Congonhas. Policiais e presos estavam esgotados. Contudo, aquela sexta-feira insistia em não chegar ao fim. Um problema técnico foi detectado e seria preciso aguardar o reparo.

O tempo foi passando, passando...

Por volta da meia-noite, ainda não havia previsão de quanto tempo levaria para concluir o serviço. Igor e Márcio Anselmo desistiram de esperar a chegada dos presos. Dormiriam algumas horas e voltariam no dia seguinte bem cedo.

O agente Gabriel ficou responsável por fazer a recepção dos "clientes". Além dele, na sala de Inteligência, ficaram Macedo, Adriano e Fontana.

Perto das 2 horas da madrugada, o jato ficou pronto, mas o aeroporto em Curitiba já havia fechado. Foi preciso pedir uma autorização especial para o pouso.

Restava um derradeiro procedimento antes de os presos embarcarem: as algemas. Um jogo nas mãos e outro nos pés, unidos por uma corrente.

Todos foram para a aeronave. Durante todo o voo, cada preso era acompanhado por um agente. Moscardi acompanhou o embarque e reportou à base em Curitiba que o avião decolaria em alguns minutos. Gabriel e a equipe estariam de prontidão no aeroporto Afonso Pena para escoltar os investigados até a custódia.

Passava das 3 horas do sábado, 15 de novembro de 2014, quando os funcionários do aeroporto verificaram a aproximação do voo solitário. As luzes do jato brilharam no céu de Curitiba e, minutos depois, os pneus tocaram a pista aberta com exclusividade para aquela aterrissagem inaudita.

* * *

Depois de quatro horas de sono, Igor acordou e conferiu o celular. Os grupos de WhatsApp estavam repletos de mensagens atualizando sobre os acontecimentos da madrugada. Ele se ateve à informação mais importante: os presos já estavam sob custódia.

Outra mensagem, que não havia sido enviada para o grupo do WhatsApp, pedia sua atenção. Ela não dizia respeito à Juízo Final, mas nem por isso era menos importante. Rosalvo dizia que a reportagem de *O Estado de S. Paulo* motivaria a abertura de uma sindicância pela Corregedoria da Polícia Federal. Os delegados do grupo de trabalho da Lava Jato seriam investigados.

Somada ao cansaço físico e ao estresse da deflagração, a mensagem pesou sobre o peito de Igor. As palavras de Dani voltaram à sua cabeça. O desgaste seria enorme: papéis para preencher, horas de depoimento, a seriedade do trabalho sendo colocada em dúvida, justamente naquele momento em que a operação dava os primeiros passos na direção dos cabeças do maior esquema de pagamento de propina jamais desvendado.

Igor também se lembrou do que Mosca havia dito sobre a confiança dos advogados. A ideia de que eles poderiam estar livres em poucas horas o oprimiu ainda mais.

Ele se levantou.

Ainda havia muita coisa para enfrentar — a começar pelo barulhento grupo dos advogados. Ele já podia ouvir as frases feitas:

"Repudiamos veementemente as acusações."

"As acusações são factoides sem respaldo na realidade."

"A empresa não tem envolvimento com as irregularidades investigadas."

"As atividades e contratos da empresa seguem rigorosamente a legislação em vigor."

"A prisão é injustificada e desproporcional."

Igor mais uma vez conferiu o celular. Tudo havia corrido bem até ali. É verdade que algumas adaptações haviam sido necessárias. Mas no fim imperava o velho esquema NHS — Na Hora Sai. A expressão era usada pela equipe do Grupo de Trabalho para dizer que, qualquer que fosse o problema operacional, eles dariam um jeito de solucionar. No dia da operação algum policial havia faltado? Simples:

diminua o tamanho de outra equipe. Havia veículos ostensivos em menor quantidade que o necessário? Simples, era só ir para o plano B: carros descaracterizados. O mais importante era lembrar: NHS.

Depois de um café rápido, o DRCOR acessou o e-Proc e despachou alguns documentos. Só então voltou à sede. Quando chegou, encontrou a recepção do prédio, normalmente vazia aos sábados, com aspecto de feira livre — uma quantidade impressionante de advogados com uma quantidade ainda maior de caixas e sacolas.

Havia de tudo: de artigos de cama e banho a alimentos dos mais variados. Lençóis, cobertores e toalhas, comprados em lojas de primeira linha, serviriam para garantir mais conforto aos presos. Além do rico enxoval, havia caixas de frutas seletas, queijos, pães, biscoitos e chocolates importados, bebidas... E mais, produtos de higiene diversos e em quantidade exagerada.

A abundância era tamanha que Igor não se conteve e comentou baixinho com Gabriel, que havia se aproximado e estava ao seu lado:

— É tanta comida que parece que eles querem que os empreiteiros fiquem aqui pelo resto da vida.

Os advogados reclamavam de tudo e exigiam conversar com seus clientes, todos de uma só vez. E como todos queriam se fazer ouvir, optaram por gritar.

Rosalvo tentava abrandar os ânimos e organizar a entrada de grupos de advogados. Apesar do esforço, os advogados não renunciavam à gritaria. Então, Curitiba descobriu algo inesperado: a paciência de Rosalvo tinha limite. Era um limite muito, muito elástico — mas existia. De repente, Rosalvo estava berrando. E fez-se o silêncio.

— E nós nem imaginávamos que ele soubesse gritar — disse Igor a Gabriel.

Com a volta à civilidade, foi possível organizar a entrada dos advogados. Mas, assim que Rosalvo informou que os presos comeriam a comida que fosse servida nas marmitas da custódia e que

114

só excepcionalmente, naquele primeiro momento, alguns alimentos poderiam ser entregues, o protesto recomeçou.

Dessa vez, o superintendente não precisou gritar. Bastou levantar o braço, olhando fixamente para a plateia raivosa.

Já controlado, um advogado perguntou educadamente o que fazer com o enxoval e as muitas caixas de alimentos excedentes. Rosalvo e Igor se entreolharam.

— Vocês podem doar tudo o que não ficar com os presos — disse Igor. — A PF apoia algumas instituições de caridade. — Ele anotou os dados de duas delas e entregou aos advogados. Se eles aceitariam a sugestão, ninguém poderia dizer.

Então, uma trégua frágil se estabeleceu entre advogados e policiais. O agente Mario foi orientado a permanecer no saguão e dar apoio a Rosalvo. Gabriel acompanhou Igor até a sala de Inteligência.

Márcio Anselmo já estava lá, quando os dois chegaram.

— O Rosalvo falou com você sobre a sindicância, não é?

— Ele mandou uma mensagem.

— Isso é uma tremenda sacanagem!

— Márcio, já era de se esperar. Para dizer a verdade, é melhor que se investigue mesmo. Assim, viramos a página de uma vez.

— Mas ainda assim é uma puta sacanagem! Esses caras saqueando o país e quem vai passar por bandido somos nós?

— Eu sei. Mas o que tem de ser feito vai ser feito. É melhor que a Corregedoria apure. Você ainda vai me dar razão. Aliás, é bem possível que venha coisa pior por aí.

— E esse vazamento que a gente não sabe de onde vem? Era só o que faltava, um conspirador aqui na PF!

— Outro problema que vamos ter que enfrentar... Mas, agora, você preste bem atenção. Cara, olha só o que você fez! Você montou esse inquérito gigante em tempo recorde. Preparou a Juízo Final. Vamos focar no que está dando certo, senão a gente vai pirar. Vem mais pressão por aí.

— Você está falando de pressionarem para acabar com a Lava Jato?

— Não estou falando isso. Mas quem sabe? Temos de estar preparados até para isso.

— É uma tremenda sacanagem.

Igor não teve tempo de falar mais nada. Prado estava entrando na sala com um sorriso maroto.

— Então, ontem não tive nem tempo de contar. O Adriano e eu fomos ontem para o aeroporto pegar o Léo Pinheiro e de repente ele chega com seu advogado. O Léo Pinheiro estava no telefone, batendo o maior papo, nem parecia que estava se entregando para ser preso.

— Como assim, falando ao telefone? — perguntou Igor

— Pois é, o telefone dele não havia sido apreendido.

— Mas como é que isso acontece? Os caras não sabem que telefone é a maior mina de informações?

— Está acontecendo de tudo nessa operação — finalizou Márcio. Todos acabaram rindo.

Só Gabriel continuava calado. Ele ainda estava devendo os detalhes de como havia sido a madrugada depois da chegada do jato com os presos.

— E aí, Gabriel, que bicho te mordeu? Por que você está tão quieto?

— Acho que eu estou ficando velho. Estou mais cansado do que nunca.

— Ok, mas você pode pelo menos dizer se tudo correu bem depois da chegada do jato?

Passava das 3 horas da madrugada, quando o avião da Polícia Federal pousou em Curitiba. A tensão do dia e o desgaste emocional estavam estampados no rosto de todos que desembarcaram.

Gabriel disse que os empreiteiros deixavam suas malas para trás, como se alguém fosse carregá-las até os veículos. Moscardi já havia relatado o mesmo. Ele teve de orientar os detentos a cuidar das próprias coisas. Mas, quando chegaram a Curitiba, eles pareciam ter se esquecido. Foram novamente alertados e, assim, arrastaram as malas, cabisbaixos, até os veículos que os levariam à sede. Todos fizeram o trajeto em silêncio, de olhos fixos nas ruas escuras que não revelavam nada.

Quando chegaram à sede, eles foram levados para a sala onde, em dias normais, ficavam aqueles que aguardavam atendimento para emissão de passaporte. Mário Carrasco, um dos chefes do grupo de escrivães que processavam a montanha de provas colhidas pela Lava Jato, mas também requisitado para ações de campo nas fases mais movimentadas, olhou para todos os homens ricos sentados nas poltronas azuis daquele saguão e teve a mesma breve sensação de irrealidade comum a tantos agentes envolvidos na deflagração daquela fase.

— É estranho — ele disse a Gabriel. — Parece um grupo de figurantes esperando para entrar num filme.

Antes de serem conduzidos às celas, os empreiteiros e executivos teriam que passar pelo enquadramento, que envolvia uma revista semelhante àquela realizada pelo homem de verde em Congonhas, mas também instruções de conduta no espaço da carceragem. Quem passava as ordens era um agente penitenciário. A própria carceragem era um pedaço do sistema penitenciário cravado no interior da Superintendência Regional da PF. As regras que valiam num presídio também valiam ali. Era mais um estágio no ritual de travessia para aquele novo mundo.

Tudo acontecia em uma sala pequena, de não mais de oito metros quadrados. Dois policiais inteiramente equipados — o uniforme negro usado em ações ostensivas, o colete à prova de balas, a pistola no coldre, o rifle apontado para baixo — ficavam ao lado da porta de entrada. À direita havia outras duas portas. Uma levava a um banheiro, onde a revista podia eventualmente ser completada. A outra levava a um espaço menor, onde em dias de visita os presos com uma autorização especial podiam se reunir com familiares. Nos fundos da sala, a parede era nua. Havia apenas um par de algemas pendendo de um gancho. Um grande tubo de spray de pimenta ficava sobre uma das duas mesas de trabalho. O agente ficava de pé entre elas, encarando os novos detentos.

A dicção do agente era seca.

Um dos empreiteiros tirou um maço de cigarros do bolso enquanto ouvia a preleção.

— O senhor não pode fumar agora — disse o agente.

O empreiteiro deu um passo à frente para deixar o maço sobre a mesa.

— O senhor volte imediatamente para a sua posição.

As regras de locomoção eram as mais importantes.

— Em qualquer deslocamento dentro da carceragem, quando estiver sendo escoltado por um policial, mantenha as mãos juntas nas costas. Isso é para a sua proteção e dos outros detentos. Os policiais estão treinados para reagir a qualquer contato físico, mesmo que involuntário. Então, vou repetir, mantenha as mãos nas costas durante os deslocamentos.

"Em qualquer deslocamento dentro da carceragem, quando estiver sendo escoltado por um policial, o senhor vai manter a cabeça baixa e olhar para os pés do policial que vai à sua frente. Se estiver em fila com outros detentos, olhe para os pés do detento que estiver à sua frente."

Um a um, os empreiteiros ouviam com expressão vazia.

— O senhor entendeu as instruções? Responda em voz alta.

— Sim.

Depois disso uma porta pesada era aberta à esquerda. Era a porta blindada que levava às celas. Havia primeiro um corredor vazio. Na ponta esquerda estava a passagem para a ala masculina; na direita, para a ala feminina. De cada lado havia três celas com um beliche e uma bancada de alvenaria. Atrás dos beliches ficava a latrina. Atrás do conjunto de celas ficavam os chuveiros. Os mesmos chuveiros serviam aos homens e às mulheres, com uso alternado. Também pelos fundos se ganhava acesso ao pequeno pátio onde acontecia o banho de sol. O uso dos chuveiros e o banho de sol eram benefícios que podiam ser cortados, caso um preso causasse balbúrdia, entrasse em atrito com outros detentos ou desrespeitasse os carcereiros. A punição infligida a um podia atingir a todos. Com isso, surgia uma pressão tácita nas celas para que todos se mantivessem na linha.

O enquadramento levou tempo. Era um procedimento ao qual cada um precisava ser submetido individualmente.

Já eram quase 7 horas da manhã quando todos os detentos se viram reunidos no espaço exíguo das celas. Eles ficaram vagando por algum tempo de um lado para outro pelo corredor, esbarravam uns nos outros, entravam e saíam das celas. Um deles se encostou na parede, travou os maxilares e endureceu o olhar, como se fosse um gângster dos velhos filmes americanos. Outro se aproximou das grades e perguntou num tom aflito:

— Quem vai fazer a minha barba aqui? Como eu vou fazer?

Gabriel observou em silêncio por algum tempo. Depois disse:

— Eu sugiro que os senhores deitem e descansem.

Os presos obedeceram. Não havia lugar para todos nas celas, então eles começaram a espalhar pelo chão os colchonetes que estavam encostados nas paredes. O espaço foi todo tomado.

Fazia frio em Curitiba. Os homens se cobriram por inteiro. Um dos últimos a entrar não encontrou cobertor disponível e um colega se prontificou a compartilhar. Alguém fez uma piada que caiu no vazio.

Gabriel continuou observando, apoiado nas grades do lado de fora, até que todos estivessem acomodados. Havia uma luz fraca, vinda do dia que já amanhecia, entrando pelas janelas estreitas. Ele viu os homens se aquietarem, um a um. Estava prestes a sair quando uma cabeça, na penumbra do fundo da carceragem, se ergueu para observar os presos deitados no chão em colchonetes finos. Foi a imagem que ficou em sua memória.

VI. Núcleo duro

Na primeira reunião do núcleo duro da Lava Jato após a 7ª fase, a adrenalina estava nas alturas. Compunham o grupo, além dos delegados, os oito analistas da sala de Inteligência e Mário Carrasco, o chefe da equipe de cerca de trinta funcionários que lidava com todo o material apreendido. Eram aqueles que tudo sabiam sobre a operação.

A Juízo Final havia chegado a Curitiba como uma avalanche, deixando mesas, prateleiras e armários tomados pela infinidade de material a ser analisado. Havia provas espalhadas pelo chão, e os agentes andavam em zigue-zague.

Nas centenas de malotes encontrava-se um volume colossal de documentos: contratos, notas fiscais, planilhas, comprovantes de depósitos bancários. Sem falar nos dispositivos — celulares, tablets, computadores, pen drives, HDs — que escondiam outras tantas provas em potencial. Tudo seria inserido em um sistema de computadores desenvolvido exclusivamente para a operação, em uma rede privada da Polícia Federal. A preocupação com segurança era extrema, com várias camadas sobrepostas de defesa contra invasões.

A equipe sabia que daqueles sacos de lona preta brotariam novas fases da operação. Vale, especialmente, estava elétrico. Ele queria encontrar a pista oculta que causaria um novo abalo na República.

Ele havia se incorporado ao time naquele mês de novembro de 2014, pouco antes da deflagração da 7ª fase. Igor queria alguém que viesse sem hábitos arraigados e se amoldasse às especificidades da Lava Jato, que derivavam, principalmente, do gigantismo da operação. Vale era um novato promissor e sua escolha havia sido uma decisão conjunta da equipe.

Adriano, um dos agentes da sala de Inteligência, acompanhava o treinamento de Vale.

— Segura essa fúria investigativa — disse Adriano. — A gente vai ter de escanear e indexar cada página de documento. No caso dos HDs, celulares e outros bichos eletrônicos, precisa espelhar tudo. Não pense que você vai ficar sujando o celular dos empreiteiros de Danoninho. Só vão dar uma cópia para você brincar.

— E os aparelhos que a gente não tem a senha? Vai ter de mandar para fora?

— A gente tem um Salvador aqui — disse Adriano. — Ele dá conta de fazer o impossível.

O delegado Salvador era o responsável pela perícia no Paraná. Ele comandava uma equipe de 34 especialistas e havia internalizado o trabalho que outras delegacias regionais teriam que repassar a Brasília ou terceirizar.

Todos os equipamentos eletrônicos apreendidos pela Lava Jato eram guardados em uma sala com acesso restrito, monitorada 24 horas por dia, sete dias por semana. Antes disso, todos os seus dados eram duplicados e armazenados em um formidável cérebro eletrônico desenvolvido por peritos federais, o sistema IPED (Indexador e Processador de Evidências Digitais). Cada arquivo tinha a sua "impressão digital" desvendada — na verdade, um código hexadecimal conhecido como hash. Assim, se houvesse qualquer adulteração, seja nos arquivos duplicados, seja nos originais, seria possível identificá-la.

O IPED era resultado de um trabalho iniciado em 2012, em São Paulo, para facilitar a leitura de anexos digitais dos chamados laudos de perícia criminal de informática. Após essa primeira versão, foi sendo gradativamente aprimorado — bem a tempo de servir à Lava Jato com o seu enorme poder de processamento. O IPED era capaz de recuperar arquivos apagados, detectar criptografia e fazer o reconhecimento óptico de caracteres, entre outras funcionalidades. Ele trabalhava sem parar, processando diversos arquivos simultaneamente. Se os agentes da Lava Jato dormiam pouco, o IPED não dormia nunca. Além disso, ele permitia que os peritos e analistas trabalhassem todos na mesma interface, em quantos computadores fosse necessário, correlacionando as provas e fazendo relatórios padronizados.

Para quebrar as senhas de arquivos criptografados, um outro equipamento era utilizado: um *cluster* com 89 mil núcleos de processamento (o equivalente a quinhentos computadores) que permitia atacar de diversas formas a proteção cifrada. Mais de uma centena de arquivos e dispositivos já haviam sido decifrados desde o começo da operação, e os peritos imaginavam ter de dobrar ou triplicar esses números com a chegada das novas provas.

Em geral, era a equipe de Mário que se encarregava da abertura e conferência dos malotes. Já o time da inteligência tinha duas tarefas principais. Cabia a eles gerir as interceptações de comunicação autorizadas pela Justiça, o que significava não apenas fazer o monitoramento, mas cuidar de toda a burocracia ligada a elas. Mais importante, cabia a eles fazer a primeira análise de toda a documentação apreendida e redigir relatórios que os delegados mais tarde usariam para compor o inquérito. Dessa vez, no entanto, eles se juntariam ao mutirão de abertura dos malotes. Para acelerar o trabalho, olhariam a papelada em busca do proverbial "batom na cueca" — aquele indício que, por tudo que eles já sabiam, fazia o quebra-cabeça avançar.

Nos últimos meses, mesmo quando estavam fora da SR, cuidando da própria vida, os analistas sentiam que uma parte de seu cérebro continuava a procurar padrões, relacionar fatos, remoer trocas de mensagens e pedaços de conversas telefônicas, para resolver os enigmas que a Lava Jato lhes apresentava.

Quando estavam juntos, na sala de Inteligência, eles passavam horas absortos nos seus monitores — cada um deles tinha três diante de si —, escutando gravações de conversas, fazendo transcrições, comparando os novos dados com aquilo que já estava arquivado. De vez em quando, alguém parava tudo e perguntava em voz alta: "Vocês se lembram daquela história...?" Não era incomum que um agente encontrasse uma parte de uma trama e outro achasse o complemento.

Se o inquérito era um edifício, cabia a eles fabricar os tijolos.

— Cara, uma coisa muito importante: na hora da busca e apreensão e quando abrir os malotes, nunca subestime nada — disse Prado. — Já pegamos gente na mentira porque encontramos um cartão de visitas. O cara estava prestando depoimento e negou conhecer o Youssef. Mas, no escritório dele, achamos o cartão de visitas do doleiro junto com um monte de anotações de conversas. Também já encontramos ticket de estacionamento de um prédio onde o sujeito jurava de pés juntos nunca ter pisado.

— Não existe uma mídia mais importante — disse Gabriel. — Celular, computador, papelzinho amassado, a informação pode estar em qualquer lugar.

— Gabriel, fala para ele como você descobriu que as empreiteiras atuavam em cartel — pediu Moscardi.

— Pois é, desde os primeiros depoimentos do Paulo Roberto, a gente viu que existia uma coisa organizada pelas empreiteiras para combinar preços. Mas a prova só veio com uma planilha em papel, cheia de anotações, que encontramos na casa do Gerson Almada, da Engevix. Aquilo mostrou que o cartel existia, e ainda quais eram os participantes e como ele funcionava.

— Na hora das buscas, tem de revistar tudo: gavetas, caixas, dentro, em cima, embaixo de móveis, prateleiras e cômodos. E na hora de abrir os malotes tem de olhar tudo com carinho novamente — disse Prado.

Gabriel deu outro exemplo.

— Agora mesmo, na 7ª fase, o que fez o Ricardo Pessoa? Escondeu dentro do carro dele uma quantidade enorme de documentos. Se nós não tivéssemos feito buscas no carro, teríamos perdido tudo. E vou dizer que teria sido um tremendo de um desperdício!

— Você só não vai revistar o alvo — disse Moscardi. — O que não significa que não tenha coisa escondida ali.

— Eu já sei do caso da Nelma — disse Vale.

— Eu estava falando do Chater.

Seguindo o protocolo de segurança, para embarcar no jato da Polícia Federal, depois de ser preso na 1ª fase da Lava Jato, o doleiro Carlos Habib Chater teve o seu encontro com o homem de verde. No momento em que ele baixou a cueca, um papel caiu no chão. Era uma nota promissória de um milhão e meio de reais.

— Sempre alerta — disse Igor. — O plano é organizar o material da 7ª fase em quinze dias, para o Vale poder começar a libertar a sua fúria de investigador.

* * *

Seis dias depois da deflagração da Juízo Final, em 20 de novembro de 2014, o Hospital Sírio-Libanês, em São Paulo, divulgou uma nota informando que o criminalista Márcio Thomaz Bastos havia morrido. Como ministro da Justiça no governo Lula, Bastos havia conquistado uma vasta área de respeito e influência tanto na advocacia quanto no Judiciário. Seu apelido era God. E há semanas chegava a Curitiba o rumor de que ele e seu plantel de discípulos se preparavam para desferir um golpe contra a Lava Jato, ou ao menos contê-la longe do Planalto. A ideia era circunscrever tudo a um crime econômico: as grandes empreiteiras brasileiras haviam se organizado em cartel para conquistar os principais contratos da Petrobras. Haviam, é claro, contado com a ajuda de diretores da estatal, mas eles eram um grupo isolado, que atuava em interesse próprio. A ideia de corrupção sistêmica era nonsense.

* * *

Enquanto a notícia se disseminava, o agente Milhomem estava a caminho de uma missão importante. Ele iria participar, como testemunha, do primeiro depoimento de Pedro Barusco. O executivo havia fechado um acordo de delação premiada, assessorado pela indefectível Beatriz Catta Preta.

Barusco havia se apresentado espontaneamente à Polícia Federal. A razão era simples: Paulo Roberto Costa, depois de ser preso pela segunda vez, tratou de negociar a sua delação. Barusco intuiu que ela, fatalmente, levaria ao seu nome. Procurou Catta Preta e em dois dias assinou um acordo para contar o que sabia. Não dizia apenas que tinha muita informação, mas também que poderia provar tudo o que dissesse.

Milhomem era um agente experiente e extremamente metódico. Na sala de Inteligência, os colegas o chamavam de ranzinza — mas o fato é que respeitavam sua firmeza e se divertiam com seu mau humor. Ele gostava de respostas claras e deliciou-se com o que encontrou na oitiva de Barusco. O ex-gerente da Petrobras trazia duas malas repletas de documentos: extratos, planilhas com nomes de obras, comprovantes de dinheiro indo e vindo, enfim todo o tipo de prova. Ele foi entregando nomes, números e, mais importante, a mecânica de cada transação ilícita. *Era um homem agradável*, pensou Milhomem. Nada como a mente de um engenheiro para pôr a descoberto um esquema de corrupção. E ainda por cima um engenheiro que sabia contar histórias.

Barusco também falou do dinheiro que mantinha ilegalmente no exterior. Ele havia acumulado em contas secretas a bagatela de 180 milhões de reais.

Terminada a oitiva, Milhomem voltou à sala de Inteligência. Lá, só encontrou Macedo e Witt que estavam ouvindo gravações e analisando alguns documentos. Milhomem foi atrás dos colegas que estavam na sala ao lado, conferindo malotes. Eles desceram em comitiva até a sala de Igor, que chamou os delegados.

— A delação do Barusco é a delação das delações — confidenciou Milhomem. — E vocês não vão acreditar: eles também têm um núcleo duro!

— Ah, não — disse Moscardi. — Agora vai ser núcleo duro contra núcleo duro? Façam suas apostas. Eu sou mais eu!

— O núcleo das empreiteiras é formado pela Camargo Corrêa, Andrade Gutierrez, Odebrecht, OAS, Queiroz Galvão, Engevix, IESA, Mendes Júnior, MPE, Setal, Skanska, UTC e Promon. Barusco disse que a Promon não paga propina, mas faz parte do cartel.

Igor quis saber sobre Renato Duque, chefe de Barusco.

— Ele confirmou que Duque recebia propina, sim. Segundo ele, em 2011, inclusive, eles foram para a Itália, onde jantaram com o presidente de um banco suíço, o Banco Cramer. Eles trataram da abertura de offshore para receber dinheiro de propina. A offshore de Duque se chama Drenos e a de Barusco, Natiras. Mas essas foram só as primeiras.

As oitivas continuaram nos dias seguintes. Em quatro dias de depoimentos, Pedro Barusco se revelou um gênio das planilhas. Milhomem ficou surpreso com tudo que o engenheiro tinha arquivado. Renato Duque havia atribuído essa tarefa a ele porque, segundo suas próprias palavras, não se sentia suficientemente organizado para administrar o dinheiro.

Realmente não deve ser fácil controlar tanto dinheiro sendo mandado para bancos no exterior, pensava Milhomem enquanto ouvia os relatos. Afinal, ele recebeu propina sobre a contratação de noventa obras.

Em suas planilhas, Barusco registrava o mês de cada pagamento, o valor e o codinome de quem recebia o dinheiro. SAB era o codinome do próprio Barusco, homenagem de gosto duvidoso a uma ex-namorada, Sabrina. MW era Renato Duque. As letras faziam referência à música "My Way", gravada por Frank Sinatra em 1968. Milhomem não deixou de apreciar a ironia. O início da canção dizia: "E agora o fim está próximo / E assim encaro o cair do pano."

Barusco também entregou os nomes de operadores responsáveis por camuflar a propina e fazê-la chegar a pessoas que participavam de outras estruturas, que não as construtoras ou a Petrobras. A Lava Jato já sabia que aquilo acontecia. Já sabia que aquele esquema de corrupção não podia ser circunscrito a um punhado de empreiteiros e executivos da estatal. Mas a delação de Barusco pavimentava o caminho da investigação.

— Outro apelido inventado pelo Barusco é Moch — disse Milhomem aos colegas em outra reunião para falar sobre as últimas novidades do depoimento.

— Por que Moch? — perguntou Igor.

— Porque o cara está sempre de mochila.

— E quem é o cara, pô?

— João Vaccari Neto, o tesoureiro do PT.

* * *

A maratona para esvaziar os malotes da Juízo Final havia sido cumprida com sucesso. Antes do final de novembro de 2014, os oito analistas da Lava Jato já estavam de volta a seus postos para suas tarefas de escuta, de interpretação, de redação de relatórios — a tarefa de fabricar os tijolos da investigação.

Igor gostaria de ter uma equipe muito maior. Eles haviam se dado conta de que alguns empreiteiros, por exemplo, mereceriam uma equipe exclusiva só para analisar os dados relacionados a eles. Somente os aparelhos celulares de Léo Pinheiro haviam rendido dois calhamaços, um com 4.521 páginas e outro com 7.047 páginas, reunindo centenas de milhares de linhas de informação, que podiam ser e-mails, mensagens de aplicativos, anotações, compromissos na agenda, fotos ou áudios. Não era diferente com o celular de Ricardo Pessoa: 5.750 páginas de dados.

Mas, mesmo com toda a repercussão da Lava Jato, ou talvez por causa dela, nem sempre era possível contar com a boa vontade de outras regionais para liberar agentes e encorpar o contingente de Curitiba. Assim, ao que tudo indicava, a sala de Inteligência continuaria abrigando os seus oito hóspedes, em três fileiras de mesas: Vale e Gabriel; Prado, Witt e Milhomem; Macedo, Fontana e Adriano.

No dia 1º de dezembro, uma segunda-feira, Prado chegou alegre.

— Arranjei mais um tijolinho — disse.

— Desembucha — falou Gabriel.

— Vocês se lembram daquela história de "Estou saindo agora de Rio de Janeiro"? Aquela frase que a gente interceptou no dia da Juízo Final? Bom, hoje eu levantei às 6 horas para correr e, em vez de ouvir música, fiquei pensando nesse troço. E tive um clique.

— Fala logo...

— Rio de Janeiro não é a cidade ou o estado. São as iniciais do nome de alguém.

— Caramba! Pode ser mesmo. De quem?

— Digam vocês, tudo eu!

Witt falou como se estivesse pensando em voz alta.

— Se RJ é uma pessoa e é alguém que tem relação com o governo. Ou é um político...

— Romero Jucá!? — disseram quase ao mesmo tempo Gabriel e Witt.

Prado sorriu.

Vale perguntou como o tijolo se encaixava na investigação.

— O Romero Jucá foi citado pelo Paulo Roberto Costa na delação dele — elaborou Prado. — Mas não é assim que funciona, Vale. Você não precisa encaixar o tijolo imediatamente no prédio. Ele pode ficar flutuando por aí, e de repente a gente descobre onde ele cabe. Às vezes também não acontece nada, aquele tijolo não se encaixa em lugar nenhum. Então, vai cuidar das suas escutas.

Gerenciar as interceptações de comunicação era o suplício de todos os analistas. Era preciso fazer um controle rigoroso dos prazos. Uma autorização de quebra de sigilo telefônico tinha validade de apenas quinze dias. Algumas operadoras de telefonia, depois de receber a ordem do juiz, demoravam a liberar o acesso aos registros. O agente perdia um tempo precioso e tinha de correr atrás do prejuízo. Enquanto isso, encaminhava uma nova demanda ao Juízo, repassava a nova ordem à operadora — e assim sucessivamente. Era um motor contínuo. Deixar que ocorresse um hiato na captação das conversas era uma falha grave. Perder as escutas às vésperas de uma deflagração deixaria a equipe às cegas. Seria jogar trabalho no lixo.

Os peritos haviam inventado vários programinhas para facilitar a vida dos analistas. Um deles permitia que os arquivos que chegassem das operadoras de telefonia fossem importados eletronicamente. Os dados eram cruzados e os analistas sabiam quem havia falado com quem.

— Que falta que o Xuxa faz! — Gabriel brincou.

Xuxa era o agente Stoffels, uma das lendas da PF em Curitiba. Ele era o mestre da interceptação à moda antiga. Subia em poste, instalava gravador e, sempre que as fitas precisassem ser trocadas, lá ia ele escalar o poste novamente.

— Ninguém tinha que se preocupar com alguma conversa perdida — continuou Gabriel. — Hoje tem essa tecnologia toda, mas bom mesmo era o Xuxa!

Vale era um jovem da era digital. Para ele, escalar postes era esporte de aventura. Mas se divertia com as histórias dos veteranos.

130

Queria que algum dia, talvez naquela mesma sala, alguém falasse dele da mesma forma.

Ele mergulhou nos seus monitores. Precisava alcançar os colegas na compreensão do que estava em jogo na Lava Jato. Prado lhe havia dito que no início todos na sala contaram com a ajuda de um ex--funcionário da Petrobras para entender como funcionava o negócio da estatal.

— Não tínhamos ideia de como a indústria do petróleo funcionava — dissera o colega. — Só depois de muita conversa conseguimos compreender um pouquinho da lógica dos contratos, e também onde estavam as brechas para que se dessem os conchavos.

Dali, eles haviam evoluído, passando a enxergar os dutos invisíveis que ligavam a estatal, as construtoras, os operadores, os políticos e seus partidos. Vale ainda precisava ganhar desenvoltura nesse labirinto.

Ele pensou no poeminha que alguém ali havia criado — uma paródia da "Quadrilha", de Carlos Drummond de Andrade:

João negociava com Teresa, que lavava dinheiro para Raimundo
que entregava propina para Maria, que dividia com Luzia
que não dividia com mais ninguém.
João abriu offshores nos Estados Unidos e Suíça para muita gente
Raimundo adquiriu obras de arte, Maria fez viagens e trouxe joias
do Oriente,
Luzia venceu a eleição e cantou vitória. O Brasil era a vítima da
história.

* * *

O ano estava chegando ao fim, mas a Lava Jato parecia ter abolido as convenções do calendário. Os acontecimentos continuavam se precipitando. No dia 3 de dezembro, do mezanino da SR, debruçado sobre o parapeito que lhe permitia ver o que acontecia no térreo, Vale assistiu ao momento em que o ex-diretor da Petrobras Renato Duque atravessou as catracas da entrada e caminhou em direção à porta de vidro que se abria automaticamente. Um batalhão de repórteres o aguardava, mas Duque não parecia disposto a dar declarações. Ladeado pelos seus advogados, ele avançou em meio aos jornalistas.

Duque deixava Curitiba depois de fazer história como um dos hóspedes mais prepotentes que já haviam passado por lá. No momento de sua prisão no dia 14 de novembro, no âmbito da Juízo Final, ele havia disparado uma frase indignada: "Que país é este?" O executivo chegou à custódia soltando fogo pelas ventas. Arrogante e irascível, não mediu esforços para ser o mais rude possível com qualquer agente ou delegado que o abordasse durante os vinte dias seguintes. Com a mesma empáfia, havia celebrado o *habeas corpus* que o libertara.

De acordo com o ministro Teori Zavascki, do Supremo Tribunal Federal, não havia indício de que Duque pretendia fugir do Brasil ou tramava para frustrar de outra maneira a aplicação da lei. Nem mesmo o fato de o executivo ter dinheiro não declarado no exterior era motivo para que a prisão preventiva fosse estendida. Duque deveria entregar seu passaporte à Justiça e estava proibido de deixar o Brasil. Mas podia voltar para casa.

O *habeas corpus*, de certa forma, havia sido uma surpresa. Criava uma fenda na sólida barragem de decisões do juiz Sérgio Moro que as instâncias superiores do Judiciário haviam corroborado. Até a sentença favorável a Duque, com exceção do *habeas corpus* de Paulo Roberto Costa, nenhum dos pedidos de liberdade apresentados pelos advogados dos empreiteiros e executivos havia obtido sucesso.

Naquele 3 de dezembro, Vale se perguntou se aquele era um ponto de virada na Lava Jato. Ele não era formado em Direito. O cargo de analista requeria um diploma superior, mas não a formação jurídica. Ele procurou Igor para discutir o assunto.

— Impossível saber nesta altura — disse o chefe do DRCOR. — É uma briga complicada sobre as prisões cautelares. Os advogados dizem que o Moro está estendendo as prisões como forma de coagir os presos a fazer delações. Dizem que ele está antecipando a pena de gente que nem foi julgada ainda. O Moro diz que não está fazendo nada mais do que cumprir a lei. Ainda vamos ouvir muito dessa história.

Vale aguardaria para ver aonde aquela discussão técnica iria levar. Uma coisa ele sabia: aquele era apenas um pedaço pequeno da estratégia da defesa. Ele havia visto os papéis apreendidos na sede da Engevix e na casa de Ricardo Pessoa, dono da construtora UTC.

As anotações encontradas na Engevix sugeriam uma estratégia para encerrar a investigação: "Entrega. 1 bi. Confissão cartel." A interpretação feita por eles daquelas poucas palavras era que as empreiteiras pretendiam confessar a formação de um cartel e oferecer 1 bilhão de reais como reparação pelo crime econômico. Outra anotação indicava por que as construtoras julgavam que essa oferta poderia fazer efeito: "Janot e Teori sabem que não podem tomar a decisão. Pode parar o país." Em outras palavras, a perspectiva de lançar o Brasil num abismo — uma vez que as empreiteiras eram um pilar importante da atividade econômica — poderia levar as autoridades de Brasília a deter o ardor da PF, do Ministério Público e do juiz Sérgio Moro em Curitiba.

As seis folhas escritas à mão coletadas na casa de Ricardo Pessoa eram ainda mais reveladoras. Em uma delas havia três palavras encadeadas: "acordo", "empresas" e "Cade" (o Conselho Administrativo de Defesa Econômica, apto a julgar crimes contra a economia popular, como o de cartel). Havia também uma listinha com cinco itens:

1. Trazer a investigação para o STF.
2. Estudar o acordão (a melhor forma).
3. Fragilizar as delações.
4. Eliminar as delações / denúncias arquivadas.
5. Ações de improbidade.

Ali estava todo um roteiro para melar as investigações e alcançar a solução mais indolor possível, por meio de um grande acordo de bastidores. E não era o único indício. Uma folha com a data de 20 de outubro de 2014 — e uma nova lista, dessa vez com quatro itens — mostrava como prosseguiam as discussões com os advogados:

1. Júlio Camargo.
   Júlio fez delação — e é grave
2. Tratativas MTB
   Reunião com procurador — boa
3. Continuar conversando com MTB
4. Gestões nossas junto à procuradoria / delação premiada — esquecer

Para a PF, a sigla "MTB" indicava Márcio Thomaz Bastos — ele mesmo, God, que estaria conversando com Rodrigo Janot para tentar encontrar uma saída possível para aquela encrenca, sem que para isso os executivos concordassem em fazer delações.

A próxima anotação era do dia 31 de outubro:

Plano B. Não tem. Nenhum. Plano A. Acomp. Ações MTB junto PGR
Vai sair o acordão → assumir crime menor (cartel) e multa pesada. PGR. Se houver resistência ele chama o processo.

Finalmente, em 4 de novembro, uma folha registrava:

Plano A sem corrupção
Negociação acordo com PGR

1. Sem inidoneidade.
2. Sem cond. P. Física.
3. Sem delação premiada.

O plano dos empreiteiros era restringir tudo ao crime de cartel. As empresas receberiam uma punição em dinheiro, mas não seriam impedidas de assinar contratos com a administração pública, ou seja, não se tornariam inidôneas. Nada de se falar em crimes de corrupção. Nada de punir os empreiteiros como pessoa física.

O mais perturbador de tudo, pensava Vale, era a possibilidade de que o procurador-geral da República pudesse estar, de fato, ajudando na costura de um "acordão". A ideia não estava mais restrita ao círculo dos investigadores, que haviam tido acesso à papelada apreendida com os empreiteiros. Na coluna de notas que mantinha no site da revista *Veja*, o jornalista Lauro Jardim havia dito pouco antes, no dia 29, que o PGR estava se reunindo com as empresas enroladas na Lava Jato. "Em encontros individuais, propõe que encampem a tese do cartel... Janot prometeu às empresas que elas não seriam declaradas inidôneas e que o cartel é um crime econômico que será discutido anos a fio na Justiça."

Dois dias depois da libertação de Renato Duque, no dia 5 de dezembro, foi a vez da revista *IstoÉ* levantar suspeitas semelhantes. Segundo a reportagem publicada no site da revista, e que também servia de capa à edição impressa daquela semana, Janot vinha se encontrando com os empresários: "Ele quer que as empresas, seus diretores e executivos assumam a responsabilidade pelos crimes investigados. Pede que as empresas reconheçam a formação de cartel e que concordem em pagar multas recordes (no caso da Mendes Júnior, estudos preliminares feitos pelos empreiteiros indicavam que a multa poderá até inviabilizar a sua continuidade no setor de construção civil). Ainda de acordo com os advogados, Janot sugere que na delação premiada sejam feitas menções a políticos de diversos partidos, e não só aos da base aliada do governo, e que as empresas abram mão de recorrer aos tribunais superiores. Em troca, as empreiteiras continuariam a disputar obras públicas e seus dirigentes poderiam cumprir as futuras penas em regime de prisão domiciliar. Os casos dos parlamentares mencionados serão remetidos ao Supremo Tribunal Federal (STF) para investigações posteriores."

— O que fazer? — perguntava-se Vale.

— Continuar trabalhando — dizia Igor.

Às vésperas do Natal de 2014, a movimentação de jornalistas em frente à Superintendência de Curitiba não dava sinais de arrefecer. O ritmo de visitas à custódia era igualmente intenso. O *habeas corpus* de Duque havia dado esperança aos presos e seus familiares. Especulava-se que os empreiteiros poderiam receber, a qualquer momento, autorização para deixar a cadeia e passar as festas de final de ano em casa.

As famílias haviam mandado confeccionar camisetas com a palavra "Fé".

— Pura heresia — dizia Gabriel.

Enquanto alguns rezavam para deixar Curitiba, outros investigados, em liberdade, continuavam com a missa negra da corrupção. Um deles era Nestor Cerveró.

Na sala de Inteligência, os analistas mantinham os passos de Cerveró monitorados. O ex-diretor da área Internacional da Petrobras se tornara réu pouco antes, em 17 de dezembro, quando o juiz Sérgio Moro aceitou a denúncia feita contra ele pelo Ministério Público Federal. Ele era acusado por crimes de corrupção passiva e lavagem de dinheiro, cometidos entre 2006 e 2012. Só entre 2006 e 2007, ele e o lobista Fernando Baiano, seu operador, teriam recebido cerca de 40 milhões de dólares em propina ao intermediar a contratação de navios-sonda para a Petrobras.

Cerveró havia pedido — e obtido — autorização para viajar para a Europa no final do ano. Logo em seguida, o Conselho de Controle de Atividades Financeiras detectou que, antes de embarcar, Cerveró havia realizado algumas operações financeiras suspeitas. Em uma delas, não se importou em perder 20% por antecipar o resgate de uma aplicação, cujo valor líquido procurava transferir para uma filha. Em outra, três apartamentos, avaliados em mais de 7 milhões de reais, foram transferidos por apenas 560 mil reais. Finalmente, a PF foi avisada que, da Europa, Cerveró tentava resgatar dinheiro de uma aplicação que mantinha em uma conta. Foi a gota d'água para acelerar o pedido de prisão.

No dia 31 de dezembro, o delegado Márcio Anselmo e o procurador da República Deltan Dallagnol trabalharam de suas casas para preparar a documentação. Passava das 22 horas quando Márcio Anselmo concluiu os trâmites para deflagrar a 8ª fase da Lava Jato.

O juiz Sérgio Moro estava de férias, mas Marcos Josegrei da Silva, o magistrado que assumiu o plantão de fim de ano, autorizou a prisão durante a madrugada do dia 1º de janeiro.

O problema é que Cerveró só havia comprado passagem de ida para Europa. Os analistas não haviam detectado nenhum movimento de Cerveró para fugir do Brasil, mas com o mandado expedido, criou-se a expectativa. O primeiro fim de semana do ano novo passou e nada — Cerveró ainda não havia comprado a passagem de volta. Conversas no celular, mensagens, e-mails, tudo sendo acompanhado. E nada. Foi apenas no dia 9 de janeiro de 2015 que a notícia chegou.

— Cerveró vai desembarcar no aeroporto do Galeão no dia 14 — disse Witt. — Está aqui a mensagem falando da compra de passagem. Na verdade, vamos ter que programar a deflagração para a véspera. O voo dele pousa à 0h30 do dia 14.

No dia 13, Witt confirmou a informação com a British Airways. Cerveró estava na lista de embarque.

O ex-diretor da Petrobras foi preso ao desembarcar, na saída do finger, pouco antes da 1 hora da madrugada do dia 14. Cerveró questionou a ação da PF:

— Eu não estava fugindo. Estou voltando! — disse. Os policiais não retrucaram.

Ele foi levado para uma sala do aeroporto, onde passaria algumas horas até o embarque com destino a Curitiba, por volta das 6h30 da manhã. Ele se espantou com o lugar: um cômodo pequeno com um colchão no chão.

— Onde eu vou dormir? Tá tudo sujo aqui!

O agente deu de ombros:

— O senhor pode ficar em pé.

O resto seguiu o protocolo conhecido: custódia em Curitiba, acusado e advogados indignados negando qualquer envolvimento nos crimes e a investigação seguindo em frente.

Para pôr o seu cliente em liberdade, os advogados alegaram que ele sofria de depressão e outros problemas de saúde. Não funcionou. Cerveró criou, então, sua própria estratégia para tentar obter algum benefício na custódia. O objetivo, tudo indicava, era conseguir uma cela só sua.

Certa manhã, o ex-diretor da Petrobras defecou sobre a pia de uso compartilhado.

Mais tarde, enquanto urinava, esguichou o líquido morno na direção dos companheiros de cela.

A revolta foi generalizada. Os presos queriam que Cerveró fosse imediatamente retirado da cela.

Rosalvo precisou intervir.

— Senhor Cerveró, por favor, o senhor pode me acompanhar. Precisamos ter uma conversa.

138

Nenhum dos agentes ficou sabendo o que o superintendente havia dito, mas surtiu efeito: o comportamento escatológico não se repetiu.

* * *

O passo seguinte da Lava Jato, depois da prisão de Nestor Cerveró, foi a deflagração da Operação My Way, no dia 5 de fevereiro de 2015. O nome se devia ao apelido que o gerente Pedro Barusco havia dado ao seu chefe Renato Duque quando ambos trabalhavam na Petrobras e cabia a Barusco fazer o controle do dinheiro desviado. Graças à delação de Barusco, operadores como Zwi Skornicki, Milton Pascowitch e Mario Góes foram presos. Além disso, Moch, apelido de João Vaccari Neto, foi levado à PF em São Paulo para prestar depoimento. A chegada dos agentes à casa do tesoureiro do PT o deixou angustiado, e ele só recuperou o controle quando lhe garantiram que não seria preso.

Os pedidos de *habeas corpus* continuavam a chover sobre os tribunais. Mas as esperanças da defesa não se concretizavam. A sequência de libertações depois da vitória de Renato Duque em dezembro de 2014 não havia acontecido. E então a sorte do próprio Duque foi revertida.

Em 16 de março de 2015, a Polícia Federal deflagrou a Operação Que País é Esse?, a 10ª fase da Lava Jato. Era a segunda prisão de Renato Duque. Dessa vez, todos os indícios de que o executivo pretendia "furtar-se à aplicação da lei" estavam na ordem de prisão expedida pelo juiz Sérgio Moro. Além de ter rastreado contas secretas de Duque fora do país, a investigação o pegou no pulo, logo depois de sair da prisão, transferindo nada menos que 20 milhões de euros da Suíça para Mônaco.

Vale ficou em Curitiba, trabalhando no apoio. No fim do dia, desceu à custódia para rever o hóspede que havia se ausentado e agora retornava.

— O que estou fazendo aqui? — repetia Duque sem parar. — Sinceramente, eu não sei o que estou fazendo aqui!

Apesar da aparente indignação e protestos, o ex-diretor de Serviços da Petrobras estava bem contido e em nada se comparava ao Renato Duque da primeira temporada.

— Estão surpresos com o novo Duque? — Vale perguntou a Mario e Gabriel, quando os três deixaram a custódia.

— É, um pouco. Mas espere até ouvir o que o Prado vai contar sobre a busca na cada dele.

Passava das 20 horas quando Mario, Gabriel e Vale voltaram à sala de Inteligência. Encontraram Prado desligando seus três monitores. O agente, há mais de 36 horas sem dormir, estava esgotado e de saída para casa.

— Aonde você pensa que vai, Prado?

— Aonde? Dormir até cansar!

Vale olhou para Mario e Gabriel e sorriu.

— Você só sai vivo daqui se me contar como foi a diligência na casa do Duque. Esses dois aqui não querem me falar nada. Disseram que só tem graça se você contar. E eu não vou esperar até amanhã.

Prado olhou para os amigos e falou:

— Vocês não valem nada mesmo!

Eles decidiram ir ao Bucaner, o bar onde de vez em quando se reuniam para conversar e beber alguma coisa. Escolheram uma mesa em um canto tranquilo, o mesmo em que, depois do fechamento da Juízo Final, delegados, agentes e promotores se reuniram para comemorar o resultado da operação.

Os agentes pediram cervejas.

— Como você sabe — começou Prado —, é a segunda vez que a gente prende o Renato Duque. Na primeira vez, em novembro, quem fez a diligência foi uma equipe de fora. Não tinha ninguém de Curitiba. O delegado que conduziu a diligência disse que o trabalho de busca foi um verdadeiro pesadelo. A família do Duque não saía de cima dos agentes, ficava implicando com tudo, e o Duque tratava todo mundo no coice. Coisa de louco mesmo.

Vale tinha um sorriso no rosto. Gabriel e Mario estavam atentos, como se estivessem ouvindo a história pela primeira vez.

— Então, na diligência de hoje, achei que o bicho ia pegar mais ainda. Além de nova busca e apreensão, o cara seria preso novamente, a segunda prisão em quatro meses. A equipe era a mesma da primeira vez, mas achei prudente ir com eles.

"Bom, chegamos ao apartamento do Duque, no Jardim Oceânico, que é um bairro do Rio de Janeiro onde tem muito prédio com três andares. O prédio do Duque é no mesmo estilo. Pelo que a gente sabe, foi ele mesmo quem construiu, inclusive há suspeitas de com recursos de origem ilícita. Ele mora na cobertura, um filho em outro andar, só tem a família morando lá.

"Quando entramos no apartamento dele, começou a reclamação de sempre. Que não tinha nada a ver, que aquilo era um absurdo, uma afronta...

"O apartamento era um verdadeiro tributo ao exagero. Era tudo no atacado. Só em garrafas de uísque tinha uma fortuna. Não bastava ter uma de cada marca, precisava ter quatro ou cinco. Uma ostentação.

"E tinha os quadros. Nada menos que 131 quadros, um monte deles de artistas famosos. Joan Miró e aquele russo ou sei lá o quê, Chagal. Passamos um tempo enorme fotografando, enquanto eles bufavam em volta da gente.

"Depois dos quadros fomos em frente. O filho dele não dava sossego, a gente pegava um documento e o cara já falava: 'Isso aí não tem nada a ver com Lava Jato.' Qualquer coisa em que a gente tocasse, ele já gritava: 'Deixa isso aí, que não tem nada a ver com Lava Jato.' A mulher do Duque também sempre atrás da gente, espumando. E o Duque todo esnobe, repetindo sem parar que aquilo era um atentado aos seus direitos.

"O delegado não tinha exagerado em nada mesmo, a ação lá era um verdadeiro inferno. Então, eu liguei para a base e falei com o Igor. Disse que não conseguíamos trabalhar, porque eles não nos deixavam em paz. O Igor autorizou a dar uma ordem: se eles não baixassem a bola, ficariam sentados no sofá da sala. Só as testemunhas iriam acompanhar as buscas. E, se mesmo assim não resolvesse, eu poderia explicar a razão de estarmos ali novamente.

"A coisa melhorou um pouco, até eu entrar no closet da mulher do Duque. Ela ficou toda tensa novamente. Era um closet enorme. Coisa linda mesmo! Eu comecei a tirar os cabides com vestidos e colocar com todo cuidado na cama, mas a mulher enlouqueceu. Começou a falar um monte. Daí, eu vi que não tinha jeito mesmo, que eles não iriam sossegar. O jeito foi abstrair. Continuei tirando roupas e mais roupas. Quando terminei de tirar uma grande parte, suficiente para ver o fundo do armário, notei uma espécie de emenda no fundo. A mulher e o filho ficaram ouriçados, mas se calaram por alguns segundos. Parecia até que eles estavam prendendo a respiração.

"O Duque veio para cima, num tom ainda mais arrogante. Repetiu tudo novamente: que ele não sabia a razão de tudo aquilo, que era tudo um grande absurdo... A situação ficou de um jeito que era impossível trabalhar. Não dava mais para fingir que eu não estava ouvindo nada. Eu já tinha pedido autorização para o Igor. Então, pedi ao Duque que me acompanhasse até um canto mais reservado e falei com calma, falei com todas as letras exatamente assim: nós estamos aqui hoje porque, além de tudo que já sabíamos antes, agora temos o fato de que você oculta dinheiro fora do Brasil. Nós sabemos que você transferiu 20 milhões de euros de contas da Suíça para Mônaco."

— E o que ele fez? — perguntou Vale.

— Ele ficou branco. Branco mesmo. Mas tentou disfarçar o nervosismo: "Eu não sei do que você está falando. Eu não tenho e nunca tive conta na Suíça."

— E você, respondeu o quê?

— Bom, se o dinheiro não é seu, então você não precisa se preocupar com o fato de termos bloqueado as contas. Agora, nenhum centavo de euro poderá ser sacado ou transferido.

— Nem consigo imaginar a cara dele!

— Sei lá, o cara ficou uma fera. Uma mistura de raiva com surpresa. Ele estava me fuzilando com os olhos! Eu deixei ele se remoendo sozinho e voltei para analisar o fundo do armário. Passei as mãos em toda a extensão da emenda. Depois me afastei e olhei de longe, tentando entender se aquilo era só um encontro de duas partes da estrutura do armário ou se poderia estar camuflando uma porta. Enquanto eu analisava, o filho continuou lá parado, mudo. O Duque tinha puxado a mulher de lado, talvez estivesse contando o que eu havia dito para ele. Eu resolvi, mais uma vez, passar as mãos pela emenda e em torno dela, fazendo pressão. De repente, apertei um lugar e uma parte se abriu, como uma porta de verdade. Eu tomei um baita susto.

— Caramba, e aí?

— E aí? E aí, nada!

Gabriel e Mario caíram na risada.

— Como nada? O que tinha atrás da porta?

— Tinha um espaço vazio, como se fosse um pequeno cômodo, no fundo tinha uma parede, eu batia nela e parecia bastante sólida. Não tinha emendas. Mas o filho começou a ficar aflito. De repente, ele soltou: "Não tem nada aí não, você quer que eu chame a minha mãe para ela abrir para você ver?"

"Nesta hora a mulher do Duque, que tinha saído, estava entrando no closet. Ela lançou um olhar fulminante para o filho. Deu para perceber o incômodo do rapaz, que se tocou ter feito bobagem. Então, eu pedi que ela abrisse. Ela marchou até o criado-mudo e pegou um controle remoto pequenininho, como esses de portão de garagem, apertou um botão e o troço abriu!"

Vale soltou uma gargalhada.

— Cara, isso é bizarro! Parece mentira.

— Estou falando, cara!

— E o que tinha por trás da segunda passagem?

— Começa que a parede que se abriu tinha uns vinte centímetros de espessura. E parecia de aço puro.

— Tá, tá, mas o que tinha dentro do Fort Knox?

— Você quase acertou. No Fort Knox tinha muita joia!

— Só joia?

— Tinha também uma coleção de canetas, um computador e alguns pen drives. Mas principalmente joias.

— E depois?

— Depois, a mulher começou a chorar, pedindo pelo amor de Deus, que grande parte das joias era de família, para a gente não apreender...

— Ou seja, uma parte era de família, as outras eram de dinheiro de propina...

Foi a vez de Prado dar risada.

— Isso a gente ainda vai verificar. O fato é que o tal compartimento estava cheio de joias. Pode até ser que em outro momento eles tenham guardado algum documento importante ali, mas hoje, não.

— Talvez por isso o filho tenha dito que não havia nada lá dentro — disse Vale.

— Mas isso já é especulação. Se não tinha nada além das joias e não podemos provar que ele tirou alguma coisa...

Os quatro falaram juntos, rindo:

— Se tá, tá! Se não tá, não tá!

A equipe levava a ferro e fogo a máxima de que, se não havia como provar a existência de um ilícito, o ilícito não existia.

Prado continuou:

— No mais, correu como manda o procedimento. Colocamos um número em cada peça, tiramos fotos de todas elas com os seus

A doleira Nelma Kodama foi presa na 1ª fase da Operação Lava Jato, em 17 de março de 2014. Ao abordá-la no Aeroporto Internacional de Guarulhos, o delegado Maurício Moscardi levava a foto acima, mas encontrou uma mulher já muito mais magra (ao lado).

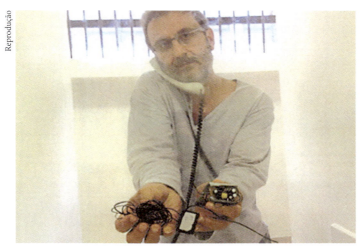

O doleiro Alberto Youssef era um velho conhecido da PF, que já o havia investigado na Operação Banestado. Em foto feita por seu advogado, ele mostra um dispositivo destinado à escuta ambiental que ele disse ter encontrado em sua cela.

Ratos soltos por um funcionário legislativo marcaram a entrada de João Vaccari Neto na CPI da Petrobras, o que provocou gritos e correria.

Acusado de operar propinas para a empreiteira Engevix, Milton Pascowitch foi alvo da 13ª fase da Lava Jato. A prisão do operador foi um tiro no coração do PT. Pascowitch era o homem que lavava o dinheiro da Petrobras que chegava às mãos de José Dirceu.

José Dirceu com o punho cerrado erguido durante o julgamento do Mensalão. O gesto de resistência foi repetido no dia de sua prisão, em 3 de agosto de 2015, no âmbito da Lava Jato.

Lula e seu amigo José Carlos Bumlai: o acesso livre do pecuarista ao gabinete do presidente em Brasília inspirou o nome da Operação Passe Livre, que levou à prisão de Bumlai em 24 de novembro de 2015.

O deputado Eduardo Cunha se tornou o grande algoz da presidente Dilma Rousseff no Congresso Nacional. Ao depor na CPI da Petrobras, contudo, disse a mentira que poria o seu próprio mandato em risco: "Não sou sócio de nenhuma offshore, não mantenho conta no exterior de nenhuma natureza."

O casal de marqueteiros Mônica Moura e João Santana, que trabalhava nas campanhas do Partido dos Trabalhadores desde 2006, se entregou à Polícia Federal depois da deflagração da Operação Acarajé.

Lula com os presidentes José Eduardo dos Santos, de Angola; Fidel Castro, de Cuba; Hugo Chávez, da Venezuela; Cristina Kirchner, da Argentina; Rafael Correa, do Equador; Armando Emílio Guebuza, de Moçambique; Oscar Arias, da Costa Rica; e Leonel Fernández, da República Dominicana. Com aprovação do petista, o BNDES financiou obras de empreiteiras, especialmente da Odebrecht, nesses países.

Ao dar posse a ministros em março de 2016, a presidente Dilma Rousseff mostra o termo enviado previamente a Lula, indicado à Casa Civil, para que ele o usasse "em caso de necessidade". O vazamento da conversa entre eles resultou em um dos episódios mais polêmicos da Lava Jato.

Vista aérea do Sítio Santa Bárbara, em Atibaia, usado pelo ex-presidente Lula e sua família. Enquanto Lula jurava que não era o proprietário do imóvel, as provas juravam o contrário.

Lula celebra, em 2009, a exploração do pré-sal: "Vi com os meus olhos e senti nas minhas mãos, na Plataforma P-34 da nossa querida Petrobras, o petróleo que começou a ser produzido no pré-sal."

Lula no dia de sua condução coercitiva, em 4 de março de 2016: "Se tentaram matar a jararaca, não bateram na cabeça, bateram no rabo. A jararaca tá viva, como sempre esteve."

Em 13 de março de 2016, ruas de todo o Brasil receberam milhões de pessoas na maior manifestação já registrada na história do país: a Lava Jato foi um dos motores da indignação popular.

respectivos números, lançamos no Termo de Apreensão para depois serem levadas para depositar na Caixa Econômica. E o resto você já sabe: Renato Duque está de volta! Ele continua indignado com a prisão, e o advogado dele, pelo que eu já soube, está negando todas as acusações.

— Ou seja, tudo caminha na mais absoluta previsibilidade: eles negando e você descobrindo os esconderijos mais improváveis. Cara, que faro é esse?

O agente Milhomem havia acabado de chegar. Puxou uma cadeira e disse antes de sentar:

— Em outra vida o Prado foi cão de caça.

— Cão de caça e modelo. Você ainda não viu as fotos de quando o cara fazia novela na Globo e namorava a Wanessa Camargo, não é Vale? A gente vai te mostrar depois. O Márcio Anselmo achou um book dele no Mercado Livre e comprou. Não é Prado?

— Nem vou comentar. A parte do cão de caça fala para minha mulher. Ela diz que em casa eu não acho nada. E o pior é que ela tem razão! — Prado interrompeu a gargalhada da turma. — Até amanhã, seus vagabundos. Se eu ficar mais um minuto aqui, vou dormir em pé mesmo.

Prado saiu, os colegas ficaram mais algum tempo diante dos seus copos de cerveja. Eram homens nos seus 20, 30 ou 40 anos, vestidos de calça jeans e camiseta, discretos, de aspecto um tanto cansado. Mesmo quem acompanhava atentamente a Lava Jato teria dificuldade em associá-los à operação. Eles participavam de buscas e diligências, mas jamais se expunham. Era rara uma foto ou imagem de televisão em que eles aparecessem conduzindo um preso ou carregando malotes. Quando isso acontecia, estavam sempre um pouco à margem ou, como preferiam, vestindo a balaclava — máscara de lã que deixa apenas os olhos à mostra. A maior parte do seu trabalho se dava nos bastidores, nas salas da SR de Curitiba onde só se podia entrar passando por sensores biométricos.

145

Vale voltou a pensar na imensa quantidade de documentos que a Lava Jato já havia produzido. Se tudo aquilo dizia respeito somente ao esquema de corrupção implantado na Petrobras, o que seria necessário para que o Brasil fosse passado inteiramente a limpo?

VII. Polícia Federal *versus* Polícia Federal

Até os erros me divertem, costumava dizer o delegado Moscardi. Como o episódio do cofre do doleiro Chater, na já distante 1ª fase da Lava Jato. Ele havia pelejado com o cofre por mais de um dia, quase sufocado um shopping inteiro com a fumaça de um maçarico... e tudo isso para descobrir que lá dentro não havia nada, somente míseros 50 mil dólares. Tampouco as dificuldades burocráticas o abatiam. A maior parte dos trâmites se destinava a dar segurança jurídica e operacional a uma investigação. Ele os encarava sem reclamar.

Mas aquilo era diferente.

Em 7 de junho de 2015, Moscardi tomou o avião para Brasília com um humor sombrio. No dia seguinte ele deveria prestar depoimento à Coordenadoria de Assuntos Internos (Coain), da Corregedoria Geral da PF. Teria de enfrentar aquele dissabor porque um amigo havia posto em dúvida a honestidade do seu trabalho e de toda a equipe de Curitiba. Moscardi já havia gasto muitas horas preciosas compondo relatórios sobre aquele caso. Ele havia posto todas as cartas na mesa. Mas a Lava Jato — ou melhor, a ressonância política da Lava Jato — tornava difícil interpretar o verdadeiro significado daquele episódio. Era uma sindicância isenta ou uma forma de enquadrar os delegados do Paraná?

A história remontava a abril de 2014, quando Alberto Youssef relatou a seu advogado, Antonio Augusto Figueiredo Basto, ter encontrado uma escuta ambiental em sua cela na custódia em Curitiba. Uma foto tirada pelo advogado ganhou a imprensa e constrangeu a PF. Mostrava Youssef atrás do vidro do parlatório, abatido e barbado, exibindo o equipamento para a câmera. Moscardi foi destacado para investigar a possível irregularidade.

A primeira alegação a ser contraditada foi a de que Prado havia instalado o grampo na cela. Outro detento dissera isso a Youssef. Mas as datas indicadas não batiam. Prado estava em uma diligência externa, em Camboriú, no dia apontado. Estava tudo documentado.

Moscardi, depois disso, se deteve no equipamento. Ele pediu a assessoria técnica do agente Dalmey Werlang, o maior especialista nos chamados "equipamentos discretos" no Paraná. Ele atendia todo o estado, treinava agentes, dava palestras sobre o assunto. Dalmey pertencia ao Núcleo de Inteligência Policial (NIP), comandado pela mulher de Igor, Daniele.

Ele se lembrava do equipamento. Por e-mail, disse que havia cuidado pessoalmente da instalação, em 2008, na época em que o traficante Fernandinho Beira-Mar esteve preso em Curitiba. O pedido de escuta viera do juiz federal Odilon de Oliveira, do Mato Grosso do Sul, um implacável caçador de traficantes — e que tinha a cabeça a prêmio no crime organizado por causa disso. Moscardi consultou o juiz Odilon, que confirmou a ordem e lhe enviou uma cópia da autorização. Ela foi anexada ao processo.

Dalmey, por fim, atestou que a escuta estava inativa.

Durante quase quatro meses, entre maio e agosto de 2014, Moscardi havia trabalhado na sindicância. Ele ouvira Igor, Márcio, Érika. Ouvira os agentes da custódia. Havia endereçado pedidos de informação para outros estados. Ao concluir o relatório, ele o encaminhou para o núcleo disciplinar de Curitiba, que o avalizou. Os autos seguiram para a Corregedoria, que também deu um parecer positivo, e para o Ministério Público. A última parada foi na mesa do juiz Sérgio Moro, que solicitou o relatório para se certificar de que nenhum procedimento que pudesse pôr em risco a Lava Jato fora realizado. Moro considerou a investigação exaustiva e afirmou que não havia prova de escuta ambiental contra Youssef.

A sindicância foi arquivada em setembro de 2014, e o assunto ficou esquecido pelos oito meses seguintes. Até que, no dia 5 de maio de 2015, o delegado Mário Fanton procurou a Coain, em Brasília, para dizer que algo de muito errado acontecia em Curitiba. A acusação era gravíssima, punha em questão todo o trabalho desenvolvido pela PF durante a Lava Jato, sugerindo que os delegados lançavam mão de expedientes ilegais sem pestanejar. Era aquele tipo de falha de conduta que os advogados dos presos procuravam em meio aos autos — um erro que solapasse os alicerces de toda a investigação.

Moscardi já havia se perguntado inúmeras vezes o que poderia ter levado Fanton a agir daquela forma. No hotel em Brasília, tarde da noite, pensou mais uma vez no assunto.

Eles haviam se conhecido no curso preparatório para delegado. Descobriram que eram da mesma cidade, Bauru, no interior de São Paulo, e ficaram amigos. Os dois mantiveram contato quando Moscardi foi para o Acre e, depois, para Curitiba.

Moscardi nunca havia desejado trabalhar na sua cidade natal. Ele se imaginava assediado por conhecidos que precisavam resolver algum problema com o passaporte — e pouco mais que isso. A escolha de Fanton confirmava o seu temor. Ele havia retornado a Bauru e sua carreira parecia estar estagnada. No começo de 2015, Moscardi perguntou se ele gostaria de trabalhar no Paraná. Ele poderia colaborar com a Lava Jato. Fanton aceitou na hora. No dia 1º de março, com seu pedido de transferência assinado por Igor, ele estava em Curitiba.

Na chegada, Moscardi, que já havia se transformado no churrasqueiro oficial da Lava Jato, tentou enturmar o amigo. Ele o convidou para encontros com os outros delegados, mas desde o começo algo não se encaixou.

Fanton era um homem alto, de quase 1,90 m de altura. Era loiro, tinha olhos azuis. Daniele não gostou do olhar de Fanton — um olhar de peixe morto, segundo ela — nem de sua fala arrastada.

Ainda assim, eles deram a Fanton uma tarefa delicada ligada ao NIP: tentar estabelecer se as informações contidas na reportagem sobre as supostas preferências políticas dos delegados da Lava Jato, publicada pelo jornal *O Estado de S. Paulo* na véspera da deflagração da Juízo Final, tinham origem na própria PF. E se outros vazamentos vinham acontecendo para embaraçar a operação.

O grupo de trabalho tinha suas hipóteses. Eles haviam concluído que o delegado Paulo Renato Herrera era a fonte mais provável da reportagem do *Estadão*. Talvez não tivesse entregado pessoalmente as informações à repórter, mas teria feito com que chegassem ao advogado de uma presa — o que seria ainda mais preocupante.

Essa presa era Nelma Kodama. Ouvida por Moscardi durante a sindicância sobre os grampos na cela de Youssef, ela deixou escapar que dois agentes da PF haviam feito críticas severas e indignadas à Lava Jato numa conversa com o seu advogado. Quem eram esses agentes?

Fanton começou a trabalhar, mas não apenas nessa tarefa de contrainteligência. E o primeiro indício de que as coisas poderiam não acabar bem veio de sua participação na 11ª fase da Lava Jato, deflagrada em 10 de abril de 2015. Os principais alvos dessa fase eram dois ex-deputados federais, o petista André Vargas e Luiz Argôlo, do PP.

O nome da fase era A Origem, porque ela explorava a relação simbiótica entre Alberto Youssef e o paranaense André Vargas, o primeiro político a aparecer na Lava Jato.

A PF havia apurado que nos seis meses que antecederam a prisão de Youssef, em 17 de março de 2014, ele e Vargas haviam trocado nada menos que 270 mensagens. Em muitas delas, Youssef e Vargas, que naquele momento era o vice-presidente da Câmara, mantinham conversas cifradas, cheias de códigos. Mas os analistas conseguiram decifrá-las. Os assuntos tratados incluíam ordens do doleiro para o político, e este compartilhava com o doleiro informações do governo.

Um dos negócios realizados pela dupla envolveu a empresa Labogen Química Fina e Biotecnologia. O proprietário da Labogen era o doleiro Leonardo Meirelles, ao mesmo tempo parceiro e laranja de Youssef, sócio oculto do laboratório.

O próprio Youssef afirmou em depoimento ter participado de uma reunião organizada por Vargas no apartamento funcional em que ele morava em Brasília. O encontro teria contado com a presença do então ministro da Saúde, o petista Alexandre Padilha. A reunião tinha um objetivo bastante específico: contratos com a Labogen.

Imóvel funcional? Sim, aquele pago pelo contribuinte. Haveria lugar melhor para arredondar detalhes de um negócio com um laboratório já multado pela Agência Nacional de Vigilância Sanitária por "infrações sanitárias"? Entre outras "fragilidades", a empresa possuía apenas 28 funcionários, não tendo a mínima estrutura para honrar o contrato.

Mas nada disso pareceu suficiente para impedir que o negócio fosse adiante. O amigão André Vargas usou de sua influência junto ao ministro para ajudar o laboratório a fechar um gordíssimo contrato: 150 milhões de reais para fornecer remédios para o governo. Em uma mensagem captada pela Polícia Federal, depois do fechamento do negócio, Youssef reconhece o feito do amigo: "Que bom. Parabéns!"

As asas de Vargas começaram a ser aparadas em abril de 2014, quando veio à tona que ele e sua família haviam feito uma viagem de férias para João Pessoa, na Paraíba, com tudo pago por Youssef. Entre os presentes, o voo em um jato particular Learjet 45, ao custo de 105 mil reais. Na véspera do embarque, Vargas trocou vinte mensagens com Youssef para discutir todos os detalhes da aventura.

Depois dessa revelação, Vargas tombou rapidamente. Renunciou à Vice-Presidência do Congresso e licenciou-se do mandato de deputado federal. Logo em seguida, deixou o PT. Nada disso impediu sua cassação, que aconteceu em 10 de dezembro de 2014 por quebra de decoro parlamentar. Ele então se refugiou em sua bela casa em Londrina — onde a PF foi buscá-lo sob a acusação de lavagem de dinheiro.

Coube a Fanton fazer o traslado de Vargas do aeroporto de Curitiba até a sede da PF. Embora não integrasse oficialmente a Lava Jato, ele achou por bem dar uma ordem ao motorista:

— Entre pelo portão principal.

Os agentes se entreolharam. Um deles se manifestou.

— Dr. Fanton, nós não entramos pela frente. Entramos pela garagem para evitar a exposição dos presos.

— Essa é uma instrução do Igor.

Os agentes voltaram a se entreolhar. Quem conhecia o coordenador da Lava Jato sabia que a ordem dada ao motorista não fazia sentido. Igor jamais autorizaria que os presos fossem deliberadamente expostos ao público. Eles não podiam contrariar a decisão do delegado, uma vez que estavam subordinados a ele, mas podiam, sim, confirmar com o coordenador.

Um dos agentes, discretamente, ligou para Igor.

— De jeito nenhum! Entrem pela garagem — disse ele.

Mas Fanton não desistiu. Ele mandou uma mensagem para Moscardi, reclamando. Disse que Igor era frouxo, que eles deveriam, sim, mostrar os políticos presos. Principalmente André Vargas que, segundo Fanton, merecia a humilhação por ter erguido o braço com o punho cerrado na abertura dos trabalhos no Congresso em 2014. Havia sido um desafio ao então presidente do Supremo Tribunal Federal, o ministro Joaquim Barbosa, algoz do PT no julgamento do mensalão.

Moscardi sentiu que, para Fanton, estar ao lado de André Vargas era como exibir um prêmio. Ele queria ver registrado o momento em que levava o político para trás das grades.

Nos dias seguintes, os dois conversaram bastante por mensagens de celular.

"Igor vacilou, que viadagem. Vou pedir para voltar para Bauru."

"Seja humilde, seja discreto nas ações", escrevia Moscardi. "Mostre sem querer mostrar."

"Sim, sim. Tento fazer isso, mas preciso melhorar."

* * *

Cinco dias mais tarde, outra fase da Lava Jato foi deflagrada. Ela era encabeçada por Moscardi, mas Fanton não foi convidado a participar dessa vez. O alvo era ainda mais sensível: o tesoureiro do PT João Vaccari Neto.

Já fazia algum tempo que Vaccari vinha sendo arrastado a contragosto para o centro do palco.

Em 5 de fevereiro, ele havia sido conduzido coercitivamente para prestar depoimento.

Moscardi também liderava aquela ação. Sua equipe estacionou às 5h55 em frente à casa do tesoureiro, em São Paulo. Por alguns instantes, Moscardi ficou em silêncio, observando a tempestade que caía. Em vez do uniforme preto, ele vestia um terno. *Ótimo, realmente o dia perfeito para deixar o uniforme em casa*, ele pensou.

Às 6 horas em ponto, camisa, terno e gravata já haviam sido esquecidos quando ele tocou a campainha. Na casa, nenhum sinal de movimento ou luz acesa. Moscardi tocou mais uma vez. Esperaram mais 30 segundos e nada. Uma terceira tentativa, ninguém respondeu.

A chuva continuava impiedosa. *Realmente para que levantar a essa hora, com esse tempo? Melhor deixar a PF esperando*, pensou o policial.

— Vamos pular o muro — ele disse, já fazendo uma avaliação do porte físico de cada um da equipe. Tabuti, um dos agentes escalados para ajudar na diligência, era jovem, esguio e muito ágil. Foi ele o escolhido.

Moscardi havia feito uma avaliação 100% correta. Tabuti escalou o muro num único movimento. Num piscar de olhos, ele estava do outro lado.

— Vá até o fundo e veja se encontra alguma coisa — disse Moscardi por uma fresta no portão. O agente percorreu a lateral da casa, que ficava em um terreno grande, aparentando ter cinquenta metros de extensão.

— Não percebi nenhum movimento, mas tem uma luz acesa lá dentro. Vi quando cheguei lá nos fundos.

Moscardi e o agente Roger forçaram o portão eletrônico, tentando levantá-lo. Conseguiram abrir um vão estreito por onde Moscardi, encolhido no terno encharcado, passou para o outro lado.

Ele bateu na porta duas vezes e falou com firmeza.

— Senhor Vaccari, é a Polícia Federal. Por favor, abra a porta ou nós vamos ter que arrombá-la.

Imediatamente, alguém respondeu:

— Estou abrindo, estou abrindo.

Vaccari não conseguiu disfarçar o pânico. Pálido e trepidante, ele perguntou:

— Eu vou ser preso?

— Não, apenas coercitiva.

Vaccari ficou mais calmo, mas ainda tremia muito.

— Quem mais está na casa com o senhor?

— Minha mulher e um sobrinho.

— O senhor está falando a verdade?

— Sim, estou.

— Então, por favor, vá chamá-los. Precisamos que eles desçam. O agente Gabriel vai acompanhá-lo.

Quando voltaram, Vaccari disse que precisava usar o lavabo. Moscardi entendeu que ele não estava tentando esconder nada, estava apenas com um mal-estar súbito.

As buscas na casa do tesoureiro não resultaram em muita coisa. Mesmo no aparelho de celular, que Vaccari havia trocado há dois dias, nenhum registro foi encontrado.

Levado à Superintendência, Vaccari respondeu a todas as perguntas, mas não disse nada de revelador. Quando foi liberado, pediu que o levassem de volta para casa. Ele não queria ser visto nem fotografado pela imprensa. Moscardi explicou que era impossível, mas prometeu chamar um táxi e permitir o embarque no interior do prédio. Apesar de todos os cuidados, os fotógrafos ainda captaram a saída do tesoureiro.

O próximo passo no calvário de Vaccari foi sua convocação para a CPI da Petrobras, na Câmara dos Deputados, em 9 de abril.

Tão logo entrou no plenário, ele foi surpreendido por ratos. A bicharada, que havia sido solta por um funcionário legislativo, começou a correr de um lado para outro. Gritos e perplexidade tomaram o lugar das formalidades. Seguranças entraram em ação, mas os ratos eram ligeiros e não foram alcançados facilmente.

Retomada a sessão, um Vaccari notadamente nervoso negou, durante as quase oito horas de interrogatório, qualquer envolvimento seu ou do Partido dos Trabalhadores no esquema da Petrobras.

Moscardi se perguntou se os ratos da CPI haviam feito o tesoureiro se lembrar da corrida petista à Presidência nas eleições de 2002. Na ocasião, o Partido dos Trabalhadores havia lançado a campanha publicitária batizada pelos marqueteiros João Santana e Duda Mendonça de "Xô, Corrupção". Filmes mostravam ratos saindo de um buraco, simbolicamente representando políticos corruptos saindo do Congresso. Em um dos filmes, ratos comiam a bandeira brasileira, enquanto uma voz grave proclamava: "Ou a gente acaba com eles ou eles acabam com o Brasil!" Exatos treze anos haviam se passado desde o pleito vencido por Luiz Inácio Lula da Silva e algo diferente, ou invertido, acontecia. Naquele dia, João Vaccari Neto iria depor sobre os mesmos crimes que seu partido político um dia havia jurado combater.

Então, no dia 15 de abril, chegou a hora da prisão. A PF tinha sólidos indícios de que Vaccari atuava como um operador. Ele pedia dinheiro às empresas que mantinham contrato com a Petrobras com o objetivo de abastecer o caixa do PT. O mais grave de tudo é que os repasses se davam por meio de doações "legais". Ou seja, doações registradas no Tribunal Superior Eleitoral haviam se tornado uma maneira de lavar dinheiro.

A operação dessa vez não tinha nome. Às 6 horas da manhã, como sempre, Moscardi estava diante do portão. Naquele dia, o delegado não estava vestindo terno, mas, sim, o velho uniforme preto de guerra. *Hoje, ele certamente vai abrir sem que eu tenha que me esgueirar por baixo do portão*, pensou.

Foi exatamente o que aconteceu. O tesoureiro do PT parecia preparado, como que resignado com o sacrifício que se impunha pela fidelidade ao partido. Sua voz estava calma, nenhum mal-estar súbito o obrigou a usar o lavabo.

Durante toda a diligência ele pareceu prestes a dizer algo, mas não disse nada. Aquela não era a primeira nem seria a última vez que Moscardi testemunharia aquele tipo de aflição. Às vezes ele mesmo se sentia angustiado. Mas havia aprendido a fazer uma distinção: o policial podia sentir pena, mas jamais agir com pena. Eram coisas diferentes. A diligência tinha de ser cumprida.

* * *

À margem da Lava Jato, Fanton se tornava arredio. Ele logo entrou em conflito com Daniele.

Em busca dos agentes que teriam criticado a Lava Jato na conversa com o advogado de Nelma Kodama, Fanton mostrou à doleira diversas fotos de policiais de Curitiba. Ela apontou uma das fotos. Era Fábio, um dos agentes que trabalhavam com Daniele. Fanton levou a informação à delegada. Ela conferiu seus arquivos e disse que deveria se tratar de um engano. Na época do episódio relatado por Nelma, o agente estava fora do Paraná, lotado em outra delegacia. Daniele lhe disse para não juntar a foto à investigação: seria um erro. Ela também pediu a Fanton que não falasse sobre o assunto com os agentes do NIP, ao menos naquele momento. Fábio e Dalmey tinham uma rixa. Ela não queria alimentar as intrigas de departamento.

Fanton, mais uma vez, discutiu o assunto com Moscardi.

— Ou a Nelma está fazendo confusão ou está mentindo. Essa situação que ela descreve não pode ter acontecido. As datas não batem — disse Moscardi. — Vamos fazer uma nova oitiva com a Nelma, para esclarecer essa situação. Eu posso participar.

Fanton disse que pensaria no assunto.

— Ah, esquece. Vou juntar e pronto — escreveu mais tarde.

— Faça como achar melhor — respondeu Moscardi. — Mas eu vou desconstruir tudo que a Nelma falar, e tecnicamente.

Fanton juntou a foto, como disse que faria, e compartilhou a história com Dalmey. Daniele se irritou profundamente.

Depois daquilo, quase não havia mais clima para que Fanton continuasse em Curitiba. Ele não conversava mais com os colegas do NIP. Começou, além disso, a dar sinais de depressão.

Certa noite, perto das 23 horas, mandou a foto de um frasco de ansiolítico a Moscardi.

— Já tomei oitenta gotas — disse.

— Desse jeito você vai acabar como o Elvis — brincou Moscardi. Mas havia preocupação por trás da brincadeira.

Moscardi também se deu conta de que o delegado Rivaldo Venâncio havia se transformado em um interlocutor frequente de Fanton. Rivaldo tinha história em Curitiba. Ele e Igor trabalharam muito tempo em parceria, no combate ao crime organizado. Quando Igor se ausentava, era Rivaldo quem o substituía na DRCOR. Mas a Lava Jato havia estremecido a relação entre ambos. Em 15 de abril, dia da prisão de Vaccari, Rivaldo havia recebido uma nova missão — chefiar a Delegacia de Repressão a Entorpecentes.

— Fanton, você sabe que eu te oriento como amigo, apesar de as decisões serem suas. Acho que o Rivaldo neste momento não tem nada para lhe acrescentar.

— Estou desanimado. Prefiro ficar em casa com a família.

Igor decidiu que não renovaria a missão de Fanton.

Naqueles dias, estava em andamento um dos maiores debates jurídicos despertados pela Lava Jato. Um pedido da defesa do empreiteiro Ricardo Pessoa, dono da UTC, deveria ser julgado em breve no Supremo Tribunal Federal. A principal alegação do advogado Alberto Zacharias Toron era que a permanência de seu cliente na cadeia, sem que houvesse uma sentença de condenação, já havia se estendido por mais tempo do que o necessário. Pessoa, dizia Toron, não podia mais interferir na investigação. Ele não representava um risco à aplicação da Justiça. Os requisitos que justificavam uma prisão cautelar não estavam presentes e, dessa forma, mantê-lo atrás das grades era o mesmo que antecipar a sua pena.

Desde as primeiras delações premiadas na Lava Jato, criminalistas vinham dizendo que o juiz Sérgio Moro utilizava as prisões preventivas para coagir os investigados a colaborar com a Justiça. Moro respondia que aquele tipo de prisão era um remédio amargo, drástico, mas seu uso se justificava porque, no contexto de corrupção sistêmica que se estava desvendando, a sociedade precisava ser protegida da execução de novos delitos. Mesmo que não houvesse risco de fuga dos investigados, permanecia o risco de que eles viessem a cometer crimes — ou seja, havia um risco à ordem pública.

Em 28 de abril de 2015, a Segunda Turma do STF se reuniu e acatou os argumentos da defesa de Ricardo Pessoa. Ele poderia deixar a cadeia, mas teria de se submeter a medidas cautelares: não poderia trabalhar em sua empresa, não poderia deixar o país, teria de se apresentar à Justiça a cada quinze dias e usar uma tornozeleira eletrônica. O benefício foi estendido a outros executivos presos desde novembro de 2014: Léo Pinheiro, da OAS; Gerson Almada, da Engevix; Sergio Mendes, da Mendes Júnior; João Ricardo Auler, da Camargo Corrêa; e Erton Medeiros, da Galvão Engenharia. A voz dissonante no Supremo foi a da ministra Carmen Lúcia. Como Moro, ela entendia que o afastamento de Ricardo Pessoa da gestão de sua empresa não era garantia de que ele não voltaria a cometer crimes, uma vez que o esquema da Petrobras ainda não havia sido totalmente esclarecido.

Na PF, o desconforto com a libertação dos alvos da Operação Juízo Final se somou à tensão causada por Fanton. Moscardi queria que os poucos dias que faltavam para o término da missão do colega passassem depressa. No entanto, as coisas não correram como ele gostaria.

No dia 4 de maio, penúltimo dia de sua estada, Fanton confrontou Igor numa das salas da SR. Havia outros policiais no local, inclusive Moscardi.

— Por que você não pediu a prorrogação da minha missão?

— Porque não, Fanton.

— Pode falar o que quiser, vocês vão ser todos presos.

— O quê? Você é um louco! Um cara desleal, traidor! O Mosca trouxe você para cá e você está fazendo esse papelão absurdo.

O bate-boca se estendeu. Moscardi nunca havia visto Igor tão furioso.

No dia seguinte, 5 de maio, Fanton pediu um encontro com o delegado Rosalvo, o superintendente de Curitiba. Disse a ele que Igor e Daniele deveriam ser afastados de suas funções, porque manipulavam investigações internas e porque o NIP seria, no fundo, o setor responsável pelos vazamentos de informações da Lava Jato.

— Eles criaram uma célula autônoma aqui dentro — disse ele. Fanton parecia não saber que Rosalvo depositava uma enorme confiança em Igor. Seu tiro saíra pela culatra. Mas ele ainda não havia desistido.

Moscardi descobriu depois que Fanton, naquela mesma tarde, chamou Dalmey para uma reunião no hotel onde se hospedava. Lá, acompanhados de um agente de Rondônia que também estava de passagem por Curitiba, eles redigiram um documento que seria enviado à Coain. Nele, Dalmey modificava sua versão sobre o grampo na cela de Youssef. Dessa vez, disse que o grampo estava ativo e que havia sido implantado por ordem de Rosalvo, Igor e Márcio Anselmo, que foram juntos à sua sala e pediram o trabalho "com urgência". Dalmey teria feito a instalação do equipamento no teto, entre o forro e a laje, acompanhado por uma colega do NIP, Maria Inês, e pelo agente Romildo "Bolacha", chefe da carceragem. A escuta, disse ele, podia ser ativada e desativada remotamente. Dalmey baixava periodicamente os áudios para um pen drive e entregava a Márcio ou Érika. Ele afirmou ainda que estava em Minas Gerais quando Youssef descobriu a escuta. Ao voltar, Dalmey disse ter recebido uma visita de Igor para tratar do assunto, tendo então lhe perguntado se havia permissão legal para instalar o grampo. "Pior que não", teria respondido Igor.

Fanton partiu. Cerca de uma semana mais tarde, chegaram de Brasília dois emissários da Coain. Eram dois corregedores — Alfredo Junqueira, coordenador de assuntos internos da PF, e a delegada Tânia Fogaça. Durante os vinte dias seguintes, eles foram e voltaram, mantendo sempre uma atitude gélida. "Quando eles chegam, a temperatura baixa", dizia Moscardi. O primeiro gesto dos inquisidores foi recusar a sala oferecida a eles, deixando implícito — ou explícito — que não confiavam em ninguém. Quando pediam informações aos delegados e agentes de Curitiba, rejeitavam qualquer tentativa de argumentação, qualquer comentário paralelo. "Por favor, limite-se a responder ao que foi demandado", diziam.

160

Bem no meio da passagem dos corregedores por Curitiba, algo inaudito aconteceu. Outro grampo surgiu, atrás de uma lâmpada de emergência, num espaço da SR conhecido como "fumódromo", onde os funcionários se reuniam para espairecer e tomar café. No que pareceu ser uma súbita inspiração, Rivaldo Venâncio — o desafeto de Igor — e outros colegas decidiram fazer uma varredura na área do cafezinho e encontraram um aparelho envolto em fita adesiva, "aparentemente para captação de sinais sonoros", conforme eles registraram formalmente logo em seguida.

Uma coisa os delegados de Brasília não precisaram se esforçar para descobrir: o ambiente na sede da Lava Jato estava envenenado. Ao fim de três semanas, eles voltaram para casa, levando computadores apreendidos e deixando com os delegados do grupo de trabalho intimações para que fossem prestar depoimento na capital.

E lá estava Moscardi.

À noite, no hotel em Brasília, ele tentou ver televisão, mas não conseguiu se interessar por nada. Ele se preparou para dormir e, já com a luz apagada, olhou o seu talismã. Era um desenho feito por sua filha Júlia, de 9 anos, cuja foto ele carregava em seu celular. Ele havia recebido o desenho de presente ao voltar da deflagração da Juízo Final. Márcio, Érika e Igor haviam se emocionado como ele ao ver o que Júlia fizera. Era um grande coração, com uma frase dentro: "Papai parabéns pela Operação Lava Jato. Te amo."

Sempre que olhava o desenho, Moscardi sentia que o mundo funcionava perfeitamente, com cada coisa em seu devido lugar.

* * *

Moscardi chegou à sede da PF em Brasília às 14 horas do dia 8 de junho, pouco antes do horário marcado para o seu depoimento. Subiu até o quarto andar da ala norte e procurou a sala 426.

Os mesmos Alfredo Junqueira e Tânia Fogaça estavam lá. Alfredo, dessa vez, estava expansivo, simpático. Tânia continuava fria.

O principal objetivo era retraçar, passo a passo, a sindicância realizada por Moscardi para esclarecer a presença do grampo na cela de Alberto Youssef.

Os delegados da Coain haviam identificado um erro no trabalho: a data de fabricação do equipamento de escuta era posterior à passagem de Fernandinho Beira-Mar pelo Paraná. Isso jogava por terra a conclusão de que o grampo havia sido implantado seis anos antes da chegada de Youssef.

— É verdade, e eu preciso fazer um mea-culpa — disse Moscardi. — Eu deveria ter passado o equipamento por uma perícia. Deveria ter entrado em contato com o fabricante. Mas o depoimento do agente Dalmey me levou a pensar que isso fosse desnecessário. Ele é reconhecidamente uma autoridade em equipamentos discretos. Se fôssemos fazer perícia, seria com ele. Acontece que o Dalmey já tinha dado respostas taxativas. Ele falou sobre a escuta no caso do Beira-Mar. E o juiz Odilon, responsável por aquele caso, corroborou a informação. Eu não tinha nenhum motivo para duvidar de que havia chegado à conclusão correta.

Mas, se a versão original estava errada, qual era a explicação?

— Ao que tudo indica, essa escuta foi comprada em 2011 e implantada em 2012, quando o delegado Érico Saconato passou pela mesma cela, depois de ter sido preso na Operação Erupção por participar de um esquema de lavagem de dinheiro em Guaíra. O que eu posso dizer com segurança é que ela não foi instalada para monitorar o Alberto Youssef.

O depoimento durou cerca de uma hora. Ao final, Moscardi aguardou que lhe fosse entregue uma cópia do termo de declaração, mas saiu de lá sem levar o documento.

— É tudo muito estranho, eles não me deram uma cópia do termo de declaração — disse Moscardi no dia seguinte, já de volta a Curitiba.

— Calma, Mosca. A gente precisa ter calma — atalhou Igor. — As coisas vão se esclarecer. É o que o Rosalvo e o Daiello têm dito o tempo todo.

Quanto mais conhecia Igor, mais Moscardi admirava a sua capacidade de transmitir tranquilidade. Isso era fundamental para manter coeso o núcleo da Lava Jato, mas devia ter um alto custo. Se todos os delegados da operação haviam se transformado em alvos do rancor dos políticos e empresários desonestos que ela havia desnudado, Igor e Rosalvo tinham de lidar ainda com a animosidade interna, com adversários que gostariam de derrubá-los.

Fanton fora trazido ao Paraná para investigar o primeiro tipo de intriga — a possibilidade de que réus da Lava Jato e seus advogados estivessem entrando em conluio com agentes de Curitiba para desacreditar a investigação. A equipe de Igor já não tinha dúvidas de que seus posts do Facebook na época das eleições haviam sido vazados para a imprensa pelo delegado Paulo Renato Herrera — exatamente conforme a primeira suspeita de Moscardi. Um advogado, representante de Márcio Thomaz Bastos no Paraná, havia apontado essa conexão. E ele ainda sugeriu que as informações não foram passadas de graça, mas por dinheiro que bastava para garantir a aposentadoria do informante.

Mas Fanton também acabou deparando com o segundo tipo de intriga, o das disputas de poder. E se enredou nelas. Rosalvo tinha como antagonista José Alberto Iegas, superintendente no Paraná até 2013 e depois diretor do Departamento de Inteligência, em Brasília. Era sabido que Iegas, por razões familiares, gostaria de retornar a Curitiba, desalojar Rosalvo e retomar o seu antigo cargo. Era sabido também que ele não morria de amores por Igor, posto na geladeira durante toda a sua gestão, que havia ignorado o combate aos crimes de colarinho branco e ao crime organizado, a ponto de deixar à míngua a Delegacia de Repressão a Crimes Financeiros (Delefin) paranaense. Por fim, era sabido que o ex-superintendente ainda tinha fiéis correligionários em Curitiba — entre os quais Dalmey e Rival-do. Todo o enredo dos grampos, portanto, poderia fazer parte de uma guerra na corporação.

— Você sabe qual é o melhor antídoto para essa situação, não é Mosca?

— O quê?

— Investigar. Deflagrar mais uma fase da operação. Recolher mais provas para a Lava Jato.

— É isso que nós temos de fazer, não?

— Sim, é isso. A próxima fase vai arrebentar com tudo.

— A gente só precisa encerrar os preparativos. E confirmar o endereço do cara.

— Exatamente, Mosca. Vai nessa. Só não traz mais nenhum amigo para a Lava Jato.

VIII. O príncipe

Às 5h50 do dia 19 de junho de 2015, três carros ostensivos da Polícia Federal estacionaram na Rua Joaquim Cândido de Azevedo Marques, no bairro do Morumbi, em São Paulo. O delegado Márcio Anselmo estava em um dos veículos.

O helicóptero militar com uma equipe do CAOP sobrevoava a região, mas a PF esperava que não fosse necessário que os homens a bordo da aeronave precisassem agir.

Depois de cinco minutos, às 5h55, Márcio Anselmo deu a ordem. Estava oficialmente deflagrada a Operação Erga Omnes, 14ª fase da Lava Jato.

Desde novembro de 2014, quando a Operação Juízo Final havia prendido outros grandes empreiteiros, não faltaram insinuações de que as gigantes Odebrecht e Andrade Gutierrez haviam sido poupadas. Erga omnes, um bordão jurídico em latim, quer dizer que a lei é para todos.

Os carros avançaram até o número 750. Os policiais posicionaram os três Mitsubishi Pajero de modo a impedir a entrada e a saída de veículos do Jardim Pignatari, condomínio fechado que tinha a fama de ser o mais seguro de São Paulo. As luzes da entrada estavam acesas, mas não era possível enxergar nada dentro da guarita.

A base de apoio em Curitiba, naquela manhã, contava com a presença do coordenador da Lava Jato, o delegado Igor de Paula, e dos agentes da equipe de Inteligência. A equipe aguardava a mensagem que Márcio deveria enviar pelo WhatsApp, no máximo até às 6h15, limitando-se a uma única palavra: "Entramos."

Márcio Anselmo, acompanhado do agente Prado, caminhou até a guarita. Ele se identificou e explicou que fariam uma ação em uma das casas do condomínio. O helicóptero continuava sobrevoando a rua e aguardava o comando para agir ou retornar à base. Caso a equipe em terra não conseguisse entrar no condomínio, ele pousaria.

Os seguranças perguntaram qual seria a casa. Márcio Anselmo respondeu que não poderia informar, mas que um deles iria acompanhá-los até o local.

Mais rápido e fácil do que esperavam, os portões blindados se abriram e os policiais entraram no condomínio. Dois agentes ficaram na guarita para garantir que os moradores não fossem avisados sobre a ação.

Já dentro do carro, Márcio pediu ao segurança que os acompanhava que os levasse até a casa de Marcelo Odebrecht. Não que aquilo fosse necessário. Eles sabiam exatamente qual era o caminho. Moscardi havia dado todas as indicações.

A aventura de Mosca no condomínio de alto luxo já fazia parte do anedotário dos policiais da Lava Jato.

O Jardim Pignatari tinha 45 imóveis divididos em quatro quadras. A numeração associava o número da casa ao número do lote. Assim, o número 319 representava o lote 19 da quadra 3. Como sempre, a PF havia feito uma pesquisa pelas fotos de satélite do Google Earth. Mesmo assim, os agentes não conseguiram afastar todas as dúvidas.

Mosca e Prado fizeram uma aposta.

— Você acha que só porque é boa-pinta e bom de papo os caras da portaria vão dar mole, soltar a informação? — Prado havia perguntado.

— Se não bota fé, chama outro para fazer o trabalho — retrucou Moscardi.

— Nem pensar. Fizemos uma votação e você venceu. Você é o cara que mais tem jeito de riquinho aqui. Tem que ser você. Mas aposto que não consegue.

Uma abordagem direta na portaria estava fora de questão. Moscardi, então, fez contato com uma corretora e disse estar interessado em comprar uma casa de 19 milhões de reais que estava à venda no condomínio. Eles marcaram uma visita.

Moscardi pegou emprestado um carro de um amigo — uma BMW.

No dia da visita, de terno, gravata, óculos escuros e BMW, o delegado se encontrou com a corretora em frente à portaria. A corretora se identificou e eles entraram no carro dela para visitar a casa que estava à venda.

— É ótima, vou falar com minha mulher — disse Moscardi. A corretora ficou feliz e não hesitou um instante em atender outro pedido do cliente: uma volta pelas ruas tranquilas, para saber como era a vizinhança.

Eles foram dirigindo devagar.

— Aqui mora fulano — dizia a corretora. — Ali mora ciclano. E ali mora o dono da Odebrecht.

A casa ocupava dois lotes e tinha um gramado ao lado. Moscardi disse que estava satisfeito. Assim que entrou em sua BMW emprestada, mandou uma mensagem para o grupo de agentes da Lava Jato: "Missão cumprida, vagabundos! Prado, não me lembro do que a gente apostou, mas você está me devendo alguma coisa. Márcio, agora é com você, cara!"

A grande casa com gramado ao lado era aquela diante da qual Márcio Anselmo estava agora.

O delegado fez contato com os colegas do helicóptero, agradeceu e os dispensou. Depois foi tocar a campainha.

Ainda não havia amanhecido. Todos ficaram em silêncio no lusco-fusco, esperando que a grande porta se abrisse. Poucos instantes depois, o próprio Marcelo Odebrecht abriu a porta. Ele estava vestido com um moletom escuro, com a inscrição "Florida University" no peito. Usava, além disso, apenas sunga e chinelos. A sunga estava desamarrada e seu cordão branco pendia até a metade da perna do empreiteiro. Ele claramente estava se preparando para nadar.

— Bom dia — disse Márcio Anselmo.

Marcelo Odebrecht ficou imóvel por algum tempo, tentando absorver o que via. Seu olhar finalmente caiu sobre as armas — metralhadoras a tiracolo — que os dois agentes logo atrás de Márcio carregavam.

— Vocês não precisam de armas — disse Odebrecht. — Por favor, guardem as armas, eu não quero que vocês entrem armados na minha casa.

Ele se afastou e abriu completamente a porta para que a equipe entrasse.

Os policiais deixaram as armas na viatura. Márcio entregou o mandado de busca e apreensão ao empreiteiro.

— Eu já estava esperando por isso — disse. De fato, nada em sua atitude sugeria surpresa.

Márcio enviou a mensagem que Curitiba aguardava: "Entramos."

Igor sorriu e andou até a máquina de expresso:

— Agora eu mereço um café.

Márcio recolocou seu celular no bolso e, dali em diante, não tirou mais os olhos de Marcelo Odebrecht. Só mais tarde, ao assistir ao vídeo que os policiais, como sempre, haviam captado da operação, ele se deu conta dos detalhes da casa: o grande quadro em tons ocres à direita de quem entrava, com figuras esboçadas à maneira dos renascentistas; outro grande quadro na extremidade do hall, com uma cena brasileira bastante colorida; e, do lado esquerdo, um longuíssimo banco de madeira maciça, de seis ou sete metros, tomando toda a extensão da parede. Mais adiante, à direita, ficava uma sala que

168

lembrava o lobby de um hotel de luxo; além dela, algo que parecia ser um jardim ainda escuro.

Márcio Anselmo pediu o telefone celular de Odebrecht.

— Eu não me lembro de onde está. Acho que deixei no meu escritório, lá em cima. Eu vou lá buscar.

— Senhor Marcelo, nós vamos com o senhor.

— Não é preciso.

— Por favor, senhor Marcelo, vamos até lá.

Márcio e o agente Prado o acompanharam. Eles subiram uma escada e chegaram ao escritório, mas não havia celular nenhum ali.

— Ah, eu acho que está no banheiro do meu quarto.

— Ok, vamos até lá.

— Mas vocês não podem. Minha mulher está no quarto.

— Senhor Marcelo, a partir de agora, o senhor não poderá ficar sozinho. Por favor, vamos.

Eles entraram no quarto e a mulher de Marcelo, atônita, perguntou o que estava acontecendo. Ele explicou.

No banheiro, mais uma vez, nada foi encontrado. Marcelo disse que talvez tivesse esquecido o celular na empresa. Márcio Anselmo o fitou.

— Ok, quem sabe durante as buscas não encontramos o aparelho?

Eles voltaram para o andar de baixo. Enquanto Márcio passava orientações à equipe, Marcelo se afastou com passos rápidos. Márcio o olhou com surpresa.

— Aonde o senhor vai?

— Acho que o celular está na cozinha.

— Ok, eu vou acompanhá-lo.

O delegado fez de conta que Marcelo Odebrecht não havia ignorado as instruções passadas a ele pouco antes. Embora aquilo fosse irritante, ele não esboçou qualquer reação. O dia estava apenas começando e ainda deveria demandar muito de sua paciência.

Quando eles chegaram à cozinha, o celular estava sobre uma bancada, sendo carregado. Odebrecht o segurou, e Márcio estendeu a mão, pedindo o aparelho. O empreiteiro hesitou um segundo, mas entregou.

— Qual é a senha?

Marcelo Odebrecht respondeu. O delegado verificou se a senha desbloqueava mesmo o telefone e um escrivão anotou os números em um documento. Tudo foi colocado em um saco plástico que, depois, foi para dentro do malote de lona preta.

— E o seu computador? — Foi a vez de Prado perguntar.

— Eu deixo na empresa.

— Ok, estamos fazendo buscas lá. Pegaremos depois.

Aproximadamente às 7h30, a advogada Dora Cavalcanti chegou à casa dos Odebrecht. A irmã de Marcelo e o marido, o advogado Maurício Ferro — responsável pela área jurídica da empreiteira —, também chegaram. Isabela, a esposa de Marcelo, havia se juntado ao grupo. Até aquele momento, seguindo o protocolo, apenas o mandado de busca e apreensão havia sido entregue. Então Dora Cavalcanti — que teria sido informada sobre a prisão por alguém que estava na sede da Odebrecht, onde a PF estava fazendo buscas — deu a notícia e o desespero entrou em cena.

— É aquela que é de cinco dias ou é aquela que é sem prazo? — perguntou Isabela.

— Não é a de cinco dias — respondeu Márcio Anselmo.

Odebrecht não mexeu sequer um músculo do rosto. Continuou aparentando a mesma indiferença, enquanto sua mulher e irmã choravam.

Márcio orientou que fosse feita uma pequena mala para Marcelo levar com ele ao Paraná. Disse para colocar pouca coisa, mas que incluísse roupas de frio, medicamentos, caso ele estivesse fazendo algum tratamento, e produtos de higiene pessoal.

Um grupo de policiais continuaria o trabalho de buscas e outro grupo, comandado por Márcio Anselmo, seguiria com o empreiteiro para a sede da Polícia Federal.

Isabela retornou com a mala pronta. Esticou o braço e deixou a mala suspensa, esperando que um dos policiais a pegasse. Dois agentes se entreolharam enquanto Márcio, de longe, observava a cena. Mas Odebrecht, que também estava atento ao que acontecia ao seu redor, antes que a mulher dissesse qualquer coisa, se antecipou e pegou a mala da mão dela.

— Eu levo — disse.

Antes de saírem, Prado se dirigiu a Isabela.

— Onde está o computador do seu marido?

— Está no escritório. Ele só traz na sexta à noite para casa, para ficar com ele no fim de semana.

Odebrecht havia dito a verdade. Eles estavam prontos para sair.

Quando entraram na viatura, Marcelo disse qual era o trajeto que deveriam fazer para chegar à sede da PF.

Os policiais o ignoraram·

* * *

Nada de helicóptero. Apenas uma viatura e um carro descaracterizados.

Na Rua Afonso Braz, localizada na Vila Nova Conceição, bairro nobre de São Paulo, a Polícia Federal tinha como missão o cumprimento do mandado de prisão de Otávio Marques de Azevedo, presidente da gigante Andrade Gutierrez.

A equipe enxuta se justificava. O alvo, apesar de sensível, não indicava nenhum fator de risco — humano ou operacional.

Pontualmente às 6 horas, na manhã fria de 19 de junho, a equipe comandada pelo delegado Ivan se apresentou na portaria bem protegida por seguranças.

Subiram até o 9º andar.

Na última semana, especialmente nos últimos três dias, antes da deflagração da 14ª fase da Lava Jato, a equipe na sala de Inteligência havia monitorado os passos do empreiteiro. Ele havia viajado, mas retornara na noite anterior, dia 18.

A porta foi aberta pelo próprio Otávio Azevedo. Ele se mostrou assustado. Sozinho no apartamento, não criou nenhuma dificuldade para que a equipe conduzisse as buscas.

171

Reservado, o empreiteiro pouco falou. A ação foi rápida e correu exatamente como a equipe de analistas havia previsto.

O carro descaracterizado foi levado até a garagem do prédio, evitando a exposição do empreiteiro. Ele embarcou e o veículo seguiu para a Superintendência em São Paulo.

Durante os trajetos, era comum que um silêncio incômodo se instalasse nas viaturas. Alguns investigados ficavam cabisbaixos, outros olhavam pela janela. Poucos tentavam estabelecer algum tipo de contato com a equipe.

O rádio do carro foi ligado. Como que de propósito, naquele exato momento, a notícia da prisão dos dois maiores empreiteiros do país estava sendo veiculada, citando o nome de Otávio Marques de Azevedo. Uma coincidência desagradável.

A agente Vanessa, que estava sentada ao lado do empreiteiro, testemunhou o seu atordoamento. Azevedo ficou visivelmente abalado. Era como se a ficha estivesse caindo por inteiro: seu nome nas manchetes policiais!

Um grande desconforto se instalou no carro. Os policiais não tinham nenhum interesse em expor o preso a uma situação constrangedora ou humilhante. Ivan desligou o rádio; assim como os presos, o delegado preferia o silêncio naqueles trajetos. Para ele, também era a maneira mais fácil de lidar com aquela situação.

O que se passaria no íntimo dos presos? Sobre o que pensavam? O que poderiam esperar do futuro? Ou simplesmente das 24 horas seguintes?

Otávio Azevedo continuou recolhido às suas próprias reflexões e não disse nada.

* * *

Para chegar aos empreiteiros da 7ª fase, a Juízo Final, os documentos apreendidos logo no começo da Lava Jato haviam sido fundamentais. As buscas nas casas e escritórios de Paulo Roberto Costa,

Alberto Youssef e seus contadores Toninho e Meire Pozza renderam provas robustas, que evidenciaram a lavagem de dinheiro e o pagamento de propina.

Havia uma enormidade de contratos de prestação de serviço. Os empreiteiros contratavam os serviços de Youssef e Paulo Roberto, que emitiam notas fiscais de empresas de consultoria de fachada. Era um meio de esquentar o dinheiro fruto de corrupção.

Mas com a Odebrecht o esquema era mais complexo, chamado de três camadas. O grupo de trabalho começou a desvendá-lo quando descobriu, em uma agenda de Paulo Roberto Costa, uma menção ao operador financeiro Bernardo Schiller Freiburghaus. Mais tarde, em sua delação premiada, o ex-diretor da Petrobras admitiu que o operador lhe havia repassado dinheiro no exterior.

Freiburghaus morava na Suíça e havia criado uma rede de empresas offshore em diversos países, para atender às demandas da Odebrecht. Na primeira camada estavam as empresas que recebiam dinheiro diretamente da construtora. Na segunda camada estavam as empresas que recebiam dinheiro das primeiras, cujo único propósito era estabelecer um grau a mais de distanciamento entre a origem dos recursos e seu destino final. Eram conhecidas como contas de passagem. Finalmente, na terceira camada estavam as empresas que entregariam a propina aos executivos da Petrobras e políticos — que, em geral, também detinham suas próprias offshores.

Três dias antes da deflagração da 14ª fase, documentos com transações bancárias comandadas pela Odebrecht haviam chegado da Suíça. Eles prometiam ampliar e reforçar as bases da investigação contra a empreiteira, mas seriam usados mais tarde. A PF dispunha das provas necessárias para aquele momento.

A Andrade Gutierrez também tinha sua engrenagem. Usava doleiros como as empreiteiras alvo da 7ª fase — a Juízo Final — e, em certos casos, offshores como a Odebrecht. No centro do esquema estavam o operador Adir Assad e as empresas de fachada JSM

Terraplanagem, Legend Engenheiros Associados Ltda e SP Terraplanagem. Entre 2008 e 2012, mais de duzentas transferências bancárias foram feitas em favor dessas empresas, totalizando quase 143 milhões de reais. O dinheiro desviado dessa maneira chegava mais tarde às mãos dos comparsas da empreiteira no governo.

* * *

Por volta das 9 horas, os detidos na Operação Erga Omnes começaram a chegar à Superintendência da Polícia Federal em São Paulo. Moscardi estava lá para recebê-los e cuidar de seu transporte para Curitiba. Ele havia dividido o auditório do edifício em dois quadrantes: de um lado, ficariam os executivos da Odebrecht; do outro, os da Andrade Gutierrez. Eles teriam a oportunidade de conversar com seus advogados antes da viagem.

Márcio Anselmo chegou com Marcelo Odebrecht.

— E então Mosca, tudo sob controle?

— Mais ou menos. O Botelho está aqui, cheirando a álcool.

Augusto Botelho era um dos advogados de Odebrecht. Vestindo um terno de corte moderníssimo, com calças de barra alta que deixavam à mostra as meias coloridas, ele havia chegado à PF antes de seu cliente — mas estava visivelmente embriagado.

Aquilo era prenúncio de uma manhã estafante. E assim foi. Mas todas as provocações vieram da equipe de Marcelo Odebrecht. O time da Andrade Gutierrez se manteve discreto.

Marcelo Odebrecht abandonou sua impassibilidade ao ler a representação do Ministério Público que embasava sua prisão.

— Isso é um absurdo! — reclamou. — Vocês não bateram apenas na construtora. Vocês bateram na holding. São 49 empresas, e vocês estão dizendo que todas elas estão envolvidas em corrupção. Vocês querem destruir a Odebrecht. Vocês vão destruir a Odebrecht!

O empreiteiro disse que precisava de mais tempo com seus advogados. Os quinze minutos previstos não seriam suficientes. Moscardi concordou. Concedeu mais quinze minutos às equipes das duas construtoras. Depois, mais cinco. Enfim, o tempo já havia mais do que se esgotado e os advogados saíram, com exceção de Dora Cavalcanti, que viera da casa de Odebrecht e agora exigia, com arrogância, mais um minuto, e mais um, e mais outros ainda.

Dora, supostamente, fazia parte de uma casta elevada de advogados. Era tida como uma das herdeiras de Márcio Thomaz Bastos, ex-ministro da Justiça do governo Lula, criminalista brilhante, influente em todas as cortes do Brasil. Em seu primeiro contato com os policiais da Lava Jato, contudo, ela se mostrou adepta daquilo que os delegados com desprazer chamavam de "advocacia do barraco".

A corda já estava bastante esticada e Dora Cavalcanti continuava puxando. Moscardi respirou fundo e conseguiu, enfim, que ela se retirasse do auditório — apenas para que Augusto Botelho decidisse invadi-lo.

Arrogante e bêbado, pensou Moscardi. A combinação não podia ser pior.

Mas ele ainda se manteve cortês.

Finalmente chegou a hora de deixar a Superintendência em direção ao aeroporto de Congonhas. Moscardi pretendia fazer o trajeto, de aproximadamente 24 quilômetros, da maneira mais discreta possível. Ele decidiu que sairiam da sede da PF em veículos descaracterizados.

Mas, em tempos de internet, o Brasil inteiro já sabia que Marcelo Odebrecht havia sido preso e seria levado para Curitiba. Uma pequena multidão de jornalistas e curiosos havia se reunido em frente ao prédio da PF. E cada carro que passava pelo portão provocava um corre-corre.

A saída de Odebrecht não passou despercebida. Na ânsia de conseguir imagens dos presos, os jornalistas se lançaram contra os carros. Uma pancada forte, aparentemente provocada por uma câmera, trincou o vidro do carro em que Moscardi seguia com o empreiteiro.

Enquanto isso, as pessoas gritavam:

— Ladrão!

— Corrupto!

Os empreiteiros reagiram de forma diferente à situação. Marcelo Odebrecht retomou sua expressão de indiferença, agora com um sorrisinho provocador no canto dos lábios. Era sutil, mas estava lá, um sorriso de Monalisa. Otávio Azevedo, visivelmente atordoado, se mantinha cabisbaixo.

Mesmo quando os carros já haviam se afastado pela Marginal Tietê, não houve trégua. Carros e motoqueiros buzinavam, apontavam o dedo, gritavam ofensas.

Foi um alívio para todos chegar ao aeroporto.

Então, quando os presos se encaminhavam para a sala onde aguardariam o embarque, aconteceu uma daquelas cenas disparatadas que de vez em quando pontuavam uma diligência. Não seria a primeira nem a última da Lava Jato. Para se proteger do frio, a agente Vanessa vestia um casaco longo, que encobria seu uniforme. Um dos executivos parou ao seu lado e, talvez acreditando que ela também estivesse sendo levada para a custódia, a abordou:

— Pelo menos poderíamos ficar na mesma cela, você não acha?

Vanessa afastou devagar a aba do casaco, mostrando seu uniforme preto e, casualmente, sua arma.

Na sala de embarque, os executivos das duas grandes construtoras foram instruídos sobre as regras de segurança da viagem. Não demorou muito e um oficial vestido em um impecável uniforme verde chamou o primeiro preso para a vistoria: Marcelo Odebrecht.

* * *

Em vez de acompanhar os presos ao aeroporto, Márcio Anselmo se dirigiu ao prédio da Odebrecht, depois de entregar o presidente da empresa aos cuidados de Moscardi.

O prédio estava tomado pelo tumulto. Os advogados da empreiteira pareciam estar instruídos a não deixar os policiais trabalharem.

A cada passo dos agentes, uma leva de advogados, que parecia brotar de todos os lados, se apresentava falando, gesticulando, fazendo terror. Os próprios funcionários que continuavam lá — muitos, aparentemente, haviam sido dispensados — mantinham uma atitude insolente. Eram movimentos calculados, feitos para cavar uma falta e, talvez, um pênalti. Algum deslize, alguma desatenção, poderia dar ensejo à anulação de provas.

Não demorou para que Dora Cavalcanti, concluindo um périplo que já tivera como paradas a casa de Marcelo Odebrecht e a sede da Polícia Federal, aparecesse para engrossar as fileiras do exército de advogados.

A tarefa de Prado era garantir que o computador de Marcelo Odebrecht fosse apreendido. A equipe que fazia as buscas informou que o aparelho não havia sido encontrado na sala do presidente.

Prado não se conformou. Pediu e recebeu autorização dos delegados para fazer nova averiguação na sala de Odebrecht, que ficava no 15º andar. Os advogados reclamaram e fizeram questionamentos na tentativa de impedir a ação.

A busca não deu em nada. O computador não estava mesmo na sala.

Prado ainda não havia se dado por vencido. Caminhando pelo andar, encontrou um grupo de funcionários e perguntou a eles se alguém havia retirado o computador de Marcelo Odebrecht da sala. As respostas foram vagas e cheias de ironia.

O agente fez um novo pedido aos delegados e obteve autorização para checar as imagens das câmeras de segurança do prédio. Queria conferir se houvera movimentação de pessoas no 15º andar, antes da chegada dos policiais.

Os advogados, dessa vez, ficaram nitidamente nervosos. Acompanhado de dois deles, Prado foi até o piso G4 do edifício, onde funcionava a Central de Segurança. Quatro funcionários da área providenciaram o que ele pediu.

Poucos minutos depois das 6 horas — às 6h06 e 6h07 daquela manhã — as câmeras da portaria haviam captado a entrada de duas MNIs, "mulheres não identificadas", na linguagem da PF. E as duas haviam ido até o 15º andar da empresa.

Prado perguntou aos seguranças se era usual que funcionários fossem ao andar àquela hora da manhã.

— Não, nesse horário somente o pessoal da limpeza.

— Quem são essas mulheres?

Os funcionários não sabiam. Prado quis ver o cadastro de entrada no prédio. A utilização dos crachás teria deixado registro dos nomes das MNIs. Mas informaram a ele que o funcionário responsável, o único que tinha acesso ao controle, não estava.

Nesse momento Prado recebeu uma ligação. O computador do Marcelo havia surgido em uma das salas do 15º andar. Para ele, pareceu óbvio que o computador estivera escondido até aquele momento. Mentira e dissimulação faziam parte daquele tipo de diligência. Ele disse aos advogados que assistiria por mais alguns minutos às imagens. Uma terceira MNI havia visitado o 15º andar naquela manhã, às 6h25. Os funcionários da segurança também não sabiam quem ela era.

Prado voltou para ajudar nas buscas. O agente Gabriel estava conversando com uma mulher que, vista pelas costas, parecia estar bastante nervosa. Ela gesticulava e falava em tom rude. Prado continuou andando e, quando passou pelos dois, virou-se para observar a mulher. Era a terceira MNI.

Marta Pacheco Kramer era uma executiva da empresa. Ela havia ido, bem cedo, ao 15º andar e ficado lá por aproximadamente um minuto. Depois foi para a sua sala, localizada no 12º andar do prédio. Além de esconder o computador do chefe, perguntou-se Prado, o que mais as mulheres teriam ido fazer na sala do presidente da empresa?

Marta continuava o embate com Gabriel. Ela argumentava que era advogada e que por isso ele não poderia apreender o que estava em sua mesa. Disse ainda que os CDs, motivo da discussão, só continham fotos pessoais. Gabriel pediu que ela abrisse os arquivos. Se não houvesse nada relacionado à empresa, obviamente não seriam levados pela PF.

Augusto Botelho também não fazia feio. Agora sóbrio, ele não parava de repetir: — Eu vou anular a Lava Jato da mesma maneira que anulei a Castelo de Areia.

Na Operação Castelo de Areia, a Polícia Federal havia investigado crimes financeiros e de lavagem de dinheiro, tendo como centro da investigação o Grupo Camargo Corrêa. A investigação havia sido anulada por ter partido de uma denúncia anônima. Segundo o entendimento do Supremo Tribunal de Justiça, em Brasília, a investigação não poderia ter prosseguido assentada naquelas bases.

O clima de guerra continuava por todo lado, ora com mais, ora com menos intensidade, a depender do que estava sendo apreendido.

Já era começo da noite quando um garçom passou com uma bandeja com várias xícaras de café. Um dos agentes, estimulado pelo cheiro da bebida, caminhou em direção a uma máquina que ficava em um canto do andar, onde ele estava trabalhando, para se servir de uma xícara. Um grupo de funcionários se postou em frente à máquina e disse que ela não estava lá para servi-lo. Era esse o clima na Odebrecht.

Mas, no final, nada daquilo importou. Já era tarde da noite, cerca de 22h30, quando os policiais finalizaram as buscas e deixaram o prédio, levando o computador de Marcelo Odebrecht e ainda uma imensidão de provas, seguras em malotes pretos.

IX. O guerreiro abandonado

Pixuleco era o nome da fase. Foi o delegado Igor quem sugeriu.

Pixuleco, no dialeto do ex-tesoureiro do PT João Vaccari Neto, era sinônimo de grana, dinheiro, bufunfa, reais — nada contra dólares ou euros. Mas não importava o nome, a origem era sempre a mesma: propina.

Ainda estava escuro, no início daquela manhã de segunda-feira, 3 de agosto de 2015, quando o delegado Luciano Flores e o agente Milhomem saíram do prédio da Polícia Federal e percorreram as ruas ainda vazias de Brasília, até chegar ao Lago Sul. Pararam em frente à casa de José Dirceu de Oliveira e Silva. Luciano conferiu o relógio no painel do carro: 5h52.

— Será que ele está aí? — perguntou Milhomem. Luciano não respondeu imediatamente. Pegou o celular e conferiu as mensagens do WhatsApp, mas não havia nenhuma informação nova.

— A gente já vai descobrir.

Pouco antes da meia-noite, o agente Macedo, que fazia o apoio àquela operação, havia confirmado que o alvo estava onde deveria estar: em casa. José Dirceu cumpria prisão domiciliar. Ainda assim, Macedo não dispensou o monitoramento do celular do petista. Ninguém queria ser surpreendido por acontecimentos inesperados.

Aquela seria mais uma noite em que o agente não dormiria mais do que duas ou três horas, no papelão esticado no chão na sala de Inteligência.

Perto da 1 hora da manhã, ele deu a última conferida na tela. Os pontos luminosos, indicando a localização dos alvos que estavam sendo monitorados, não davam motivo para preocupação.

Macedo esticou o papelão e se deitou. Programou o despertador para tocar às 3h45, quinze minutos antes do início da reunião em que Luciano daria as instruções para as equipes que fariam as diligências.

Em geral, nas noitadas do papelão, os agentes estavam tão cansados que caíam no sono assim que deitavam. Mas, naquela noite, Macedo custou a pegar no sono. Quando o celular tocou, ele se assustou. Estava tendo um sonho esquisito. Pulou do chão e grudou os olhos na tela.

Macedo demorou a entender se estava no meio do sonho ou de fato acordado. O sinal do celular de Dirceu não estava mais na casa dele. Não era possível dizer precisamente a localização, mas parecia ser na região onde ficam várias embaixadas em Brasília.

O agente sentiu um nó na garganta. Ele era o responsável por aquele monitoramento. Poucas horas antes, ele havia dito que tudo estava certo, que os alvos estavam nos endereços previstos. E justamente Dirceu, justamente o alvo mais importante, havia saído de onde deveria estar e aparecia numa região de embaixadas.

Ele está tentando fugir, pensou Macedo. Era um reflexo de quem fazia aquele trabalho. Qualquer movimentação do alvo trazia à baila diversas hipóteses, mas a pior era sempre a primeira.

O agente ligou para Luciano.

— Macedo, a essa hora! Tenho certeza de que você não me ligou para desejar bom dia! Manda!

— Acho que deu merda.

Luciano e Macedo repassaram juntos as informações sobre Dirceu. Surgiu uma segunda hipótese: havia uma mulher, eles não tinham certeza se namorada ou ex-mulher, que morava na região das embaixadas.

182

Luciano resolveu dividir a equipe em duas. Uma turma iria para a casa de Dirceu, a outra, para o endereço da mulher. Essa segunda equipe só entraria em ação se Luciano desse ordem.

Tudo o que eles mais queriam era que fosse um problema técnico e Dirceu estivesse em casa. Da última vez que haviam sido surpreendidos daquela maneira, Alberto Youssef, que deveria estar dormindo placidamente em São Paulo, de repente apareceu em São Luís do Maranhão. Deu trabalho pegá-lo — sem falar que um comparsa de Youssef desapareceu com uma mala cheia de dinheiro.

Por isso, Luciano Flores não sabia o que encontraria quando a porta da casa do antigo mandachuva do PT se abrisse.

O principal alvo da 17ª fase da Lava Jato não era apenas um alvo sensível, ele havia sido um dos grandes artífices da ascensão do Partido dos Trabalhadores.

Em 2002, José Dirceu havia experimentado a glória. Como coordenador de uma épica campanha eleitoral, ele conduziu o ex-metalúrgico Luiz Inácio Lula da Silva à Presidência do Brasil. Ele próprio havia reconquistado um mandato de deputado federal com mais de 556 mil votos.

Treze anos se passaram e lá estava o delegado Luciano Flores pronto para tocar a campainha da casa de número nove daquela quadra do Lago Sul — a casa do mito da esquerda brasileira.

Depois que tocaram a campainha, Milhomem e Luciano perceberam movimento na casa. Os dois mal conseguiam respirar.

O próprio José Dirceu abriu a porta, tirando um peso enorme dos ombros dos dois policiais.

Enquanto Luciano conversava com Dirceu, Milhomem chamou a segunda equipe para se juntar a eles nos trabalhos de busca e também informou a base em Curitiba. "JD em casa, estamos com ele."

Foi a vez de Macedo respirar aliviado enquanto praguejava:

— Sistema maldito. Ainda bem que você acerta bem mais do que erra, seu miserável!

O petista não pareceu surpreso. Mas não estar surpreso não significava estar tranquilo. Dirceu estava mais abatido do que qualquer um que Luciano já houvesse levado preso durante a Lava Jato. Extremamente educado com toda a equipe, ele os acompanhou durante as buscas.

O delegado seguiu o protocolo, mas não havia sequer uma folha de papel para ser apreendida. A casa estava mais limpa que um quarto de hotel. *Ninguém leva todos os seus documentos, contratos, registros de uma vida para um hotel*, pensou Luciano.

Enquanto os policiais faziam seu trabalho, o abatimento do político ia se intensificando. Era como se ele envelhecesse um ano a cada dez minutos.

Durante uma pausa, Luciano procurou observar Dirceu enquanto ele lidava com os outros agentes.

Alguns inquéritos levavam meses para ser concluídos. Quando a operação era deflagrada e os policiais entravam na casa do investigado, sabiam tanto de sua vida que pareciam estar diante de um velho conhecido. Depois de monitorá-lo por muito tempo, eles conheciam a voz, o jeito de pensar e se expressar, os gostos e hábitos do alvo. Eles sabiam dos seus segredos, de suas pequenas e grandes mentiras, de suas fofocas, mesquinharias, amantes. Sabiam, é claro, dos seus crimes. Dirceu não era diferente nesse aspecto. Ainda assim, pensou Luciano, ele não era inteiramente transparente.

Lá estava um homem hábil, inteligente, dono de experiências às quais pouquíssimas pessoas teriam acesso. Em que momento da vida ele teria deixado de acreditar que a honestidade era um bem maior? Seu país, sua família, ele próprio não valiam o sacrifício de escolher, talvez, outro caminho que não o mais fácil, o mais curto?

Não haveria uma história bonita para contar à filha de apenas 5 anos.

Dirceu pediu que não deixassem que ela o visse ser levado preso. Luciano permitiu que tudo fosse feito conforme o pedido.

A criança foi tirada da casa sem que percebesse nada. Só depois disso a viatura seguiu para a Polícia Federal com o líder petista. Sobre ele recaía a acusação de ser o autor intelectual do esquema de corrupção na Petrobras e de ter recebido propina através da sua empresa de consultoria. A contratação de serviços que jamais seriam prestados era uma das maneiras mais comumente usadas para dissimular a propina paga para Dirceu.

Havia outras provas de desvio nas transações da Petrobras.

No período de 1º de fevereiro de 2010 a 15 de julho de 2013, por exemplo, o contrato para fornecimento de tubos da Apolo Tubulars, no valor de quase 256 milhões de reais, gerou propina de 7 milhões de reais. Renato Duque orientou o lobista Júlio Camargo a destinar 30% da propina para José Dirceu. Foram mais de 2 milhões de reais.

Parte do montante que cabia ao petista foi repassado em dinheiro vivo para seu irmão, Luiz Eduardo de Oliveira e Silva, e para o operador Milton Pascowitch. A propina serviu, ainda, para pagar viagens de José Dirceu a bordo das aeronaves de Júlio Camargo — cerca de 1,5 milhão de reais.

Milton Pascowitch era parte importante na estrutura de lavagem do dinheiro que seria destinado a Dirceu. Por essa razão, a prisão do operador, em 21 de maio de 2015, havia assustado os petistas. O gato havia escorregado no telhado e estava pendurado por um fio.

Menos de três meses depois da prisão de Pascowitch, o fio se rompeu. Naquele 3 de agosto, Dirceu contava, ao menos, com a possibilidade de ser mantido em Brasília, em vez de ser encaminhado a Curitiba, onde se concentravam os presos da Lava Jato. Afinal, ele já cumpria prisão domiciliar pelos crimes cometidos no âmbito do mensalão — que os petistas preferiam chamar pelo nome mais neutro de Ação Penal 470.

Como a ação havia corrido no Supremo Tribunal Federal, era um juiz da corte que cuidava da execução das penas. O advogado de Dirceu, o criminalista Roberto Podval, peticionou ao ministro Luís Roberto Barroso — que prometeu decidir até o final daquele dia.

* * *

O poderoso ex-ministro da Casa Civil do governo Lula havia pulado do mensalão para o petrolão sem escala. Dirceu não havia retornado ao crime. Ele simplesmente não havia saído dele.

E por trás daquele fato, pensou Luciano Flores, uma leitura desanimadora deveria ser feita: o sistema jurídico brasileiro não estava desencorajando criminosos de colarinho branco a agir com apetite Brasil afora. Para aqueles que haviam feito um balanço das consequências, tudo indicava que valia a pena correr o risco. O crime estava compensando.

Em junho de 2005, o então deputado federal Roberto Jefferson, do Partido Trabalhista Brasileiro (PTB), soltou a língua para denunciar que o Partido dos Trabalhadores estava pagando mesada de 30 mil reais para que deputados votassem a favor de projetos do governo Lula na Câmara. Ele chamou o esquema de mensalão.

Jefferson foi taxativo: José Dirceu era o mentor de tudo. E o esquema estava conectado com os sonhos do PT: construir e manter uma base aliada que não criasse problemas para o governo. Em outras palavras, o PT estava comprando apoio parlamentar para se manter no poder.

O dinheiro para isso vinha da propina paga por empresários interessados em fazer negócios com empresas estatais. Os crimes cometidos autorizavam dizer que não havia faltado candidatos dispostos a colaborar com o plano petista.

Em 2012, o julgamento da Ação Penal 470 começou. Estendeu-se por 69 sessões do Supremo e, ao final, empresários, banqueiros e políticos foram para a cadeia — entre eles José Dirceu. Sua pena foi de sete anos e onze meses de prisão.

A Lava Jato havia descoberto que o julgamento do mensalão não interrompeu por um segundo sequer as negociatas na Petrobras e que, mesmo preso, Dirceu continuou a participar do esquema.

Mas, apesar dos valores bilionários envolvidos no esquema de ilícitos na estatal, em alguns casos o caminho feito pelo dinheiro era bastante simples. Era assim com a operação de José Dirceu. Era assim com a operação de Alberto Youssef.

De repente ocorreu a Luciano que Dirceu, apesar das diferenças na trajetória de vida, acabava por se assemelhar bastante a Alberto Youssef: notas frias, consultorias fajutas, comissão por negócios operacionalizados. Os dois também haviam decidido se manter no crime depois de serem apanhados uma primeira vez. Depois de fazer uma delação premiada no âmbito da Operação Banestado, Youssef havia passado a agir de forma ainda mais agressiva. O mesmo tinha acontecido com Dirceu. Ele havia evoluído, o petrolão era uma versão turbinada do mensalão.

Triste? Bizarro? A estrela do petismo e o doleiro do Paraná compartilhavam alguns genes perversos?

* * *

O dia avançava e ainda não se sabia qual seria o destino de José Dirceu. Luciano Flores refletia sobre a operação e seu alvo principal. Agora ele se perguntava no que estaria pensando o homem de confiança do governo petista. Afinal, durante aquelas horas de suspense, ir ou não para Curitiba não deveria ser o único tema que consumia seu tempo e sossego. O que de fato poderia significar na vida daquele homem — com sonho de entrar para a história como um mito — voltar para a prisão?

Significava que José Dirceu ficaria longe de sua família.

Significava que, agora, pego novamente no pulo, só os céus poderiam dizer quando ele deixaria a cadeia. Ele estava com 69 anos.

Significava enterrar o mito.

Líder estudantil que se engajou na militância armada contra a ditadura. Guerrilheiro exilado em Cuba por mais de uma vez. Em uma delas, José Dirceu se submeteu a uma cirurgia plástica para alterar a fisionomia e também mudou de nome: Carlos Henrique Gouveia de Mello.

— Tudo em mim era falso, desde o rosto até os documentos, mas nunca caí em fria. Fiz prótese no nariz, puxei o rosto e mudei os olhos, passei a usar óculos, deixei o bigode crescer e mudei o corte de cabelo — havia dito Dirceu certa vez.

De volta ao Brasil, com identidade falsa, Dirceu se casou com a empresária Clara Becker, que não conhecia seu passado, seu verdadeiro nome, nada sobre ele. Após a anistia aos presos políticos, Carlos Henrique Gouveia de Mello contou à esposa quem realmente era.

Ele voltou a Cuba para outra cirurgia plástica. Saiu do Brasil Carlos Henrique e quando voltou já era novamente José Dirceu.

Depois que conheceram sua real identidade, muitos passaram a desconfiar dele: Dirceu seria um espião a serviço de Cuba?

O ex-guerrilheiro retomou a atividade política e foi um dos fundadores do Partido dos Trabalhadores. Em 1980, quando assinou a ata de fundação do PT, afirmou: — Assinei a ata de fundação com o sentimento de que acabava de readquirir meus direitos políticos e minha nacionalidade que a ditadura roubara. O PT entrou em minha vida para não mais sair.

Muito provavelmente José Dirceu tenha sido um guerrilheiro melhor do que profeta. Trinta e cinco anos depois da assinatura daquele documento, o PT saiu de sua vida, mesmo contra a sua vontade.

No dia de sua segunda prisão, 3 de agosto de 2015, o "guerreiro do povo brasileiro", como os petistas costumavam chamar José Dirceu, não havia merecido das novas lideranças do partido mais do que falas protocolares. Não houve quem saísse em sua defesa, não houve quem se indignasse por ele. Por quê?

A pergunta era pertinente, afinal, uma das marcas registradas do PT era a gritaria, mesmo quando as razões para tal eram frágeis ou inexistentes. O que esperar quando o segundo homem mais importante do partido, depois apenas do ex-presidente Lula, estava sendo preso? E, pela segunda vez, acusado de corrupção?

O fato é que, enquanto o "guerreiro do povo brasileiro" perdia mais uma vez sua liberdade, o PT dava ênfase ao ataque ocorrido contra o Instituto Lula, no dia 30 de julho de 2015. Por volta das 22 horas, as câmeras de segurança do local haviam registrado a ação. Alguém de dentro de um carro escuro arremessou uma bomba de fabricação caseira na direção do imóvel.

O PT se apressou em afirmar que havia sido um ataque político: "Causa indignação a conivência silenciosa de certos meios de comunicação e partidos que se dizem democráticos com o atentado de caráter fascista ao Instituto Lula."

Assim, o foco do partido naqueles dias era o atentado.

O "guerreiro do povo brasileiro" teria de lamber as próprias feridas?

Luciano rapidamente retificou seu pensamento. José Dirceu não era o único soldado deixado pelo caminho.

André Vargas já havia experimentado o gosto do abandono. O ex-deputado federal havia sido, inclusive, expulso do PT.

Com o companheiro José Vaccari Neto a atitude do partido havia sido um pouco menos hostil. Quando a água chegou ao pescoço do ex-tesoureiro, os companheiros até ensaiaram uma revolta aqui e ali. Algo tímido para os padrões vocais do partido, mas o desprezo não fora total.

Se a decisão do Supremo fosse favorável ao juiz Sérgio Moro, em breve JD se encontraria com Vaccari em Curitiba. Sobre o que conversariam os dois?

* * *

Depois do almoço, por volta das 15h30 daquele 3 de agosto, os outros presos da 17ª fase que estavam na sede da Polícia Federal em São Paulo, inclusive o irmão de José Dirceu, embarcaram em uma van e foram levados para o aeroporto, de onde seguiriam para o Paraná.

Em Brasília, a decisão sobre Dirceu tardava.

Luciano continuou a refletir sobre os acontecimentos dos últimos dias.

Três semanas antes, em 14 de julho de 2015, havia sido deflagrada a Operação Politeia.

Embora as provas daquela operação tivessem sido colhidas durante a Lava Jato, elas haviam sido repassadas à cúpula do Ministério Público Federal, pois incluíam políticos com foro privilegiado. Coubera ao procurador-geral da República, Rodrigo Janot, decidir se pediria diligências — não a Sérgio Moro, mas ao ministro do STF Ricardo Lewandowski.

Luciano e seus colegas de Curitiba não haviam participado daquela deflagração. Mas a história correu pela PF.

Seguindo o protocolo, os agentes de Brasília convocados para participar da Politeia chegaram para o *briefing* às 4 horas da madrugada. Por volta das 5 horas, um fato surpreendeu a equipe: Rodrigo Janot entrou na sala. Não seria necessário possuir poderes mediúnicos para adivinhar: a operação envolveria um ou mais alvos sensíveis.

Janot havia passado a noite revisando os detalhes da operação juntamente com o número um da PF, Leandro Daiello. Vivera as horas de apreensão comuns àqueles casos: alteração de mandados, inclusão de novos alvos, tudo feito às pressas, numa corrida contra o tempo. Se em Curitiba tais medidas eram atendidas imediatamente pelo juiz Sérgio Moro, não importando a hora ou o dia, Janot teve de acionar Lewandowski.

O PGR ficou até o fim do *briefing* e disse que estaria de plantão para resolver qualquer problema que as equipes eventualmente tivessem no decorrer da ação.

Os agentes federais teriam 53 mandados de busca e apreensão, distribuídos em sete estados, para cumprir naquele dia.

Entre os alvos estavam três senadores.

O primeiro era Fernando Bezerra Coelho, do PSB, ex-ministro da Integração Nacional do governo de Dilma Rousseff.

O segundo era Ciro Nogueira, do PP.

O terceiro era um ex-presidente da República. Fernando Affonso Collor de Mello, do PTC, estava de volta ao caderno de notícias policiais.

Desde o início, a deflagração fora complicada.

Um confronto aconteceu no apartamento funcional de Fernando Collor. Pouco depois da chegada dos agentes da PF, sete policiais do Senado — entre eles o diretor da força, Pedro Ricardo de Carvalho — chegaram ao local. Eles bateram na porta trancada do apartamento gritando "É a polícia!". Os agentes da PF não se abalaram e continuaram a busca no imóvel — que estava vazio, uma vez que Collor preferia morar em sua própria casa de Brasília, a famosa Casa da Dinda. Na saída, contudo, houve uma escalada. O diretor da polícia do Senado afirmou que a busca era ilegal e mandou que os colegas não deixassem ninguém passar. Ele só cedeu quando foi ameaçado com voz de prisão: ao manter os agentes da PF encurralados no apartamento, ele cometia o crime de cárcere privado, disse o delegado que comandava a busca.

Depois, vieram as manifestações de indignação. Um sentimento de solidariedade poucas vezes visto se alastrou entre os políticos. Não importava se o investigado pelo STF era o inimigo de uma vida. Naquele dia, a dor de um era a dor do outro. Nas salas e corredores do Senado e da Câmara dos Deputados corria um frenesi. Em todos os cantos, gente se reunindo, conversando, cochichando. Enquanto falavam ao telefone, parlamentares escondiam a boca com a mão — para evitar, disseram mais tarde, que alguém fizesse a sua leitura labial.

Em nota, a mesa diretora do Senado se pronunciou sobre a ação nos apartamentos funcionais, retomando a ideia de que eles eram extensões da instituição. O texto foi lido pelo presidente da casa, Renan Calheiros:

Todos são obrigados a prestar esclarecimentos à Justiça, notadamente os homens públicos, já que nenhum cidadão está acima da lei. Entretanto, causa perplexidade alguns métodos que beiram a intimidação. A busca e apreensão nas dependências do Senado Federal deverá ser acompanhada da Polícia Legislativa. Disso não abriremos mão. Buscas e apreensões sem a exibição da ordem judicial e sem os limites das autoridades que a estão cumprindo são invasão. São uma violência contra as garantias constitucionais em detrimento do Estado Democrático de Direito. É imperioso assegurar o respeito ao processo legal, ao contraditório, para que as defesas sejam exercidas em sua plenitude, sem nenhum tipo de prejuízo ou restrição. As instituições, entre si independentes, precisam estar atentas e zelosas ao cumprimento e respeito aos limites legais estabelecidos na Constituição Federal para que não percamos garantias que foram duramente reconquistadas.

E quando Fernando Collor, senador pelo estado de Alagoas, subiu na tribuna do Senado, ele fez o que se esperava dele: um discurso inflamado. Ele estava em cólera:

— Hoje fui submetido a um atroz constrangimento pessoal. Fui humilhado. Depois de tudo por que passei na minha trajetória política, tive que enfrentar situação jamais por mim experimentada. Extremo desgaste emocional, mental e físico, juntamente com minha família. Portanto, constrangido fui, humilhado também fui, mas podem ter certeza, senhor presidente, que, intimidado, eu jamais serei.

Desde a deflagração da 1ª fase, a Lava Jato havia se mostrado uma exímia máquina de desenterrar cadáveres. Doleiros, empreiteiros, operadores e, agora, no topo da pirâmide política, um ex-presidente.

Com o slogan "Caçador de marajás", Collor havia desbancado concorrentes ilustres na campanha eleitoral de 1989 para presidente: Ulysses Guimarães, Leonel Brizola e Mário Covas ficaram para trás. Foi com Luiz Inácio Lula da Silva que ele disputou e venceu o 2º turno.

Mais de vinte anos depois, o ex-presidente, não pela primeira vez, estava sendo investigado.

Para quem um dia prometera acabar com mordomias e altos salários, chamava a atenção o fato de que apesar de ter residência em Brasília, a famosa Casa da Dinda, Collor também se beneficiava de um apartamento funcional, pago pelo contribuinte.

Mas para que falar em apartamento funcional se por debaixo daquela ponte passavam águas muito mais turvas?

O que havia motivado a ação contra Collor?

Em sua delação, Alberto Youssef havia afirmado que Collor recebera 3 milhões de reais como propina.

Comprovantes bancários de transferências do doleiro ao ex-presidente, no valor de 50 mil reais, haviam sido localizados. Um funcionário de Youssef, Rafael Ângulo, disse que havia entregado dinheiro vivo a Collor no apartamento dele, em São Paulo — 60 mil em notas de cem reais. Os delatores também afirmaram que certas quantias haviam circulado em carros-fortes de uma empresa de valores antes de chegar às mãos do político.

A delação de Alberto Youssef também levou a Polícia Federal ao esquema da rede de postos de combustíveis Aster. Collor teria grande influência na BR Distribuidora — o braço de distribuição da Petrobras. Ele havia indicado afilhados políticos para ocupar cargos na diretoria. O ex-presidente era suspeito de ter recebido parte da propina de 1% sobre um contrato de 300 milhões de reais celebrado entre a BR e a Aster. Ele teria intercedido para que o empresário Carlos Alberto Santiago, dono da rede, obtivesse a bandeira da Petrobras para seus postos.

Havia outro depoimento que ligava Collor à BR Distribuidora. O dono da construtora UTC, Ricardo Pessoa, afirmava ter dado 20 milhões de reais a Collor entre 2010 e 2012 em troca da interferência do senador em negócios com a empresa.

A Polícia Federal estava diante de mais um emaranhado de personagens notórios, empresas poderosas, contratos duvidosos e propina. Mais um quebra-cabeça.

Naquele 14 de julho, contudo, o esforço para deslindar a maneira como a política se misturava à possível realização de crimes ganhou três símbolos.

Os três estavam na garagem do senador Fernando Collor, na Casa da Dinda: um Lamborghini Aventador LP 700-4 Roadster, avaliado em 3 milhões de reais; um Porsche Panamera S, no valor aproximado de 470 mil reais; e uma Ferrari 458 Italia, no valor aproximado de 2 milhões de reais.

Os carros foram levados. Havia suspeita de que a aquisição fosse um modo de lavar dinheiro. Os majestosos bólidos desfilaram com sua imponência pelas ruas de Brasília. Os carros foram conduzidos pelos funcionários do próprio ex-presidente. Ninguém da Polícia Federal achou que era uma boa ideia dirigi-los.

* * *

O dia havia acabado. Nada sobre Dirceu.

Se alguém quisesse fazer uma aposta, poderia fiar-se na declaração do ministro Barroso ao receber o pedido de transferência do petista para Curitiba. Ele havia dito que, em análise análoga, decidira pela transferência. O ministro se referia ao ex-deputado Pedro Corrêa — também condenado no mensalão — que cumpria pena em uma prisão de Pernambuco quando teve seu traslado ao Paraná autorizado.

Era provável que Barroso seguisse o seu próprio precedente, pensou Luciano. Mesmo assim, a viagem teria de aguardar o dia seguinte, terça-feira.

Ele desligou o computador na mesa emprestada na sede de Brasília e partiu para o hotel onde estava hospedado. Estava exausto. Ao chegar, tomou um banho e nem pensou em comer. Queria deitar-se e dormir. E já estava quase pegando no sono quando a campainha do celular tocou, anunciando uma mensagem de WhatsApp.

A decisão de Barroso havia saído. Ele havia autorizado a transferência à jurisdição de Moro.

Luciano dormiu bem.

No dia seguinte, gastou a manhã preparando o transporte de José Dirceu. Ele viajaria em um bimotor, e não em um jato da PF, como os outros presos da Pixuleco. O voo partiria por volta das 14h30 e chegaria ao aeroporto de Curitiba cerca de duas horas mais tarde.

Foi assim que aconteceu.

O avião aterrissou em Curitiba às 16h45. Dirceu saiu da aeronave cabisbaixo. Usava a mesma roupa do dia anterior — calça jeans, sapatos pretos, blazer azul. Havia trocado apenas a camisa da véspera, branca, por uma azul.

Em frente à Superintendência, um grupo de cerca de cinquenta manifestantes estava pronto para recebê-lo com fogos, buzinas e gritos de "ladrão".

O carro da PF entrou pela garagem para que Dirceu não fosse exposto às pessoas. Mas isso não impediu que os gritos invadissem o edifício e pudessem ser ouvidos com clareza.

Na sala do superintendente, Rosalvo e Igor receberam Dirceu. Seria uma conversa para orientá-lo sobre a rotina da custódia e o comportamento que se esperava dele.

Os delegados não tiveram chance de falar.

— Olá, Dr. Rosalvo, Dr. Igor, como vocês estão?

— Bem, obrigado — responderam os delegados.

— Eu gostaria de dizer que vocês podem ficar tranquilos. Sou um preso bastante enquadrado. Eu tenho minha rotina e não vou criar problemas: tomo remédios regularmente e nos horários certos; faço ginástica diariamente; por questões de saúde, a minha comida tem que ser sem sal. Tem algum problema em ter muitos livros comigo?

— Não, absolutamente — respondeu Rosalvo.

— Ótimo, eu gosto muito de ler.

Simples assim: o próprio preso recitou a cartilha.

Naquela noite, Luciano Flores passou os olhos pelo noticiário a respeito da prisão de Dirceu. Uma notícia chamou sua atenção. O PT havia realizado naquele dia uma reunião de sua executiva nacional. "Não estamos abandonando nenhum companheiro nosso", disse o presidente do partido, Rui Falcão, depois do encontro. Mas a nota divulgada oficialmente não mencionava Dirceu.

X. Feira livre

No começo de outubro de 2015, Érika Marena entrou na sala de Filipe Pace com uma expressão marota. Ela sorriu e entregou ao novato um volume com quatro pastas azuis — as famosas pastas azuis da Operação Lava Jato.

— O que tem aí? — ele perguntou.

— Eu espero que você me diga. Vamos ver se você é bom mesmo.

O delegado colocou as pastas sobre a mesa e tirou o elástico que as envolvia. A sensação era de um menino abrindo um presente. Ele queria passar os olhos rapidamente por cada uma das páginas. Se Pace havia entendido bem, ele deveria conduzir aquele inquérito. Seria seu trabalho mais importante desde que havia se juntado à equipe, em 22 de junho de 2015. Pace tinha 26 anos.

Os papéis diziam respeito a Zwi Skornicki, representante do estaleiro Keppel Fels, empresa de Cingapura que mantinha contratos com a Petrobras. Em junho, na ocasião da chegada de Pace a Curitiba, a PF já havia cumprido mandado de busca e apreensão na casa do investigado, durante a Operação My Way. Isso era tudo que Pace sabia.

Ele finalizou a primeira pasta, depois a segunda. Até ali, nada o havia intrigado. Na terceira pasta ele encontrou um documento — uma correspondência que Zwi havia recebido por Sedex. A remetente era Mônica Santana e o endereço era Rua Áurea, 36, São Paulo.

Pace procurou o endereço na internet. Na Rua Áurea havia funcionado a empresa Pólis Propaganda e Marketing. Mônica Santana era, na verdade, Mônica Moura, mulher do marqueteiro João Santana, responsável pelas campanhas do PT.

Dentro do envelope havia um contrato que deveria servir de modelo para que Zwi redigisse documento semelhante. O contrato havia sido celebrado entre a empresa Shellbill Finance S.A., de propriedade de Mônica, e outra empresa cujo nome e endereço ela havia rabiscado com uma caneta. Conforme constava no bilhete com instruções para o operador, tinha sido uma precaução "por motivos óbvios".

Só de bater os olhos já dava para perceber que Mônica não havia feito um bom trabalho ao rabiscar o nome. Pace destacou a página e a colocou contra a luz. Conseguiu ler perfeitamente. A empresa cujo nome havia sido encoberto era a Klienfeld Services INC.

Aquele nome já havia surgido na operação? Pace consultou o banco de dados da Lava Jato e lá estava: Klienfeld, uma offshore da Odebrecht, usada para pagar propina no exterior.

A primeira descoberta de Pace, se confirmada, mostraria que João Santana já havia recebido dinheiro no exterior de uma offshore da Odebrecht e pretendia usar o mesmo artifício para receber do estaleiro Keppel Fels, representado por Zwi Skornicki. O que unia as duas empresas, a construtora e o estaleiro, era o vínculo com a Petrobras.

Por seus contratos com a Petrobras, as empresas haviam pago João Santana?

Dinheiro da Petrobras tinha sido desviado para pagar o marqueteiro do PT?

Era uma equação que Pace pretendia resolver até o final.

Pace teve vontade de correr até a sala de Érika. Ela diria que até ali havia sido fácil, e ele responderia:

— Ok, foi fácil, mas também foi feito em um piscar de olhos.

Aconteceu exatamente desse jeito.

Mas Érika também indicou o próximo passo.

Mônica havia sugerido "duas opções" para que Zwi fizesse os depósitos. Um banco em Londres e outro em Nova York. Tanto Érika quanto o procurador Deltan Dallagnol tinham ótimos contatos no Departamento de Justiça dos Estados Unidos. Pace poderia pedir ajuda americana para rastrear as movimentações da empresa Shellbill.

A Delegacia de Repressão a Crimes de Informática (DRCI) era a autoridade da Polícia Federal em Brasília para pedidos de troca de informação internacional. Pace correu com a documentação e enviou ao DRCI as petições já redigidas em inglês. Em 12 de outubro de 2015, ele despachou o pedido. A equipe em Brasília prometeu que daria andamento ao processo o mais rápido possível.

Nesse ínterim, Dallagnol apresentou Pace aos seus contatos americanos. O delegado pediu a mesma presteza e foi bem recebido.

Enquanto a resposta não chegava, Pace continuou investigando.

Ao pesquisar o endereço da offshore que Mônica havia rabiscado no contrato, Pace descobriu que um banco de Antígua e Barbuda, o Antigua Overseas Bank (AOB), havia funcionado no local até 2010, quando fechou. O AOB tivera três representantes no Brasil, que haviam feito operações e mantido sociedade com funcionários da Odebrecht.

Os ex-representantes do banco eram Vinicius Veiga Borin, Luiz Augusto França e Marco Pereira Bilinski.

Do lado da Odebrecht, apareceram os nomes de Luiz Eduardo da Rocha Soares, Fernando Migliaccio e Hilberto Mascarenhas Alves da Silva. Olívio Rodrigues Junior, dono de uma corretora, também estava envolvido no esquema com os executivos da empreiteira.

Os nomes não significavam nada para Pace. Ele pediu a quebra de sigilo do e-mail de todos eles.

Paralelamente, analisando o controle migratório da Polícia Federal, Pace descobriu que todos faziam viagens frequentes para os Estados Unidos e algumas vezes para o Panamá, principalmente Vinicius Veiga Borin e Fernando Migliaccio, que no segundo semestre de 2014 havia se mudado com a família para os Estados Unidos.

Em 28 de outubro de 2015, Pace começou a análise dos e-mails e ficou desapontado. Não havia nada que contribuísse com a investigação. Ainda assim, ele insistiu no monitoramento das mensagens. E, como a sorte parecia estar trabalhando a favor do bisbilhoteiro, um pequeno e sútil detalhe colocou um holofote no fim do túnel.

Em 4 de novembro, Fernando Migliaccio, que usava o endereço "tumiguilim@terra.com.br", recebeu um e-mail com o assunto "BBQ Grills". A mensagem dizia respeito à compra de uma churrasqueira para a área de lazer de um condomínio residencial em Miami. A relação de todos os copiados estava aberta. No meio da lista relativamente longa e em letras pequenas, Pace encontrou: "Fernando Migliaccio (o.overlord@hotmail.com)". Mais um endereço eletrônico do executivo da Odebrecht.

O passo seguinte foi pedir a quebra do sigilo do e-mail recém-descoberto. Mas um problema inesperado surgiu: a Microsoft se negou a dar o acesso às mensagens de Migliaccio, alegando que o e-mail era usado nos Estados Unidos. Pace e o representante da Microsoft no Brasil passaram dias discutindo a situação.

Mas a sorte estava mesmo disposta a colaborar. Migliaccio passou pelo Brasil e, em terras brasileiras, usou a conta "o overlord", colocando em cópia o endereço que estava sendo monitorado pela PF. Não havia mais argumento: a conta não era de uso exclusivo nos Estados Unidos.

Enquanto aguardava que a empresa americana concluísse a burocracia de liberação do acesso, Pace intimou os três ex-representantes do Antigua Overseas Bank para depor. Antes de comparecerem, o advogado Hugo Leonardo argumentou que eles não tinham nada a ver com os negócios do AOB; eles só haviam sido representantes do banco no Brasil e não tinham com o que contribuir. Pace concordou em, inicialmente, ouvir apenas Vinicius Veiga Borin, que lhe pareceu o mais importante deles.

Em 17 de dezembro de 2015, Borin, acompanhado de Hugo Leonardo, compareceu à sede da Polícia Federal. Nitidamente nervoso,

Borin atribuiu a um hobby, uma paixão compartilhada por ele e por Migliaccio, a amizade e as constantes viagens internacionais: "colecionar carros antigos".

Pace usou o seu melhor figurino de bom moço.

— O senhor tem certeza de que esta é toda a verdade? — falou em tom de brincadeira. Borin se esforçou para dar um sorrisinho, mas o nervosismo não permitiu. Era nítido que estava mentindo. E enquanto Borin mentia, Pace pensou: *Qualquer dia desses vou prender você.*

* * *

João Santana e Mônica Moura também tinham os e-mails monitorados. As mensagens de Santana revelavam um homem influente, com estreita ligação com o governo, com o PT, com Lula e com autoridades de países da América Latina e da África.

Em uma das mensagens José Manuel de la Sota, ex-governador da província de Córdoba, na Argentina, pedia uma reunião reservada com o ex-presidente Lula. De la Sota fechava o e-mail dizendo: "Macri me ofereceu ser chanceler, não aceitei. Ele me ofereceu para ser embaixador nos EUA, não aceitei. E ele me ofereceu para ser embaixador no Brasil, não aceitei. Vou tentar reconstruir o peronismo no prazo de quatro anos."

Um ex-governador argentino, um ex-presidente brasileiro, um marqueteiro e o pedido de uma reunião reservada para tratar de políticas do país vizinho. E, ao que tudo indicava, pelas costas do recém-eleito presidente da Argentina, Mauricio Macri, um político da direita liberal que em nada tinha relação com o populismo peronista, que José Manuel queria reconstruir. Pace nem tentou imaginar o que poderia ser tratado na reunião. Era demais para aquele momento.

As mensagens também mostravam um João Santana com medo. Medo da Lava Jato. O marqueteiro estava preocupado com a repercussão de reportagens que vinham sendo veiculadas sobre o seu envolvimento no esquema de propina da Petrobras. Em 7 de novembro, a revista *Veja* publicou um artigo com o título "João Santana, o marqueteiro do PT, entra na mira da Lava Jato". Depois disso, Santana procurou descobrir se havia algo mais com que se preocupar. No PT, sondou o companheiro Rui Falcão, presidente da sigla. Queria saber, também, como estava a repercussão em Brasília. Sondou Thomas Traumann, ex-ministro da Secretaria de Comunicação Social do governo Dilma Rousseff. O ex-ministro o acalmou. O marqueteiro contratou uma empresa para monitorar o que a imprensa estava veiculando sobre ele.

Entre novembro e dezembro de 2015, Pace ficou na cola do casal de marqueteiros, dos ex-representantes do Antigua Overseas Bank, dos executivos da Odebrecht enrolados com a turma do AOB, principalmente Fernando Migliaccio. E, o mais importante, aguardou ansiosamente os dados das movimentações bancárias das offshores Shellbill e Klienfeld e a caixa de e-mail da conta o.overlord.

A equipe da Lava Jato tinha experiência para saber que do inquérito de Zwi Skornicki deveriam sair cobras, lagartos e sabe-se lá mais o quê.

Depois do chá Dilmah, Márcio havia feito mais uma descoberta extraordinária: um chá com a marca Odebrecht, de algum país distante do Oriente. Perto do final do ano, ele levou uma xícara de chá para a sala de Pace.

— Então é isso, não é? Você está espalhando gasolina para todo lado e depois vai sair de lua de mel.

— Ele acha que eu vou assumir — disse Renata, que se sentava ao lado de Pace. — Eu já avisei: só depois que você voltar de férias.

— Duvido que vocês me esperem, se as provas estiverem caindo de maduras na mesa de vocês.

Era verdade. Com Pace ou sem Pace, os marqueteiros seriam presos se as provas assim mandassem. E elas mandaram.

Na sexta-feira, 22 de janeiro de 2016, as autoridades norte-americanas enviaram para o DRCI em Brasília os documentos sobre as movimentações das contas do casal no exterior. Na segunda-feira, 25 de janeiro, Pace estava com os documentos.

Os dados bancários revelaram que a offshore Shellbill Finance S.A., de Mônica Moura e João Santana, havia recebido através da conta correspondente do Citibank North America, Nova York, o valor total de 3 milhões de dólares. O dinheiro havia sido repassado em quatro operações, sendo três da Klienfeld e uma da offshore Innovation Research and Engineering Ltda., ambas da Odebrecht.

E havia também depósitos feitos por Zwi Skornicki e seu filho, Bruno Skornicki, na conta aberta em nome da offshore Shellbill. Para tanto, foi usada a mesma conta correspondente do Banco de Nova York. Zwi repassou 4,5 milhões de dólares em nove operações de 500 mil dólares cada.

O primeiro depósito ocorreu em setembro de 2013, cinco meses depois de Mônica Moura ter enviado a correspondência contendo o contrato modelo e o bilhete com instruções para Zwi.

Os documentos enviados pelo Departamento de Justiça dos Estados Unidos eram provas irrefutáveis e justificaram que, em 29 de janeiro de 2016, Pace entrasse com o pedido de prisão de Mônica Regina Cunha Moura, João Cerqueira de Santana Filho e Zwi Skornicki.

Aqueles eram realmente dias eletrizantes.

Em 1º de fevereiro, apenas dois dias depois de os pedidos de prisão terem sido enviados ao juiz Sérgio Moro, e exatamente uma semana após receber as informações dos Estados Unidos, a Microsoft liberou o monitoramento da conta o.overlord@hotmail.com. Ou, em bom português, o.senhorsupremo@hotmail.com.

Pace fez o que a ansiedade o obrigava a fazer: abriu o arquivo e correu os olhos rapidamente pelas páginas que foram descendo pela tela de seu computador com as inúmeras mensagens enviadas e recebidas por Fernando Migliaccio, o misterioso funcionário da Odebrecht. De repente, ele captou um nome que fez com que parasse de rolar as páginas. Ele cerrou o punho e bateu na mesa.

Vinicius Veiga Borin, o mentiroso assustado que havia prestado depoimento em 17 de dezembro de 2015, participava, sim, do esquema de corrupção da Odebrecht.

"Vini", como era chamado por Fernando Migliaccio, fazia as movimentações entre as offshores, mandando a dinheirama para as contas no exterior indicadas pelo funcionário da Odebrecht. As operações passaram a ser feitas através do Meinl Bank, depois do fechamento do Antigua Overseas Bank.

Mais à frente, Pace encontrou um anexo interessante em uma das mensagens. Uma planilha nomeada "POSICAO — ITALIANO310712.MO.xls".

Pace ligou para a sala de Inteligência. O agente Gabriel atendeu.

— Dá uma olhada numa planilha que vou enviar para você. Veja o que você consegue descobrir.

Gabriel buscou ajuda de um perito que, através da análise dos metadados, descobriu que a planilha havia sido elaborada por alguém que se intitulava "luciaT".

Mas "luciaT" não queria dizer nada para o delegado.

Pace pegou sua bolinha e começou a arremessar na pequena cesta de basquete fixada em uma das paredes de sua sala. Arremessava a bola enquanto repetia:

— LuciaT, luciaT, luciaT...

Uns vinte arremessos depois, com quase 100% de erro, ele desistiu e voltou ao computador.

— Azar no jogo, mas sorte na investigação. Assim espero.

Ele arriscou uma consulta ao banco de dados da Polícia Federal. Pesquisa: "luciaT".

Resposta: luciat@odebrecht.com.br

Era Maria Lucia Guimarães Tavares. A funcionária da Odebrecht havia tirado passaporte e deixado seu e-mail funcional no cadastro da Polícia Federal.

Nos e-mails surgiam codinomes como JD, Menino da Floresta, Prédio (IL), Programa OH, Amigo, Itália, Pós Itália e Feira.

Era razoável supor que JD fosse José Dirceu e Prédio (IL), Instituto Lula, mas, fora isso, nenhum outro nome sugeriu nada.

Pace releu os codinomes pela enésima vez. A Lava Jato exigia que eles registrassem na memória o máximo possível sobre tudo o que liam e ouviam, não importava onde e quando. Tudo poderia se cruzar, se explicar, se complementar.

Ele teve um estalo. Lembrou-se de que havia lido alguma coisa sobre "Feira" na internet.

E de fato encontrou na internet notícias dizendo que Feira era o codinome usado por Marcelo Odebrecht para referir-se a João Santana. Fazia todo o sentido. Ele ligou para a sala de Inteligência, queria falar com Prado. O agente era um dos que haviam trabalhado na análise dos dados do celular de Marcelo Odebrecht. Prado não precisou pensar duas vezes para responder.

— Sim, o Marcelo mencionou pagamento feito para um tal de Feira. Já está no e-Proc. Mas espera que eu mando para o seu e-mail.

Talvez aquele fosse o momento de fazer um intervalo e organizar, ainda que mentalmente, o que Pace já tinha diante de si. Mas ele não conseguia parar de analisar cada linha das mensagens do o.overlord. A caixa de e-mail era uma mina de ouro.

Além da Klienfeld, Fernando Migliaccio utilizava a offshore Construtora Internacional Del Sur S.A., também da Odebrecht. O nome da offshore já havia surgido na investigação. Precisamente, na delação de Pedro Barusco. O ex-diretor da Petrobras havia dito — e apresentado provas — que a Del Sur tinha feito depósitos em suas contas no exterior.

205

Diante das novas evidências, Pace precisava ampliar o alcance da operação que seria deflagrada.

Um passo importante estava sendo dado na direção da Odebrecht. Detalhes do modo de operar da empreiteira começavam a ficar mais claros.

Pace estava alucinado com todas aquelas provas. Entrou sem bater na sala do coordenador da Lava Jato. Érika estava lá com Igor.

— Nós vamos ter que correr para entrar com outros pedidos de prisão e buscas.

— Olha isso, Igor. Ele está se divertindo mesmo!

Pace sorriu enquanto ajeitava a tela do seu notebook para que os dois delegados conseguissem ver.

Érika e Igor foram contagiados pelo mesmo entusiasmo. Sabiam que tinham acabado de colocar o pé dentro do submundo criminoso da maior empreiteira do país.

— Temos que prendê-los todos juntos: marqueteiros, lavadores de dinheiro e executivos da Odebrecht!

Cinco dias depois de ter recebido a caixa de e-mails do o.overlord, Pace abriu o e-Proc e elaborou um documento para o juiz Sérgio Moro:

Curitiba, 5 de fevereiro de 2016.

OPERAÇÃO LAVA JATO
URGENTE
SIGILOSO

Assunto: Representação por medidas cautelares — aditamento

O documento apresentava provas que embasavam novos pedidos de prisão, além dos já enviados em 29 de janeiro. Desta vez, incluía os envolvidos na operação de repasse de propina da Odebrecht — Fernando Migliaccio da Silva, Benedicto Barbosa da Silva Junior, Maria

Lucia Guimarães Tavares, Vinicius Veiga Borin — e nova prisão preventiva para Marcelo Bahia Odebrecht.

Sérgio Moro deferiu todos os pedidos.

* * *

Hora de batizar a operação. Igor sugeriu e a equipe aprovou: Acarajé.

Acarajé era a palavra usada por alguns acusados para se referir a dinheiro vivo.

Hora de marcar a data da deflagração.

A equipe tinha dois pontos importantes para levar em consideração. O primeiro era o casamento do pai da Operação Acarajé. O casamento no civil seria no dia 25 de fevereiro, mas Pace não abria mão de participar da deflagração.

— O filho é meu! — repetia.

O segundo ponto a considerar eram as constantes viagens dos principais alvos.

João Santana e Mônica Moura estavam fora do Brasil. Os analistas monitoravam dia e noite a sua comunicação, na expectativa de identificar a data do seu retorno. Finalmente, haviam captado uma compra de passagens de volta para a noite de 20 de fevereiro, um sábado. A data coincidia com a despedida de solteiro do pai da 23ª fase. A deflagração foi marcada para a segunda-feira seguinte, dia 22.

E havia outro alvo sensível: Fernando Migliaccio. O executivo da Odebrecht havia se mudado para os Estados Unidos com a família no segundo semestre de 2014, após a Lava Jato se aproximar das empreiteiras. A construtora havia ajudado com a compra do imóvel, a emissão de documentos e o pagamento de despesas gerais relacionadas à mudança. Tirar o executivo do país era uma maneira de blindá-lo.

Mas, em 17 de fevereiro, uma notícia inesperada chegou da Suíça: Fernando Migliaccio havia sido preso.

A informação pegou a Lava Jato de surpresa. A prisão de Migliaccio era ao mesmo tempo uma ótima e uma péssima notícia. Saber onde ele estava ajudava. Contudo, não havia como garantir que ele não obtivesse um *habeas corpus* das autoridades suíças.

A solução seria pedir à Interpol que incluísse o nome de Migliaccio em sua lista de procurados, mas em caráter sigiloso. Dessa forma, caso Migliaccio buscasse saber se seu nome estava na lista não teria nenhuma informação, mas, se tentasse viajar, seria preso no momento em que apresentasse o passaporte.

Pace não perdeu tempo. Ele enviou os documentos para que Sérgio Moro autorizasse a inclusão de Migliaccio na difusão vermelha. À meia-noite do dia 19, o juiz deferiu o pedido.

A partir dali era torcer para que nada do que havia sido planejado saísse do lugar. Migliaccio deveria continuar preso, ou seria capturado se, em liberdade, tentasse viajar. Os marqueteiros deveriam voltar ao Brasil na data prevista. A Lava Jato entrou em contagem regressiva até a segunda-feira, dia da deflagração.

No sábado, pelo menos durante o dia, nenhum fato novo aconteceu. Seria preciso esperar a noite para confirmar a presença do casal Santana no voo para o Brasil.

À noite, Pace foi para sua despedida de solteiro. Entre uma piada da turma e um gole de cerveja, checava o WhatsApp, esperando a mensagem que confirmaria o embarque dos dois. Seus amigos, muitos deles desde a infância, lhe diziam para largar o celular. Ele não podia dizer nada sobre a operação, e tampouco conseguia desligar.

As horas foram passando. Pace não aguentou mais esperar e ligou para a sala de Inteligência. Foi Márcio Anselmo quem atendeu.

— Deu merda, cara.

João Santana e Mônica não haviam embarcado.

Os copos de cerveja, que haviam sido muitos, ajudaram a amortecer o baque. Pace tentou disfarçar a raiva e a frustração. Não seria mais possível adiar a operação. Um efetivo grande já estava mobilizado. Seria preciso seguir em frente e alcançar o casal por outro caminho. Mas, entre a segunda-feira e a prisão de ambos, haveria tempo e oportunidade para que eles dessem fim a documentos que os incriminassem.

No domingo, Migliaccio continuou preso. Um problema a menos.

Enfim, a segunda-feira chegou. A 23ª fase da Lava Jato estava oficialmente deflagrada.

A Operação Acarajé nasceu turbinada com 51 mandados: 38 de busca e apreensão, dois de prisão preventiva, seis de prisão temporária e cinco de condução coercitiva.

Desde as 5 horas daquela manhã, Pace, Igor e os agentes acompanhavam a movimentação e o resultado das diligências de dentro da sala de Inteligência.

Era uma operação grande, a primeira presidida por Pace. A ausência dos marqueteiros não impediu que os mandados de busca e apreensão fossem cumpridos em endereços ligados a eles.

Mas Pace tinha um segundo núcleo importante com o qual se preocupar: os funcionários da Odebrecht e a oportunidade de descobrir fatos ligados à engenharia dos crimes.

A Polícia Federal cumpriria novos mandados de busca nos escritórios da Odebrecht em São Paulo, no Rio de Janeiro e na Bahia.

Particularmente Maria Lucia Tavares e a planilha "Posição-Italiano" instigavam a curiosidade não só dele, mas de todos no núcleo duro.

Ainda não eram 7 horas quando uma mensagem no grupo do WhatsApp fez com que todos se esquecessem completamente do casal de marqueteiros.

Às 6 horas, o agente Stoffels já havia feito um contato para informar que tinham entrado na casa da suspeita LuciaT, em Salvador. Uma hora mais tarde, ele tinha muito mais o que mostrar: fotos do primeiro documento apreendido na casa da funcionária da Odebrecht, a impressão de uma tela de computador.

O documento era autoexplicativo. Tratava-se de uma ordem de pagamento de 1 milhão de reais. O dinheiro seria entregue em um

209

flat do bairro de Moema, em São Paulo. Havia uma senha para identificar o receptor no momento em que a entrega fosse feita: Legumes. O beneficiário era Feira. A ordem vinha de MBO — iniciais de Marcelo Bahia Odebrecht.

— Olha só a data do pagamento, 13 de novembro de 2014 — disse Igor. Era justamente a véspera da 7ª fase, a Operação Juízo Final.

— Oito meses depois do início da Lava Jato e os caras continuaram distribuindo propina — acrescentou Márcio Anselmo, irritado, mas não surpreso.

Pace não tirava os olhos do papel. Uma pergunta ficava no ar: o que significaria o PAULISTINH escrito no campo "Cta Bancaria"? A resposta ficaria para depois.

O segundo documento que eles analisaram não era idêntico ao anterior, mas continha o mesmo tipo de informação. Uma diferença: em vez do registro de um repasse, havia a indicação de sete pagamentos para "Feira".

Pace sorriu.

— Quando LuciaT chegar, vamos ver o que ela tem a nos dizer sobre essa papelada e sobre Feira.

As buscas nos endereços de pessoas ligadas à Odebrecht no Rio de Janeiro também estavam fazendo bonito.

A equipe de analistas havia levantado a identidade de grande parte dos interlocutores de Fernando Migliaccio nas trocas de mensagens do e-mail o.overlord. Um deles era Benedicto Barbosa da Silva Junior — o BJ — presidente da Odebrecht Infraestrutura.

Além do endereço residencial do executivo, os analistas haviam identificado um imóvel ligado a ele, localizado no Rio de Janeiro, na Rua Miguel Lemos nº 44, sala 703. O escritório estava fechado, não havia nenhuma atividade no local. Mas os policiais encontraram uma caixa gigantesca que era guardada lá.

A caixa era um arquivo com inúmeras tabelas e planilhas com nomes de políticos e outras tantas anotações manuscritas. Nelas havia menções aos principais partidos do país, tanto da base aliada quanto da oposição, associando-os a repasses ilegais feitos pela Odebrecht. Fora isso, dezenas de nomes de políticos. E muitos pen drives.

Eram registros de anos de pagamento de propina guardados em uma sala fechada. Os delegados não sabiam se deveriam descrever o achado como sinistro ou maravilhoso.

Enquanto na sala de Inteligência as provas brotavam, a defesa dos marqueteiros informou ao juiz Sérgio Moro que seus clientes já haviam providenciado o retorno imediato ao Brasil e se entregariam às autoridades assim que desembarcassem. O advogado Fabio Tofic negou que João Santana e Mônica Moura tivessem desistido de viajar porque sabiam que seriam presos.

* * *

Na terça-feira, 23 de fevereiro, a agitação era praticamente a mesma do dia anterior. Pela manhã, o voo de Punta Cana trazendo os marqueteiros e Fabio Tufic, advogado do casal, pousou pouco depois das 9 horas no aeroporto internacional de São Paulo. O agente Gabriel os recebeu e pediu que entregassem os eletrônicos — celular e notebook. Mas o advogado disse que nada pertencia aos clientes, era tudo dele. Gabriel não apreendeu nada.

Eram essas as manobras que a Polícia Federal tentava inibir quando uma operação era deflagrada. Por isso o sigilo, por isso cobrir todos os alvos às 6 horas da manhã.

Eles foram levados no avião da Polícia Federal a Curitiba. Aterrissaram por volta das 11h30 e a polícia os encaminhou à sede da PF. Pace observou sua chegada. Eles tentaram, desesperadamente, demonstrar que a prisão não os afligia. Ambos sorriam. O sorriso de Mônica Moura era largo, e ela mascava chiclete eletricamente. O sorriso de João Santana, irônico. Se eles continuariam sorrindo depois de serem apresentados às provas em poder da Polícia Federal, o tempo diria.

Pouco mais tarde, o agente Stoffels chegou de Salvador. Trazia consigo LuciaT e algumas novidades extraordinárias.

— Não sei exatamente se foi o constrangimento causado pela prisão que fez a mulher desmoronar ou se ela realmente foi sincera — disse Stoffels. — O fato é que durante o voo ela abriu o coração. Ela disse que estava muito arrependida. Sabia que tudo que estava fazendo era muito errado.

Stoffels ficou em silêncio e deixou que a mulher falasse. Ela precisava de um ombro amigo e ele era todo ouvidos.

— Eu não aguentava mais. Estou até aliviada — disse LuciaT. — Eu quero colaborar. Quero negociar minha delação.

Agora, a Polícia Federal tinha documentos valiosos apreendidos e, se realmente LuciaT quisesse colaborar, Marcelo Odebrecht deveria se preparar para uma temporada ainda maior na cadeia.

LuciaT se mostrou uma mulher de palavra. Se alguém não havia levado a sério o que o agente Stoffels dissera, lá estava ela para provar o contrário.

A primeira conversa, que os delegados tiveram com ela para avaliar o potencial que um acordo teria para a investigação, foi um verdadeiro *strike*.

Maria Lucia Guimarães Tavares trabalhava na Odebrecht desde 1977 e o que estava disposta a contar pagaria cada dia de redução de sua pena pelos crimes em que teve participação. Suas revelações exigiriam a criação de uma nova fase — mas, dessa vez, Pace não teria a paternidade. Depois da deflagração da 23ª fase, ele se afastaria por algum tempo da Lava Jato. A delegada Renata, aquela que semanas antes havia dito que não tocaria os inquéritos do colega, assumiria com muito gosto as investigações.

No sábado, 27 de fevereiro de 2016, a equipe da Lava Jato se reuniu para brindar ao casamento de Pace — e a tudo que ele havia realizado nas últimas semanas.

XI. Ele não sabia de nada

— Eu estou esperando segunda-feira a operação de busca e apreensão na minha casa, do meu filho Marcos, do meu filho Sandro, do meu filho Claudio... Eu vou pensar amanhã se convoco alguns deputados para surpreendê-los...

Lula estava enganado.

Às 22h34 do sábado, 27 de fevereiro, ele e o presidente do PT, Rui Falcão, haviam conversado por telefone durante pouco menos de quatro minutos. A segunda-feira à qual Lula se referia era a última segunda-feira do mês, dia 29 de fevereiro de 2016.

Ele errou, mas passou perto.

Na madrugada da sexta-feira, 4 de março de 2016, quatro dias depois do que Lula havia previsto, duas viaturas blindadas e descaracterizadas da Polícia Federal estacionaram em frente ao Hospital ABC em São Bernardo do Campo, a poucos metros da entrada do edifício, onde seria cumprido o mandado de condução coercitiva.

Mas os policiais federais não estavam sozinhos. Do outro lado da rua, em frente ao apartamento do ex-presidente, dois carros com profissionais da imprensa faziam vigília 24 horas por dia, desde que boatos sobre uma possível operação envolvendo Lula haviam se espalhado.

Eles não perceberam a chegada da diligência.

Um micro-ônibus passou lentamente em frente ao hospital. O motorista olhou para a equipe de policiais que saltava dos carros e fez um cumprimento quase imperceptível com a cabeça, que foi igualmente retribuído. Alguns metros depois, estacionou e desligou o motor. Nada se movia dentro do veículo, que permaneceu com luzes apagadas e em total silêncio.

Algumas fases da Operação Lava Jato haviam exigido cuidados adicionais àqueles previstos no protocolo padrão. Mas nada que pudesse ser comparado à 24ª fase e seu alvo extraordinariamente sensível: Luiz Inácio Lula da Silva.

Dentro do micro-ônibus, com vidros escuros, oito homens do Comando de Operações Táticas (COT) estavam equipados com armamento para combate a distúrbio civil, o que significava dizer que eles não tinham em seu poder munição letal.

Os homens do COT recebiam treinamento além do convencional. A preparação de um policial do COT incluía operações aéreas e anfíbias, técnicas para pilotar aeronaves, trens, embarcações e tudo o que se movesse. Também fazia parte do treinamento o preparo para lidar com extrema pressão psicológica, incluindo privação de sono e de alimentação. Nenhum policial do COT jamais havia sido abatido em uma missão. O poder letal de cada um dos homens que estava dentro do micro-ônibus era equivalente ao de dez policiais que passaram por treinamento padrão. E, o que era mais importante para aquela operação, eles possuíam técnicas para enfrentamentos sem o uso de armas de fogo.

A presença incomum da unidade de elite da Polícia Federal em uma diligência da Lava Jato se justificava. O Núcleo de Inteligência Policial (NIP) havia alertado para a necessidade do apoio da força, não utilizada nas 23 fases anteriores da Lava Jato.

O discurso dos companheiros petistas, alguns deles incitando o uso da violência, era uma das razões para a presença do COT.

Assim falou Vagner Freitas, presidente da CUT, ao comentar as manifestações favoráveis ao impeachment de Dilma Rousseff:

— Vamos pras ruas entrincheirados, com armas na mão, se tentarem derrubar a presidenta Dilma Rousseff.

— Qualquer tentativa de atentado à democracia, à senhora ou ao presidente Lula, nós seremos um exército que vai enfrentar a burguesia nas ruas.

A fala foi seguida pelo petista Élio Brasil, presidente da Câmara de Vereadores de Porto Seguro, que enviou mensagem para grupos do WhatsApp:

— Se for preciso, pegaremos em armas para defender a democracia e o governo eleito democraticamente pelo povo.

Além das bravatas dos companheiros, o NIP tinha fortes indícios de que até 2 mil homens haviam sido mobilizados e, liderados pela Central Única dos Trabalhadores, estavam alojados em um espaço próximo ao prédio do ex-presidente, com o objetivo de invadir o local e não permitir que Lula fosse levado preso ou para depor.

Homens do COT também haviam sido deslocados para outros endereços relacionados ao petista: Instituto Lula, sítio em Atibaia e residência de seus filhos. Mas eles só sairiam dos micro-ônibus em caso de extrema necessidade; do contrário, continuariam incógnitos.

Luciano Flores, o delegado que havia prendido José Dirceu, estava no comando. O temperamento calmo o credenciava para a diligência que tinha Lula como alvo. Fisicamente, o delegado poderia ser descrito com as mesmas características do coordenador da Lava Jato: alto, pele clara, cabelos pretos, olhos escuros. Mas nada disso era importante, obviamente. O que realmente interessava era aquele temperamento sereno impossível de se alterar.

O uniforme preto da PF — incluindo o colete à prova de balas e a arma guardada no coldre — havia sido substituído por terno e gravata. Dentro dos bolsos, spray de pimenta e gás lacrimogênio.

A deflagração fora antecipada para as 5 horas, uma hora antes do habitual. A rotina do alvo havia sido desenhada com cuidado. Lula costumava sair antes das 6 horas para ir à academia.

Em frente ao hospital, os policiais estavam em alerta, monitorando a entrada do edifício. Às 5h20, uma pessoa abriu o portão do prédio e saiu. As equipes da imprensa se movimentaram, os policiais também, mas não era ninguém ligado ao alvo. Dez minutos depois, um carro se aproximou, era a equipe de segurança de Lula que iria acompanhá-lo até a academia. O delegado e os agentes se aproximaram.

— Polícia Federal — disse Luciano. Os seguranças arregalaram os olhos, mas não esboçaram nenhuma outra reação.

Os policiais mostraram o mandado para a equipe da portaria.

— Nós vamos entrar pela garagem para não chamar atenção.

O portão foi aberto. O agente Prado mandou uma mensagem para Gabriel: "deflagrar". Então, a segunda equipe, que estava estacionada em uma rua paralela, saiu em velocidade. Vinte homens estavam envolvidos na operação, que incluía agentes da Receita Federal.

Naquele momento os jornalistas já haviam descoberto a ação. Em minutos, a notícia estaria em todos os lugares.

Na base em Curitiba, Igor e Márcio Anselmo estavam no apoio. Em Brasília, Leandro Daiello também acompanhava.

O primeiro grupo de policiais e os seguranças subiu pelo elevador de serviço. Como sempre, alguns deles levavam câmeras presas ao corpo, para documentar ações sensíveis. Uma precaução para eventual defesa contra falsas acusações, como as de uso de violência ou abuso de sua autoridade. Paulo Roberto Costa havia tentado essa estratégia, apenas para ser desmentido pelas imagens.

O próprio Lula abriu a porta, sem que a campainha fosse tocada. "Bom dia", disse o ex-presidente, com a voz grossa própria de quem acaba de acordar. O semblante carregava uma mistura de incredulidade, indignação, raiva e medo.

— Bom dia, senhor Luiz. Eu sou o delegado Luciano Flores da Polícia Federal. É um prazer conhecê-lo pessoalmente.

A equipe atravessou a cozinha que estava bastante iluminada e chegou à sala. À direita de quem entrava, ficava o ambiente de jantar. À esquerda, sofás e poltronas com almofadas e uma televisão de tela plana. Os delegados percorreram o espaço com os olhos, enquanto Lula caminhava até o terraço. Ele olhou para baixo e para os dois lados da rua, como se estivesse procurando por alguma coisa. Na volta à sala, o ex-presidente, que já estava vestido em roupas de ginástica, pediu para que o segurança desmarcasse o horário com seu personal trainer.

216

Flores entregou ao ex-presidente o mandado de condução coercitiva.

Lula parecia não saber bem o que fazer, estava inquieto. Ele se sentou à cabeceira da mesa retangular, sobre a qual repousavam uma passadeira vermelha de crochê e um vaso com flores meio murchas. Colocou os óculos, passou os olhos pelas folhas que compunham o documento e, então, começou a ler.

Em seu despacho, o juiz Sérgio Moro afirmava que a condução coercitiva era necessária porque, em 17 de fevereiro de 2016, militantes políticos haviam provocado um tumulto em frente ao Fórum Criminal da Barra Funda, em São Paulo, onde Lula havia sido chamado a depor em uma ação sobre a compra de um apartamento tríplex no Guarujá, movida pelo Ministério Público paulista. E em 29 de fevereiro, novamente convocado, o ex-presidente divulgou uma nota pelo Instituto Lula informando que não compareceria ao depoimento marcado para 3 de março.

— Isso é um absurdo!

Os policias observavam em silêncio. Com exceção a Lula, todos estavam em pé, aguardando que ele finalizasse a leitura.

— Foi o filho da puta do Ministério Público! Estou agora o indignado dos indignados dos indignados. Eu estou preso?

— Não, senhor Luiz — respondeu Luciano Flores.

— Lógico que estou preso! Vocês batem à minha porta às 6 horas da manhã com toda essa gente, como é que não estou preso?

Luciano Flores explica, falando com voz baixa e pausada:

— Isso se chama condução coercitiva.

— Isso se chama filhadaputice do Ministério Público!

A partir daquele momento, a irritação de Lula foi ficando mais e mais evidente. Ele andou de um lado para outro da sala e novamente caminhou até a sacada. Mais uma vez, checou a movimentação na rua. Percebeu que os homens comandados pela CUT não estavam lá. Ele passou a mão na cabeça, não escondendo o nervosismo e a frustração.

Marisa desceu a escada em caracol que dava acesso ao piso superior, carregando em um dos braços alguma coisa coberta com o que parecia ser um pano de prato. Perguntou o que estava acontecendo e, ao ser informada, disse:

— Eu vou junto.

Mas Marisa Letícia, obedecendo à determinação de Moro, não seria levada. A PF tomaria o seu depoimento no apartamento.

O ex-presidente se mostrou impaciente, subiu o tom e falou em voz alta.

— Eu não vou a lugar nenhum. Só saio daqui algemado.

— Senhor Luiz, o senhor leu os documentos, não haverá nenhuma algema.

— Moraes, liga pro Teixeira.

Valmir Moraes da Silva, tenente do Exército e coordenador de segurança do ex-presidente, tinha sido avisado por um dos seguranças da presença da polícia no apartamento e já estava na sala. Ele ligou para Roberto Teixeira, compadre e advogado de Lula.

A conversa não foi ouvida pelos policiais. Enquanto falava, Lula, pela terceira vez, caminhou até o terraço e olhou para a rua.

Quando voltou à sala, estava praticamente aos gritos. Ao que tudo indicava, seu advogado lhe havia dito que ele teria de depor, pois era uma decisão judicial.

— Decisão é o caralho! Ou eu vou de livre e espontânea vontade ou eles me prendem, me algemam e vamos ver o que vai ser desse país.

Roberto Teixeira disse alguma coisa e Lula escutou em silêncio.

Os policiais continuaram impassíveis. Luciano Flores checou a hora. Eles não poderiam esperar eternamente para sair do local. A possibilidade da chegada dos militantes petistas era real e deveria ser evitada.

Lula finalizou a ligação e entregou o celular a Moraes.

— Quero saber quando essa porra acabar quem vai me pagar o prejuízo — disse ele, já se encaminhando para a escada que dava acesso ao andar superior.

218

— Senhor Luiz, me desculpe, mas nós temos que acompanhar o senhor.

Moraes se antecipou e subiu a escada antes dos dois agentes. Ela dava acesso a um closet repleto de armários.

Gabriel, que só havia subido ao apartamento com a segunda turma, uma vez que o elevador não comportava a totalidade da equipe, havia sido abordado por um morador na garagem. O homem cochichou:

— Olha, o apartamento do lado também é do Lula. Os dois apartamentos são dele, viu!

Os policiais perceberam que o morador havia falado a verdade. Dois apartamentos eram interligados no piso superior. No primeiro pavimento, a planta original havia sido mantida.

Blindado por Moraes, Lula entrou sozinho em um espaço ao fundo. Alguns instantes se passaram. Os policiais não podiam deixar o ex-presidente sozinho, o protocolo mandava que eles o acompanhassem e apreendessem o seu telefone celular. Prado o chamou:

— Senhor Luiz, por favor, o senhor não pode ficar sozinho.

Lula retrucou alguma coisa de dentro do quarto. Prado disse com firmeza:

— O senhor pode destruir alguma prova.

A frase fez com que Lula explodisse. Ele apareceu, ainda fechando o zíper da calça e afivelando o cinto.

— Vocês pensam que eu sou algum moleque? O que vocês estão pensando?

— Senhor Luiz, nós temos que cumprir um protocolo. Nós precisamos ir.

Todos desceram. Lula mudou a estratégia e passou a falar com ironia.

— Não trouxeram o japonês de Curitiba?

— Não.

— Ainda bem, capaz de ele roubar as minhas coisas...

Lula pegou os documentos novamente e voltou a ler, numa clara tentativa de ganhar tempo.

— Senhor Luiz, nós precisamos ir. Por favor, nos acompanhe.

219

Lula encarou os policiais por alguns segundos.

— Eu me considero preso.

— Eu vou no carro com o presidente — disse Moraes.

— Senhor Moraes, no mesmo carro que o ex-presidente o senhor não pode ir. Mas o senhor pode nos acompanhar. — O segurança concordou.

O grupo desceu para a garagem.

— Senhor Luiz, o vidros do carro são escuros, se o senhor se sentar bem atrás de um dos bancos, dificilmente o senhor será visto — recomendou Luciano Flores.

Lula concordou e todos entraram. Gabriel e Luciano na frente, Lula e Prado atrás.

Os homens saíram do edifício. Os jornalistas os seguiram.

Tudo havia sido planejado dias antes. Em determinado momento, as viaturas da Polícia Federal se dividiram em dois comboios. Um seguiu para a sede da Superintendência da PF, localizada na Lapa. O outro seguiu para o aeroporto de Congonhas.

A imprensa seguiu o comboio que estava indo para a Lapa.

Na sede da PF tudo havia sido preparado para fazer acreditar que haveria uma grande operação. Pátio e garagem foram esvaziados, carros caracterizados estacionados na frente da SR e uma fita de isolamento colocada.

Assim, o comboio em que estava o ex-presidente fez o seu trajeto incógnito. No caminho Lula ficou um tempo calado, depois voltou a fazer algumas provocações, principalmente relacionadas ao popularmente conhecido japonês da federal. O agente Newton Ishii havia sido acusado de facilitar a entrada de contrabando no país, pela fronteira do Brasil com o Paraguai, em Foz de Iguaçu, no Paraná.

* * *

Eram quase 7 horas quando os carros chegaram a Congonhas. Tudo estava tranquilo. O delegado Joel, chefe da delegacia da PF no aeroporto, estava a postos, esperando para escoltá-los. Nenhum carro poderia circular pelo interior do aeroporto sem que fosse escoltado por um veículo autorizado: o "follow me".

Os carros seguiram para o Pavilhão de Autoridades e estacionaram próximos a uma das entradas. Quando os ocupantes desceram, Joel pediu que agentes tirassem os carros de lá. Ele não queria chamar atenção.

Lula foi levado à sala reservada aos presidentes. Ali, tudo também já havia sido preparado, inclusive a instalação de uma máquina para imprimir o depoimento no fim da oitiva.

O grupo se acomodou na sala. A porta foi fechada.

Na antessala — espaço reservado a governadores e que dava acesso à sala presidencial — ficaram alguns agentes e o delegado Joel.

Depois de alguns minutos a porta se abriu. Luciano Flores queria saber o melhor local para que Roberto Teixeira, advogado de Lula, estacionasse. Joel indicou a entrada lateral do Pavilhão.

Mais alguns minutos se passaram e Joel recebeu uma ligação. Avisou aos agentes que retornaria em breve e saiu apressado em direção à delegacia da PF. Quando chegou, encontrou uma mulher, bem jovem, vestida com uma camiseta vermelha.

Boca fechada e olhos bem abertos, ela estava encarando os funcionários que por ali passavam e as duas moças que ficavam na recepção, que não deixava ver a parte interna da delegacia.

Joel também a encarou.

— Posso ajudá-la?

Ela sustentou o olhar por mais alguns segundos e depois, do mesmo jeito que apareceu, sumiu.

As funcionárias se entreolharam. Joel retornou ao Pavilhão, mas não esquentou o assento do sofá. Ele recebeu mais uma ligação. Desta vez, mais do que apressado, ele saiu em disparada.

A porta automática da entrada da delegacia se abriu. Um homem falava aos berros, intimando as funcionárias.

— Eu quero ver o Lula.

As funcionárias responderam que ele não estava no local.

— Está, sim. O Moraes me falou que o Lula estava aqui. Que a PF trouxe ele para o aeroporto. E eu quero ver o Lula.

"Eu" era o deputado do PCdoB Orlando Silva. Ele queria acesso à parte interna da delegacia.

Joel interveio. Ele explicou que o ex-presidente estava no Pavilhão. Orlando Silva disse que iria até lá e que ficaria com Lula.

— O senhor vai entrar se receber autorização para isso.

— Eu sou um parlamentar, eu tenho o direito de estar lá.

— O senhor me desculpe, mas o Pavilhão de Autoridades não é uma casa do Parlamento, é uma casa destinada ao poder Executivo. Portanto, o senhor só vai entrar se receber autorização. Entendido?

O deputado baixou a voz e seguiu para o Pavilhão.

O nível de atenção havia subido. Joel foi até uma das salas no interior da delegacia. Lá, homens do COT estavam aquartelados, preparados para defender o local. O delegado falou sobre os visitantes de minutos antes e os alertou que muito provavelmente outros viriam, mas nada havia mudado: a equipe só deveria agir em caso extremo e depois de suas ordens. Voltou, então, ao Pavilhão. Naquele momento, helicópteros com equipes da imprensa sobrevoavam Congonhas e o telefone de Joel tocava insistentemente. Jornalistas haviam descoberto o número do seu celular e queriam saber o lugar exato onde Lula se encontrava. Joel tentava despistar.

Mas um fato inesperado aconteceu: um avião da Força Áerea Brasileira (FAB) havia acabado de pousar ao lado do Pavilhão. Estava trazendo um ministro que nada tinha a ver com a ação da Polícia Federal. Mas foi o suficiente. A partir dali, especulações de que Lula seria levado para Curitiba começaram a pipocar.

A senadora Vanessa Grazziotin, também do PCdoB, e outros parlamentares chegaram ao Pavilhão.

Joel percebeu que eles estavam planejando chamar a militância para tumultuar a operação da PF.

— Vamos organizar a coisa. Não fiquem chamando a militância. Está tudo sendo feito com cuidado, segurança e discrição.

O delegado bem que tentou.

Não adiantou.

Informados com precisão do local onde o ex-presidente estava, militantes petistas e mais parlamentares chegaram rapidamente e agitaram o local.

Outro grupo ruidoso, embora pequeno, com não mais que cem pessoas, se concentrou em frente ao Pavilhão. Cartazes e até Pixulecos, os bonecos infláveis que representavam Lula vestido com roupas de presidiário, estavam presentes. Os gritos de "ladrão" e "nossa bandeira jamais será vermelha" se destacavam.

Um homem começou a bater no peito em sinal de apoio ao PT e ao ex-presidente. O ato não foi bem recebido pelos demais manifestantes. Aquilo bastou para que um tumulto começasse. Policiais da Polícia Militar agiram com velocidade, evitando que o conflito se alastrasse.

Outro grupo de manifestantes também avançou para algumas pistas da Avenida Rubem Berta, que dava acesso ao aeroporto. Os motoristas que passavam pela via buzinaram. Durante aqueles dias, buzinar era uma das maneiras usadas para se manifestar a favor da Lava Jato ou contra Lula e o Partido dos Trabalhadores.

Jamil Murad, um vereador do PCdoB, apareceu em frente ao Pavilhão e falou para a plateia:

— Isso aqui é um golpe, um golpe jurídico contra quem foi eleito legitimamente presidente!

Os manifestantes responderam:

— Vagabundo! Bandido!

No saguão, o clima não era diferente. Militantes e passageiros se misturaram. Das galerias, muitos deles testemunhavam o trabalho dos policiais tentando coibir que os ânimos exaltados levassem a uma ocorrência mais grave. Gritos de "fascistas" competiam com gritos de "fora PT".

Jandira Feghali, outra integrante do PCdoB, entrou no Pavilhão como um trator.

— Eu vou entrar. Eu sou uma representante do povo! Eu sou uma deputada federal!

Joel repetiu tudo o que já havia dito ao deputado Orlando Silva.

— Se a senhora não tiver permissão, não vai entrar.

— Ai, também não precisa falar desse jeito!

O delegado se virou e viu um grupo formado por parlamentares e simpatizantes do PT forçando a porta para entrar na sala onde Lula estava. Joel foi até lá para tentar contê-los. Enquanto isso, Jandira Feghali partiu para o ataque. Aproveitando que uma das paredes da enorme antessala era de vidro e quem estava do lado de fora via aqueles que estavam do lado de dentro, a deputada começou a esmurrar o vidro, gritando para os militantes e incitando-os.

— Prenderam o Lula! Vamos pegar o Lula de volta! Prenderam o Lula! Vamos pegar o Lula de volta!

Ela continuava a esmurrar o vidro.

Em São Bernardo do Campo, em frente ao prédio onde Lula morava, cenas semelhantes se repetiam. Manifestantes se enfrentavam, travando uma luta de vale-tudo: socos, pontapés, bandeiradas uns nos outros, objetos sendo jogados, cabelos sendo puxados.

Carros buzinavam.

A vizinhança do ex-presidente gritava palavras de ordem como "Fora Lula", "Fora PT".

A imprensa, que transmitia tudo em tempo real, teve um profissional ferido por militantes a favor do petista.

* * *

Dentro da sala, a oitiva havia começado. Lula estava lá para prestar esclarecimentos sobre os fatos pelos quais estava sendo investigado.

Tríplex de frente para o mar no Guarujá.

Sítio em Atibaia.

Os dois imóveis, sobre os quais recaíam suspeitas de que haviam sido adquiridos com dinheiro de propina, já eram famosos. Lula tanto negou que os bens lhe pertenciam que havia ficado difícil achar alguém que acreditasse nele. A OAS teria bancado as duas propriedades como contrapartida pela ajudinha de Lula no fechamento de contratos da empreiteira com a Petrobras. E a Odebrecht teria ajudado na reforma do sítio.

O valor do apartamento tríplex no Condomínio Solaris no Guarujá, cidade do litoral paulista, era aproximadamente 1,2 milhão de reais. A reforma custara cerca de 900 mil reais. Gastos com cozinha, decoração e eletrodomésticos eram estimados em 380 mil reais.

O Sítio Santa Bárbara em Atibaia havia sido adquirido por aproximadamente 1,5 milhão de reais. Parte da mudança de Lula, por ocasião do término do exercício da Presidência, fora entregue no sítio que Lula alegava não ser dele, mas que ele e sua família frequentavam regularmente.

A propriedade, de fato, estava em nome de amigos da família Lula, Jonas Suassuna e Fernando Bittar, ambos sócios de Fábio Luís Lula da Silva, filho do ex-presidente.

Mas o que dizia a investigação?

Em um trecho de uma das ligações interceptadas pela Polícia Federal entre 20 e 27 de fevereiro, Kalil Bittar, irmão de Fernando Bittar, um dos donos oficiais do sítio de Atibaia, pedia autorização ao filho de Lula para usar o local.

— Vou ver se convenço o Fabiano a vir para cá. Tenho sua autorização para isso? — perguntou Kalil Bittar.

— Você tem autorização para tudo, meu amor — respondeu Fábio Luís, o filho mais velho de Lula.

Fábio Luís ligou para Maradona, o caseiro do sítio, autorizando a entrada de Kalil Bittar.

— Deixa eu te falar, o irmão do Fernando, o Kalil, está indo pra aí.

— Ah tá bom, Fábio.

— Ele te ligou do número (019) e acho que você não atendeu.

— Ah, é que eu estava lavando os pedalinhos ali no lago, Fábio, e eu vi agora que tem uma ligação perdida aqui, mas nem vi ainda de quem é.

— Ah, é dele. Se você puder retornar, retorna. Se não, ele vai ligar de novo, aí você atende.

— Ah, então tá bom, Fábio.

— Ele está indo pra aí. Qualquer coisa você me liga.

O sítio tinha uma cozinha novinha em folha, fornecida pela mesma loja que havia instalado a do tríplex. Valor aproximado: 170 mil reais. No celular de Léo Pinheiro, presidente da OAS, apreendido na Operação Juízo Final, havia troca de mensagens que comprovavam que Lula era o verdadeiro beneficiário da cozinha.

Mas as benesses não teriam se limitado à aquisição, reforma e decoração desses imóveis. A OAS havia se responsabilizado pelo armazenamento do acervo presidencial de Lula, desembolsando para isso cerca de 1,3 milhão de reais em favor de uma empresa de transportes.

E mais: OAS e outras empreiteiras, também beneficiadas em contratos da Petrobras, haviam feito depósitos volumosos para o Instituto Lula e para a LILS, a empresa de palestras do político.

As doações para o Instituto Lula somavam 35 milhões de reais, dos quais mais da metade havia sido repassada por Andrade Gutierrez, Camargo Corrêa, OAS, Odebrecht e Queiroz Galvão.

Os pagamentos para a empresa de palestras totalizavam 21 milhões de reais, dos quais quase metade teve como origem Andrade Gutierrez, Camargo Corrêa, OAS, Odebrecht, Queiroz Galvão e UTC.

Lá estava Luciano Flores, com uma lista imensa de perguntas e a esperança de que a oitiva não se transformasse em um pesadelo.

* * *

Lula começou contido. Às vezes irônico, mas sempre contido. O ex-presidente falou que havia tirado da miséria extrema um quarto da população brasileira, em torno de 54 milhões de pessoas que viviam com um ou dois dólares por dia. As respostas eram longas e repletas de autoelogio.

Então Luciano começou a ser mais específico. O estilo das respostas mudou.

Frases que incluíam "eu não" apareceram mais de oitenta vezes. A frase "Eu não sei", mais de vinte.

— Eu não tenho noção.

— Eu não conheço.

— Eu não participo, não gosto de participar.

— Eu não tenho certeza.

— Eu não tenho lembrança.

— Eu não tenho como dizer.

— Eu não tenho ideia.

— Eu não posso.

Indagado se conhecia a empresa G4 Entretenimento e Tecnologia Digital, Lula respondeu:

— Eu não conheço, mas eu sei que... acho que é do... o meu filho acho que era sócio dela, G4.

Sobre o número de empregados da empresa, Lula respondeu:

— Não sei dizer, cada um cuida do seu neste país.

Luciano Flores continuava perguntando.

— O senhor chegou a procurar alguma empresa para pedir dinheiro para projetos do Instituto Lula?

— Não, porque não faz parte da minha vida política, ou seja, desde que estava no sindicato eu tomei uma decisão: eu não posso pedir nada a ninguém porque eu ficaria vulnerável diante das pessoas.

— O senhor nunca pediu dinheiro em nome do Instituto?

— Não, e pretendo não pedir nos últimos anos que eu tenho de vida.

— Era só o diretor financeiro que pedia ou mais alguém fazia esse tipo de pedido?

— Deve ter mais gente que pedia, aí teria que perguntar para quem conhece.

— Para quem o conhece?

— Deveria perguntar para quem conhece.

— Que seriam os diretores financeiros?

— O Paulo Okamotto, pode perguntar para o Paulo quem é que pedia.

— Qual era a função do Paulo?

— O Paulo é o presidente do Instituto.

— Também pede dinheiro para o Instituto?

— Eu acho que pode pedir, não sei se pede, mas eu acho que pode pedir.

— O senhor não lembra porque o fluxo financeiro do Instituto é grande, então eventualmente pode...

— Ele é menos do que eu precisava.

— Não, sem entrar nesse mérito, mas eventualmente uma doação grande ela deve ser comemorada...

— Não havia comemoração.

— Num Instituto que tem uma determinada finalidade, eu suponho que uma doação grande é vista com bons olhos. Devem falar sobre isso. O senhor se lembra do senhor Paulo Okamotto dando uma boa notícia para a diretoria, a notícia de que recebeu uma quantia suficiente para um determinado projeto?

— Não.

— Não?

— Não.

Flores também estava interessado em saber como eram feitas as doações para o Instituto. Ele considerou que, pelo menos sobre isso, Lula teria algum conhecimento.

— E é por transferência ou em reais?

— Não sei, não sei.

— Qual era o montante médio anual de recursos auferido?

— Ah, não sei, não pergunte para mim essas coisas financeiras porque eu não cuido disso.

— O senhor não faz nem ideia?

— Não faço ideia.

— De quanto entra em dinheiro?

— E faço questão de não fazer ideia.

— Como são aplicadas essas doações?

— Não sei.

Foi o mesmo em relação às palestras.

— Eu não sei por data, nós paramos de fazer palestra em abril porque era eleição.

— Nesses três, quatro meses de 2014, o senhor conseguiu fazer uma por mês?

— Eu não tenho noção, eu fiz algumas palestras, mas não tenho noção de quantas eu fiz.

— Certo. E em 2013?

— Eu fiz muita palestra em 2013.

— Quantas por mês ou por semana?

— Ah, eu não sei, não pergunte para mim que eu não sei, se você quiser você recebe aqui por escrito, detalhado, quantas por mês.

— Não, não, eu quero a sua palavra, eu quero a sua memória.

— Não, não tenho, não tenho noção, querido, não tenho noção.

Segundo Lula, o IL funcionava "como qualquer instituto, do Fernando Henrique Cardoso, do Sarney, do Bill Gates, do Bill Clinton, do Kofi Annan". Ele começou a dar sinais de que não estava mais gostando do papo. A temperatura foi subindo, até que palavrões começaram a se intercalar entre um "não" e outro.

Puto, puta, porra, cacete, sacanagem, foda, cretinice, merda.

Perguntado se tinha conhecimento de que João Vaccari Neto recebia para o PT dinheiro das construtoras que fechavam contratos com a Petrobras, ele respondeu:

— Eu tinha conhecimento de que o Vaccari era um companheiro extraordinário, foi um grande dirigente sindical e foi um grande dirigente do PT. Eu não acredito que o Vaccari tenha acertado percentual com empresa para receber, não acredito, não acredito.

Lula, então, passou a fazer a defesa de sua trajetória.

— O que estão tentando fazer comigo vai fazer com que eu mude de posição, eu que estou velhinho, estava querendo descansar, vou ser candidato à Presidência em 2018 porque acho que muita gente que fez desaforo pra mim vai aguentar desaforo daqui pra frente. Vão ter que ter coragem de me tornar inelegível. Porque é o seguinte: eu tenho uma história de vida, eu tenho uma história de vida. A minha mulher com 11 anos de idade já trabalhava de empregada doméstica e fazer minha mulher prestar um depoimento sobre uma porra de um apartamento que não é nosso?! Manda a mulher do procurador vir prestar depoimento, a mãe dele. Por que que vai minha mulher? Eu quero te dizer o seguinte: eu ando muito puto da vida, muito, muito zangado porque a falta de respeito e a cretinice comigo extrapolaram.

— Presidente, eu estou atrás da verdade pessoalmente. Ouvi todos os colaboradores...

— Se você está atrás da verdade, você mande prender um cidadão do Ministério Público que diz que o apartamento é meu. Mande prendê-lo.

Lula pediu um café. Bebida servida, Moraes deu um salto na direção do ex-presidente, ao mesmo tempo que enfiava a mão por dentro do paletó. Todos na sala observaram com olhos arregalados o movimento rápido do segurança. Mas Moraes sacou apenas um adoçante do bolso e serviu o chefão. O riso ficou contido no ar.

Passava das 11 horas e o depoimento estava chegando ao fim. O ex-presidente fechou a sessão:

— Está ótimo. Eu espero que, quando terminar isso aqui, alguém peça desculpas. Alguém fale: Desculpa, pelo amor de Deus, foi um engano.

Às 11h35, o depoimento terminou. Lula estava liberado. Mas ele voltou a gostar de ficar por ali. Àquela altura, parlamentares e simpatizantes haviam dominado as salas do Pavilhão de Autoridades. Lá fora, os manifestantes continuavam gritando palavras de ordem contrárias e favoráveis a Lula.

Para a Polícia Federal, a missão estava cumprida. Mas Lula não dava sinais de que quisesse deixar o local. Luciano Flores avisou:

— Senhor Luiz, o senhor está liberado.

Jandira Feghali segurou o braço do chefão petista e incitou:

— O senhor vai sair nos ombros do povo, pela porta da frente!

Lula pareceu gostar da ideia. Era música para os seus ouvidos. A deputada continuou a instigá-lo.

Do lado de fora, manifestantes petistas continuavam pressionando e gritando.

Luciano Flores chamou Moraes para que o segurança ouvisse o que ele tinha a dizer.

— Senhor Luiz, o senhor está liberado. Nós temos que adverti-lo de que a partir de agora a sua segurança não é mais de nossa responsabilidade. Vamos organizar a saída de vocês de maneira segura, mas se vocês não quiserem sair agora, e não poderemos obrigá-los, nossa responsabilidade cessa.

Moraes reconheceu que a permanência de Lula no aeroporto poderia ter consequências indesejadas e o convenceu de que era hora de partir. Mas Lula não queria ser filmado ou fotografado. Se ele escapasse dos repórteres em terra, não escaparia dos que estavam no ar. Dos helicópteros, lentes poderosas registrariam o momento.

Luciano pediu ajuda a Joel.

— Qual é a melhor maneira de tirá-lo daqui sem que ele seja visto?

Joel se lembrou de que o carro do advogado Roberto Teixeira havia sido estacionado no Pavilhão. Se o carro fosse colocado bem próximo à porta dos fundos, eles teriam uma chance de fazer com que Lula saísse incógnito.

Roberto Teixeira ligou para o seu motorista. Joel passaria as instruções do local exato em que ele deveria parar. O advogado ligou uma vez, duas, três... O motorista não atendia.

A tensão aumentava, Jandira Feghali continuava querendo drama. Mas Lula e Moraes já estavam convencidos de que deveriam sair dali. E eles começaram a ficar ansiosos.

Após algum tempo, o motorista retornou a ligação e seguiu as orientações passadas pelo delegado. Assim que o carro do advogado estacionou, Joel pediu que agentes trouxessem outros dois veículos e parassem atrás da BMW de Roberto Teixeira.

Um segundo problema surgiu. Depois da porta pela qual Lula, Moraes e Roberto Teixeira sairiam, havia alguns degraus que os separavam do carro. Lula disse que os helicópteros certamente o captariam.

Uma das parlamentares presentes fez contato com uma autoridade na tentativa de fechar o espaço aéreo próximo a Congonhas, fato que obrigaria a retirada imediata dos helicópteros. O pedido foi sumariamente descartado.

Tentando contornar o problema, Joel sugeriu que os presentes formassem uma parede humana, para dificultar que, de dentro dos helicópteros, o ex-presidente fosse visto saindo do prédio. Assim, a movimentação de várias pessoas, os três carros alinhados e a parede humana permitiram que Lula saísse sem ser fotografado.

Os manifestantes também deixaram o local.

Luciano esperou que todos saíssem. A equipe agradeceu o apoio dado pelo delegado Joel e seguiu seu caminho.

* * *

O nome de Luiz Inácio Lula da Silva havia surgido nas investigações da Lava Jato pela primeira vez durante o segundo depoimento de Alberto Youssef.

Em 3 de outubro de 2014, o doleiro afirmou que o ex-presidente tinha conhecimento do esquema da Petrobras. Youssef acrescentou que as disputas por cargos na estatal eram comuns e que a última palavra, nos momentos de impasse, era dada pelo Palácio do Planalto, fato que indicava não só o conhecimento, como o envolvimento do então presidente.

A partir dali, chamou atenção do grupo de trabalho a frequência com que alguns nomes do Partido dos Trabalhadores — Lula, Vaccari e José Dirceu — começaram a aparecer em praticamente todos os depoimentos. Outro ponto se evidenciou com força: não apenas o partido político estava se beneficiando do esquema, mas também os indivíduos estavam enriquecendo com dinheiro da propina.

Uma estratégia precisava ser encontrada para enxergar além da camada dos "operários" do esquema — os doleiros, diretores da Petrobras e operadores de propina.

A PF então inverteu a lógica de seguir o caminho do dinheiro. Como já sabia quais eram as destinatárias da dinheirama — as empresas de fachada usadas por Alberto Youssef — e o seu caráter ilegal, a quebra do sigilo bancário levaria à origem, aos pagadores.

O teorema era claro: se você sabe que uma determinada empresa foi aberta com o único objetivo de receber dinheiro de origem ilícita; se você sabe que a empresa não presta nenhum serviço; se você sabe que muito dinheiro entra nessas contas... então, continue investigando e vai descobrir os donos da grana, ou seja, quem manda no jogo.

A primeira coisa que a PF identificou foi que muitas empreiteiras haviam feito depósitos volumosos para as empresas de fachada de Youssef.

Com isso, o sigilo das empreiteiras foi quebrado. Retomou-se a lógica normal de seguir o caminho do dinheiro. Era preciso saber para quais outras empresas suspeitas — consultorias, por exemplo, que facilmente pudessem simular prestação de serviços — as empreiteiras haviam feito pagamentos.

O volume de dados era imenso. A perícia e o departamento de engenharia de Curitiba ajudaram a criar estratégias para filtrar a informação — como analisar as movimentações financeiras por centro de custo da empresa.

O segundo passo foi identificar, entre as empresas que haviam recebido dinheiro, quais delas poderiam ter recebido sem prestar serviços. A PF estudou a natureza da atividade das empresas e o valor depositado.

Em meio a muitas outras, apareceram as empresas de Lula.

Os valores eram surpreendentes. Entre 2011 e 2014, a empresa de palestras e o Instituto Lula haviam recebido quantias que chamavam atenção.

Então, em fevereiro de 2016, depois de uma saga para conseguir os números de telefone usados pelo ex-presidente, ele começou a ser monitorado.

Lula estava muito desconfiado com a possibilidade de ser ouvido pelos investigadores da Lava Jato. Contudo, falava abertamente quando usava o telefone de Moraes, que não pertencia ao segurança, mas era uma linha mantida pela Presidência da República.

Os documentos apreendidos nas fases anteriores começaram a contar uma história acerca do relacionamento entre Lula e os empreiteiros.

Em uma planilha encontrada na Odebrecht havia anotações para lá de suspeitas. Uma delas falava da quantia de 12,4 milhões de reais para o "Prédio (IL)". O valor havia sido pago em três parcelas.

No celular do presidente da OAS, Léo Pinheiro, havia uma mensagem que introduziu um personagem no esquema de propina: Brahma.

"Nosso Amigo Brahma pode fazer uma palestra no dia 26/11. Quem poderíamos convidar? Não quer um público gde (20 a 30) pessoas, tipo mesa-redonda. Tema: relação Brasil-Chile", escreveu Pinheiro.

Brahma era o codinome usado por Léo Pinheiro e seus executivos para falar de Lula. A Polícia Federal confirmou na agenda do ex-presidente: a viagem ocorreu na data sugerida pelo empreiteiro. Lula viajou em uma aeronave bancada pela OAS.

Durante as primeiras semanas de 2016, o grupo de trabalho não só investigava os crimes que se insinuavam contra Lula, mas também analisava o comportamento do petista e daqueles que o rodeavam. Qualquer ação que fosse planejada contra Brahma deveria levar em conta a capacidade do PT de mobilizar militantes.

Que Lula seria chamado para depor era fato. Como? O grupo de trabalho entendeu que a melhor opção seria a condução coercitiva. O recurso evitaria que Lula buscasse artifícios para não comparecer, incluindo a convocação de manifestantes para impedir sua chegada ao local do depoimento, bem como reduziria a chance de Lula e os demais alvos combinarem versões.

Decisão tomada: condução coercitiva. Era hora de montar a operação.

Brahma, Gelada, 51, Molusco e tantos outros nomes foram sendo sugeridos para batizar a 24ª fase da Lava Jato. Os nomes ajudavam a relacionar as fases aos principais alvos ou ao cerne de uma operação.

O delegado Valeixo sugeriu o nome campeão: Aletheia, palavra grega que significava verdade, compreensão da verdade, busca pela verdade.

Mas havia questões bem mais desafiadoras sobre a mesa. Quem seria escalado para a diligência era uma delas.

Era preciso pensar sempre no pior cenário, pois aquela seria a fase mais crítica de todas. Além de todo clima político em que o país estava imerso, era preciso levar em conta a personalidade de Lula. O ex-presidente, homem inteligente e desafiador, que não raciocinava em termos legais, mas em termos políticos, levando em conta a repercussão e a imagem que se projetava de cada acontecimento, poderia tentar desestabilizar a equipe e cavar uma situação que lhe permitisse inverter o jogo.

Luciano Flores sabia muito bem por que havia sido escolhido para liderar a missão. O delegado do Rio Grande do Sul era disparado o mais calmo da equipe. Tirá-lo do sério era quase impossível.

Não importava o que Lula fizesse, o que Lula dissesse, Luciano tinha um temperamento que repelia provocações.

— É sangue de barata mesmo. A pessoa cuspindo na cara e ele ali, impassível — dizia Márcio sobre o colega.

Com Luciano iriam os agentes Gabriel e Prado — ambos bastante controlados, embora não tanto quanto o delegado.

Outro ponto de atenção: por qual superintendência a operação seria aberta.

Uma coisa era certa: não deveria ser por Curitiba. As chances de despertar desconfiança, ou mesmo de um vazamento, seriam maiores. Assim, recrutamento do efetivo, transporte, helicópteros e, o mais importante, mapeamento dos pontos sensíveis relacionados à segurança, inclusive o envolvimento da Polícia Militar de São Paulo, acionada para evitar confronto em frente à casa do ex-presidente, tudo foi organizado por Brasília.

Em Curitiba, coube aos analistas confirmar os endereços e outros dados da família do ex-presidente — Lula, Marisa Letícia, os filhos Marcos Cláudio, Fábio Luís e Sandro Luís e a nora Marlene Araújo. Também estavam na lista Fernando Bittar, Jonas Suassuna Filho e o presidente do Instituto Lula, Paulo Okamotto.

O juiz Sérgio Moro assinou 44 mandados.

* * *

Na manhã de 4 de março, enquanto Lula era levado a Congonhas para dizer não, uma equipe liderada pelo delegado Eduardo Mauat cumpria mandado de busca e apreensão no Sítio Santa Bárbara em Atibaia, cidade da grande São Paulo.

Maradona não se surpreendeu com a chegada dos homens da Polícia Federal. Pelo contrário, parecia estar esperando por eles. Estava tinindo, com todas as respostas na ponta da língua. Sorridente e solícito, ele respondeu, sem pestanejar, como se as palavras estivessem sendo recitadas, a tudo que era indagado. O agente Adriano analisava cada movimento do caseiro. Era uma coisa bem ensaiada, chegava a ser engraçado. Dava para perceber o esforço para não passar do ponto e se limitar ao script determinado. Em alguns momentos, Adriano teve a impressão de que Maradona prendia a respiração.

Um tour de reconhecimento guiado pelo simpático caseiro deu início aos trabalhos.

O sítio estava bagunçado. Camas mal forradas, em cima das quais havia uma montoeira de roupas jogadas de qualquer jeito. Coisas espalhadas pela casa inteira. Cerveja choca na geladeira que ficava ao lado da piscina e que estava desligada. Alimentos com cara de vencidos na geladeira do interior da casa, ao lado de garrafas de plástico amassadas. Charutos cubanos úmidos e mofados estavam misturados com uma enormidade de garrafas de bebidas caras, armazenadas de qualquer jeito.

Adriano filmava tudo. Do lado de fora, enquanto caminhava por um trecho forrado de um lodo escorregadio, os passos curtos e dados com muito cuidado não impediram a queda. Sorte não muito diferente estava reservada para o delegado Mauat.

Em meio à desordem, tudo o que Adriano via, tudo o que pegava, levava à mesma conclusão: a propriedade era do ex-presidente.

Adriano e toda a equipe haviam entrado no sítio tentando achar provas do contrário, procurando pontos falhos no próprio trabalho. Mas, quanto mais mexiam, mais evidências vinham à tona mostrando que Lula reinava no lugar.

Havia as roupas — peças e mais peças com referências ao Partido dos Trabalhadores e ao Corinthians, time do coração do ex-presidente. Havia a mesa da sala de jantar com as iniciais "L" e "M" — Lula e Marisa — desenhadas no tampo. Havia os cremes dermatológicos manipulados em nome de Marisa Letícia, alguns deles, inclusive, já vencidos, fato que indicava que estavam ali há bastante tempo. Havia os dois pedalinhos com nomes gravados nas capas que cobriam o assento: Pedro e Arthur, netos do ex-presidente. E havia ainda dezenas de objetos ou brindes com as marcas das empreiteiras amigas.

Adriano não encontrava absolutamente nenhum indício de que aquele sítio pertencesse a qualquer outra pessoa que não o ex-presidente Lula.

As buscas incluíam uma varredura no local em que existia uma antena da Oi. Em 2010, a operadora de telefonia celular havia instalado a antena em um terreno alugado, localizado aproximadamente a cem metros de distância do sítio. A instalação tinha custado em torno de 1 milhão de reais e teve a bênção de Otávio Marques de Azevedo, presidente da AG Telecom, uma das controladoras da Oi. A empresa fazia parte do Grupo Andrade Gutierrez, que incluía a empreiteira.

A antena de cerca de vinte metros de altura provia Lula e sua família de um sinal de celular que antes não existia. Parecia um presente, e também estava sendo investigada. No terreno onde estava a instalação, Adriano e Mauat encontraram uma pequena casa. Uma senhora os recebeu e pediu que eles entrassem. Simpática e falante tal qual Maradona, mas sem script ensaiado, falou com toda naturalidade, surpreendendo a equipe:

— Ih, todo mundo por aqui sabe que o sítio é do Lula e essa antena que puseram aí é coisa pro Lula também.

Os policiais já estavam para sair quando um cachorro, que até aquele momento havia se comportado como um bom anfitrião, sem mais nem menos e sem aviso prévio, avançou sobre o delegado Mauat e mordeu sua perna. Os dentes afiados atingiram o tecido. Foi-se a calça, mas ficou a perna.

Estavam encerradas as diligências em Atibaia.

* * *

"Chega dessa palhaçada de acreditar na democracia de direita. Matem o Moro."

"Tenhamos coragem. Matemos Moro e acabemos com esta festa."

"Todos de esquerda nas ruas já e com armas! É guerra civil."

"Matar o Moro e todos os fascistas. É guerra."

Naquela sexta-feira, o NIP, em Curitiba, monitorava diversas frentes. Uma delas teve atenção especial da equipe: Sérgio Moro e sua família.

Depois da coercitiva, as ameaças ao juiz haviam acendido alerta máximo. Moro não admitia a possibilidade de andar escoltado por seguranças e perguntava se já havia alguma ameaça concreta.

Mas, se antes o bom-senso já indicava a escolta, a partir daquele momento a medida se tornava obrigatória para Igor, o coordenador da Lava Jato.

Quando a delegada Daniele, chefe do NIP e mulher de Igor, entrou na sala, ele já se preparava para a entrevista coletiva da 24ª fase. Igor percebeu que havia algo grave em andamento.

— O doutor Sérgio Moro e a família precisam ser escoltados imediatamente — determinou Daniele.

Igor concordou.

— Eu vou falar com ele agora — disse.

— Por favor, pergunte onde está a mulher dele.

A ligação foi rápida, Igor não deu nenhuma chance para o juiz.

— A partir de já, o senhor nos desculpe, mas não se trata mais de uma opção. O que podemos negociar é como faremos para que isso invada o mínimo possível a rotina de vocês.

Moro ouviu e concordou.

— Aliás, onde está a sua esposa?

— Em Brasília, em um congresso.

— Por favor, faça contato com ela. Nós vamos escoltá-la de volta para Curitiba.

Moro ficou em silêncio. Igor jamais havia sido tão incisivo.

— Vou falar com ela e volto a falar com o senhor. Obrigado, doutor Igor.

O coordenador da Lava Jato desceu para o auditório. A sala estava cheia de jornalistas ansiosos para ouvir detalhes sobre a operação e seu alvo sensível.

Enquanto o agente da Receita Federal respondia a um dos jornalistas, os olhos de Igor se fixaram na tela do celular. A mensagem era de Moro: "Não consigo falar com a Rosangela."

A pergunta seguinte foi direcionada a Igor. Ele se concentrou para responder, em seguida encaminhou a mensagem do juiz para Daniele.

"Veja a mensagem do Moro. Vamos tentar fazer contato com a mulher dele. Ela está em Brasília."

A entrevista durou mais de uma hora. Mas, uma vez encerrada oficialmente, alguns jornalistas rodearam o delegado com perguntas adicionais. Igor respondeu a todas. Do auditório foi direto para a sala do NIP.

— Alguma coisa?

— Nada.

Igor mais uma vez ligou para o juiz. Mas ele também não havia conseguido contato com a mulher. Havia deixado recado. O celular estava desligado.

Enquanto isso, dentro da sala do NIP a tensão crescia à medida que as ameaças aumentavam em número e agressividade.

Rosangela precisava ser encontrada. Dias antes, a mãe de Moro havia sido hostilizada por um grupo de petistas enquanto participava de um evento de caridade.

Todos ficaram sem sossego, até que no fim da tarde, no trajeto para o aeroporto, Rosangela ligou o celular. Ela ficou assustada com a quantidade de mensagens e telefonou imediatamente para o marido. Preocupada com os filhos, quase entrou em desespero. Enquanto não chegava ao destino, acessou diversos sites de notícias e se inteirou sobre a coercitiva, os confrontos e a desordem que haviam tomado conta de alguns pontos do país.

Os filhos não lhe saíam da cabeça. Tudo o que ela precisava era chegar a Curitiba, mas ainda levaria algumas horas.

Rosangela entrou no avião assustada, teve medo de ser reconhecida e, quem sabe, ser hostilizada. Ela soltou o cabelo e fez com que cobrisse parte do rosto. Quando se sentou, encostou a cabeça na janela e se percebeu tremendo. A aeronave já estava taxiando quando uma mão tocou seu ombro, fazendo com que ela levasse um susto danado. Ela não conhecia o homem, mas ele tinha um olhar amigo. Ainda com a mão sobre seu ombro, ele sorriu.

— Eu sei quem você é. Não se preocupe, vai dar tudo certo.

Rosangela agradeceu, já sentindo as lágrimas descendo pelo rosto. Encostou novamente a cabeça na janela e continuou chorando.

* * *

Depois de prestar depoimento, Lula e os militantes petistas se encaminharam ao Diretório Nacional do PT. Enquanto ele, sentado em um sofá, falava ao telefone, a deputada Jandira Feghali gravava um vídeo. Ela se dirigia aos militantes.

— Nós estamos aqui, vocês estão vendo a figura do Lula ali atrás. O Lula está neste momento conversando com a presidente da República. Nós estamos aqui com ele e ele está muito tranquilo, com muita coragem, com muita capacidade de guerrear, muito seguro das suas informações...

Além da imagem da deputada em primeiro plano, a câmera do celular gravava o ex-presidente ao fundo. Uma parte de sua fala foi perfeitamente ouvida:

— Eles que enfiem no cu todo o processo, certo?

Choro, críticas à imprensa, à Polícia Federal e a Sérgio Moro.

A passagem pelo diretório serviu para que Lula organizasse seu ato seguinte, uma entrevista coletiva no Sindicato dos Bancários, no centro de São Paulo. O mesmo sindicato que anos atrás havia ficado em silêncio quando a Bancoop, a Cooperativa Habitacional dos Bancários de São Paulo, lesou milhares de famílias com a gestão fraudulenta de seus fundos, que desviou dinheiro dos mutuários para bancar campanhas políticas do PT.

Segundo Lula, Moro, em vez de condução coercitiva, poderia ter lhe enviado um convite:

— "Ô seu Luiz Inácio, quer prestar depoimento em Curitiba?" Eu gosto de Curitiba, eu poderia ir lá em Curitiba. Eu ia. — Seguiu-se uma longa rememoração de sua trajetória, de seu governo, de seus feitos.

— Se quiseram matar a jararaca, não fizeram direito, pois não bateram na cabeça, bateram no rabo, porque a jararaca está viva — disse Lula.

Dirigentes petistas também discursaram no evento. A retórica era a mesma em todas as falas.

— Vamos pisar na cabeça dos que atentam contra a democracia — disse Rui Falcão, presidente do Partido dos Trabalhadores.

— Pisaram no rabo da cobra e agora vão ver o veneno da cobra — disse Paulo Fiorilo, presidente do Diretório Municipal do PT de São Paulo.

— Tudo na vida tem limite e hoje se ultrapassou esse limite. Erraram o golpe e agora nós vamos para cima deles, na rua. Aceitamos as regras do jogo, mas não venham nos destruir. Não vamos ser derrotados e ficar olhando. Vamos para um processo de enfrentamento pela democracia e contra o golpismo — disse Vagner Freitas, presidente da CUT.

Um dia após Lula ter sido levado para prestar depoimento, o Ministério Público Federal se pronunciou acerca da revolta que a condução coercitiva do ex-presidente havia causado nas fileiras petistas:

> Considerando que em outros 116 mandados de condução coercitiva não houve tal clamor, conclui-se que esses críticos insurgem-se não contra o instituto da condução coercitiva em si, mas sim contra a condução coercitiva de um ex-presidente da República.

Assim, apesar de todo respeito que o senhor Luiz Inácio Lula da Silva merece, esse respeito é-lhe devido na exata medida do respeito que se deve a qualquer outro cidadão brasileiro, pois hoje não é ele titular de nenhuma prerrogativa que o torne imune a ser investigado na Operação Lava Jato.

Após ser intimado e ter tentado diversas medidas para protelar esse depoimento, incluindo inclusive um *habeas corpus* perante o TJSP, o senhor Luiz Inácio Lula da Silva manifestou sua recusa em comparecer.

Nesse mesmo HC, o senhor Luiz Inácio Lula da Silva informa que o agendamento da oitiva do ex-presidente poderia gerar um "grande risco de manifestações e confrontos".

É preciso, isto sim, que sejam investigados os fatos indicativos de enriquecimento do senhor Luiz Inácio Lula da Silva, por despesas pessoais e vantagens patrimoniais de grande vulto pagas pelas mesmas empreiteiras que foram beneficiadas com o esquema de formação de cartel e corrupção na Petrobras, durante os governos presididos por ele e por seu partido, conforme provas exaustivamente indicadas na representação do Ministério Público Federal.

A nota dos procuradores levantava um tema bastante sensível à realidade brasileira. Pau que bate em Chico também deveria bater em Francisco. Mas os Franciscos não aceitavam o confronto com o rigor da lei. E, mais do que isso, não estavam habituados a prestar contas por seus atos, embora fosse bastante razoável supor que, quanto maior o poder do cargo, maior a responsabilidade de seu titular.

* * *

Bem longe do conforto proporcionado pela acolhida no Sindicato dos Bancários, Lula teria que lidar com a realidade à sua volta. José Carlos Bumlai e Delcídio do Amaral eram duas pedras em seu caminho.

Em novembro de 2015, a 21ª fase da Lava Jato havia sido batizada de Passe Livre em homenagem a Bumlai. Em um belo dia de 2008, o pecuarista havia sido barrado quando tentava visitar o amigo e então presidente Lula. Com o intuito de impedir que tal mal-estar se repetisse, Lula mandou colocar fotos de Bumlai na recepção do Planalto e garantir que o amigão tivesse acesso irrestrito.

Para os investigadores, talvez o empréstimo de 12 milhões de reais que Bumlai havia tomado do Banco Schahin, em 14 de outubro de 2004, para repassar ao Partido dos Trabalhadores, explicasse aquela distinção.

O empréstimo nunca fora propriamente quitado. Não pelas vias normais. Segundo a versão de Bumlai, a fatura havia sido liquidada em 27 de janeiro de 2009, com sêmen bovino. O problema com a versão atendia pelo nome de Salim Schahin, um dos donos do Grupo Schahin. Ele disse à Polícia Federal que o pecuarista Bumlai havia levado o ex-tesoureiro do PT, Delúbio Soares, para participar de uma das reuniões na sede da empresa para tratar do empréstimo e que o destino final era, sim, os cofres do PT. Ainda segundo Schahin, o negócio havia sido "abençoado" pelo chefão Lula.

A dívida havia sido perdoada mediante uma baita contrapartida para o Grupo Schahin: contrato para operar o navio-sonda Vitória 10.000 da Petrobras. Valor: 1,6 bilhão de reais, sem licitação. O que eram 12 milhões frente a 1,6 bi? E talvez ainda houvesse a assinatura de aditivos, prática bastante comum nos contratos da Petrobras, o que fazia multiplicar o valor inicial dos contratos.

Bumlai insistiu no conto do sêmen, mas admitiu que o beneficiário real foi o Partido dos Trabalhadores e que Delúbio Soares foi o interlocutor do partido.

Seguindo o caminho do dinheiro, identificou-se uma manobra feita para apagar as pistas.

Metade do valor do empréstimo fora transferido para a Remar Agenciamento e Assessoria Ltda. A Remar fizera o dinheiro andar:

244

dos pouco mais de 6 milhões de reais que havia recebido, repassou 5,6 milhões para a empresa Expresso Nova Santo André. Os repasses foram feitos por transferências bancárias para contas da Expresso e por meio de pagamentos a terceiros vinculados a ela.

Para justificar a transferência dos milhões da Remar para a empresa de Santo André, mais uma vez foi utilizado um recurso conhecido dos investigadores: um contrato de empréstimo foi simulado e assinado pelos também investigados Oswaldo Rodrigues Vieira Filho e Ronan Maria Pinto, em 22 de outubro de 2004.

Ronan era empresário conhecido em Santo André e com vínculos antigos com companheiros petistas, mais precisamente com Celso Daniel, o prefeito assassinado em 2002. Treze anos depois de sua morte, o nome do petista morto voltava para assombrar a cúpula do Partido dos Trabalhadores, sobre os quais sempre pairou uma suspeita de envolvimento no crime. O dinheiro teria sido usado para pagar o silêncio de Ronan, que teria ameaçado abrir a boca e contar tudo o que sabia sobre o envolvimento do PT no crime.

Bumlai foi preso em 24 de novembro de 2015. Um dia depois, o senador petista Delcídio do Amaral foi o alvo de uma operação do Ministério Público Federal. Ele estava em pleno exercício do seu mandato, logo, beneficiado pela prerrogativa de foro, o que, em outras palavras, o impedia de ser preso. Mas havia uma brecha: flagrante por crime inafiançável. E foi nessa hipótese que a Justiça enquadrou o senador.

Uma conversa de uma hora e meia de duração gravada por Bernardo Cerveró, filho de Nestor Cerveró, encrencava o senador petista.

Delcídio tentava convencer Bernardo, que tinha a seu lado o advogado Edson Ribeiro, a dissuadir seu pai, preso desde janeiro de 2015, de fechar acordo de delação premiada. Em troca, Cerveró receberia ajuda para fugir do Brasil pela fronteira com o Paraguai e, de lá, seguiria para a Espanha de avião. A família do fugitivo receberia uma mesada de 50 mil reais.

Segundo Delcídio, ele conseguiria que Cerveró fosse solto com um *habeas corpus*. Em um trecho da gravação ele fazia parecer fácil o acesso e influência sobre ministros do STF.

> Delcídio: Agora, agora, Edson e Bernardo, é... eu acho que nós temos que centrar fogo no STF agora, eu conversei com o Teori, conversei com o Toffoli, pedi pro Toffoli conversar com o Gilmar, o Michel conversou com o Gilmar também, porque o Michel tá muito preocupado com o Zelada, e eu vou conversar com o Gilmar também.
>
> Edson: Tá.
>
> Delcídio: Porque o Gilmar, ele oscila muito, uma hora ele tá bem, outra hora ele tá ruim, e eu sou um dos poucos caras...
>
> Edson: Quem seria a melhor pessoa pra falar com ele, Renan ou Sarney...
>
> Delcídio: Quem?
>
> Edson: Falar com o Gilmar.
>
> Delcídio: Com o Gilmar, não, eu acho que o Renan conversaria bem com ele.

Bernardo entregou o áudio ao Ministério Público.

Os ministros do STF não ficaram nada felizes com a conversa de Delcídio. As palavras do senador fizeram o Supremo parecer uma extensão do quintal petista, aberto a manobras sombrias.

Delcídio foi preso em 25 de novembro de 2016. No mesmo dia veio a público que Nestor Cerveró havia assinado um acordo de delação premiada.

* * *

Depois da condução coercitiva, o monitoramento das ligações de Luiz Inácio Lula da Silva não foi interrompido. O ex-presidente continuava sendo investigado.

No mesmo dia da operação, em uma das ligações captadas, Lula havia dito, quase comemorando, que o celular de Moraes ficara para trás. Mas a PF sabia que aquele era o telefone mais utilizado pelo ex--presidente, por isso não o haviam apreendido.

Enquanto os agentes na sala de Inteligência continuavam analisando cada passo e conversa do petista, eles não viam apenas Lula lutando por salvar sua pele. O país havia sofrido uma overdose de informações tóxicas reveladas pela Lava Jato que se acumulavam sem dar chance de serem digeridas.

Imprensa, Lula, manifestações, bastidores em Brasília, novas descobertas feitas pelo grupo de trabalho. Tudo isso somado, o primeiro trimestre de 2016 se afigurava como o momento mais desafiador de toda a operação.

A Lava Jato estava prestes a completar dois anos e não dava sinais de estar perto do fim. O cansaço começava a se mostrar como um elemento novo, com o qual os delegados e agentes teriam de lidar. As jornadas intermináveis, os longos períodos longe da família e até o peso que a repercussão da operação lançava sobre todos eram elementos de estresse.

Em 3 de março de 2016, um dia antes da coercitiva, Wellington César Lima e Silva, procurador do Ministério Público do Estado da Bahia, assumira o cargo de ministro da Justiça com o discurso de que não mexeria na direção da Polícia Federal. Ele havia sido indicado ao cargo pelo então ministro da Casa Civil, Jaques Wagner.

A direção da PF em Curitiba ficou com a pulga atrás da orelha, mas decidiu não sofrer por antecipação. Um dia após a posse do novo ministro, contudo, uma ligação interceptada pela Polícia Federal fez a dúvida desaparecer. Havia, sim, um esforço nos bastidores para interferir na investigação sobre Lula.

Horas depois da coercitiva, Lula, em conversa com Jaques Wagner, dissera esperar que Dilma intercedesse junto à ministra Rosa Weber, do STF. A juíza tinha sobre sua mesa um pedido dos advogados de Lula para que as investigações da Lava Jato sobre ele fossem suspensas.

— Fala o negócio da Rosa Weber, que tá na mão dela pra decidir. Se homem não tem saco, quem sabe uma mulher corajosa possa fazer o que os homens não fizeram.

— Tá bom, falou! Combinado.

No mesmo dia, conversando com Dilma, Lula expressou sua opinião acerca do posicionamento dos ministros do STF e dos presidentes da Câmara e do Senado. Tudo indicava que o petista ansiava por uma mobilização para barrar a Lava Jato.

— Nós temos uma Suprema Corte totalmente acovardada, nós temos um Superior Tribunal de Justiça totalmente acovardado, um Parlamento totalmente acovardado. Somente nos últimos tempos é que o PT e o PCdoB acordaram e começaram a brigar. Nós temos um presidente da Câmara fodido, um presidente do Senado fodido, não sei quantos parlamentares ameaçados, e fica todo mundo no compasso de que vai acontecer um milagre e que vai todo mundo se salvar. Eu, sinceramente, tô assustado com a República de Curitiba. Porque a partir de um juiz de primeira instância tudo pode acontecer neste país.

E a metralhadora de Lula mirou ainda Nelson Barbosa, então ministro da Fazenda. Lula pediu que o ministro interferisse na Receita Federal, para reduzir a pressão sobre ele.

— Ô, Nelson, vou te falar uma coisa por telefone. O importante é que a Polícia Federal esteja gravando. É preciso acompanhar o que a Receita tá fazendo junto com a Polícia Federal, bicho!

— Eles fazem parte.

— É, mas você precisa se inteirar do que eles estão fazendo no Instituto. Se eles fizessem isso com meia dúzia de grandes empresas, resolvia o problema de arrecadação do Estado.

— Uhum, sei.

— Sabe? Eu acho que eles estão sendo filhos da puta demais.

— Tá.

— Tão procurando pelo em ovo. Eu acho... eu vou pedir pro Paulo Okamotto botar tudo no papel, porque era preciso você chamar o responsável e falar "Que porra que é essa? Vocês estão fazendo o mesmo com a Globo, com o Instituto Fernando Henrique Cardoso, o mesmo com a Gerdau, o mesmo com o SBT, o mesmo com a Record?! Ou só com o Lula, caralho?!". Vai tomar no cu.

Mas foi uma conversa entre Roberto Teixeira, advogado de Lula, e o senador petista Jorge Viana que ilustrou com propriedade que os petistas, apesar de toda bravata, estavam cientes de que a situação do partido e de Lula era complicada e, mais que isso, os brasileiros estavam levando a investigação a sério.

Jorge Viana: Olha a minha ideia. Talvez seja a única oportunidade que o presidente tem de pôr fim a essa perseguição, essa caçada contra ele. Se numa segunda-feira, por exemplo, reflitam sobre isso, ele chamar uma coletiva e estabelecer uma relação, um diálogo com seu Moro ao vivo, Moro, promotores, delegados, dizendo que ele não aceita mais que ele persiga a família dele porque ele tá agindo fora da lei, os promotores fulano e cicrano estão agindo fora da lei, os delegados fulano e cicrano também, e quem age fora da lei é bandido. E, que se ele quiser agora vir prendê-lo, que venha, mas não venha prender sua mulher, prender seus netos, nem seus filhos. E forçar a mão pra ver se ele tem coragem de prender por desacato a autoridade, porque aí, aí eles vão ter uma comoção no país, porque ele vai estar defendendo a família dele, a honra dele. Tem de dizer: olha, eu estou defendendo a minha honra, você está agindo fora da lei, quem age fora da lei é bandido... me sequestraram... Eu não sei, tinha que pensar algo parecido com isso e dar uma coletiva e provocar e dizer que não vai aceitar mais.

Roberto Teixeira: Perfeito.

Jorge Viana: Não aceita, em hipótese nenhuma... Se rebelar... greve de fome, alguma situação. Você tem também uma insubordinação judicial, não aceito mais ser investigado por esse bando que está agindo fora da lei e querendo alcançar minha família, minha mulher, meus filhos e meus netos. Não aceito mais. Me prendam. Se prenderem ele, aí vão prender e tornar um preso político, aí nós fazemos esse país virar de cabeça pra baixo. Fora disso eu não vejo saída.

Roberto Teixeira: É... mas isso, mas viu, Jorge, ele anunciou isso, falou isso, ele disse que vai varrer o Brasil inteiro, vai denunciar isso o tempo todo.

Jorge Viana: Isso não funciona. Não tem clima no interior do Brasil pra ele vir, pra ele andar. Ele tem que fazer uma ação ao vivo chamando coletivas, isso é mais forte do que ele fazer comício. O clima tá muito ruim contra nós, não há uma comoção. Ele tem que botar a família dele, fazer a defesa.

Roberto Teixeira: Entendi.

Jorge Viana: E fazer um confronto direto com eles. Se não fizer isso agora, não tem clima pra andar no Brasil.

Exatos seis dias após Wellington Silva assumir o cargo, em 9 de março, julgando uma ação impetrada pelo PPS, os ministros do STF entenderam, por dez votos a um, que um procurador não poderia ocupar cargo de ministro.

Silva teria de decidir: ser ministro e abandonar sua carreira jurídica, ou o contrário. O prazo que lhe foi dado para tomar a decisão era de vinte dias. Enquanto isso, o suspense se espalhou.

No mesmo dia, Luciano e Prado se encontraram no elevador da PF.

— Daqui a uns vinte minutos vou mandar um relatório para você — disse Prado. — Leia e veja o que você acha, ok? — O agente fez um sinal de positivo para o delegado e saiu rindo do elevador.

Luciano nem se deu ao trabalho de tentar saber do que se tratava. Fazer suspense era uma das prerrogativas dos analistas.

Embora a imprensa já houvesse levantado a bola, foi no dia 8 de março que Prado ouviu, pela primeira vez, conversas sobre um plano para que Lula assumisse um ministério, ganhasse prerrogativa de foro e escapasse de prestar contas em Curitiba.

Uma coisa era ler sobre a armação, outra bem diferente era ouvir um ex-presidente no meio de uma tramoia daquela magnitude. Na ligação, Lula conversava com um homem chamado Roberto Carlos sobre Moro e a condução coercitiva. A Polícia Federal não sabia quem era Roberto Carlos.

Roberto Carlos: No meu entender, ele fez um balão de ensaio na sexta-feira. Como é que seria se ele tomasse essa decisão? Tá, ele fez um testezinho, vamos quebrar o gelo e ver como é que seria. Eu acho, tá, tem uma coisa que tá na mão de vocês: é Ministério. Acabou, porra!

Lula: Aham.

Roberto Carlos: Sabe, eu acho que é vacilação da parte de vocês, tô falando genericamente, de um modo geral. É uma guerra política, é uma disputa política, o cara lá é juiz, mas é um tucano, formação *Opus Dei* e o cacete a quatro, entendeu? Ele tá ali, depende da cabeça dele, só da cabeça dele, entendeu? Vai que esse cara é maluco e ousado o suficiente pra tomar uma decisão?! Você tem uma coisa na tua mão hoje! Usa, caralho!

Lula: Uhum.

Roberto Carlos: Você entendeu?! É alarmista mesmo, entendeu? Porra, vai incendiar o país se esse cara fizer, ele não é um homem na política.

Lula: Então, deixa eu te falar uma coisa, eu até acho que ele deve fazer pra ver o que acontece... Porque veja, eu quero, eu tô vivendo uma situação de anormalidade, ou seja, esses caras podem investigar minha conta na casa do caralho que não vão encontrar um centavo. Esses caras sabem que eu não tenho apartamento, esses caras sabem que eu não tenho a chácara, esses caras sabem que eu não só fiz muita palestra, como fui o mais bem pago conferencista do começo do século XXI. Só eu e o Clinton... Eu não sei se o Stiglitz depois, sabe? Agora, se o cidadão começa a levantar suspeita de tudo isso, eu quero ver como é que eles vão provar que eu tenho uma chácara, como é que eles vão provar que eu tenho um apartamento. Porque alguém vai ter que pagar pra mim ter. Porque eu não posso ter sem pagar...

Roberto Carlos: É, mas dada a forma como o processo é constituído, eles já fizeram isso, entendeu? Você vai botar a defesa, e eles vão dizer, dane-se!

Lula: Uhum.

Roberto Carlos: É autoritária, a Justiça brasileira é a última peça de autoritarismo da sociedade brasileira, e você tá embaixo dela agora, fodeu! O cara montou isso. Entendeu? No meu entender, é isso, ele tem a faca e o queijo na mão. Infelizmente dói dizer isso, tá? Agora, você tem uma coisa na tua mão porra: você, o PT, a Dilma... Faz isso e foda-se! Vai ter porrada? Vão criticar? E daí? Numa boa, você resolve outro problema, que é o problema da governabilidade. Porra, você e Dilma, um depende do outro, cacete!

Lula: Uhum.

Roberto Carlos: Eu mandei, eu fiz o balão de ensaio com os meus clientes. Mandei um informativo trabalhando com a seguinte hipótese. Joguei, é uma hipótese, da minha cabeça mesmo. Você ministro. E o Palocci na Fazenda. Cara, nego começou a me ligar, "vai acontecer isso?!". Não, eu falei, é só uma hipótese. Acaba a crise, acaba! Põe o mercado no bolso e faz o que tem que ser feito! Porra, só o PT tem isso, tem os dois quadros que acabam com a crise, caralho! Tá esperando o quê?! Que arranjo vocês estão esperando?!

Lula: Não, não tô esperando nenhum arranjo não. Pra mim é muito difícil essa hipótese. Na verdade, ela já ofereceu, sabe?! Mas eu vou ter uma conversa hoje, depois eu te ligo.

Roberto Carlos: Porra, não tem... olha só, o articulador é você. Você tentou lá o PMDB, você tem total credibilidade na frente do PMDB, você tem total credibilidade na frente do PT, total credibilidade na frente de todos os partidos. Acabou, sentou lá, tá resolvido o problema de credibilidade. Tá resolvido. Botou nosso "amigo" lá na Fazenda, tá resolvida a economia, a expectativa pura! Expectativa pura! Eu tô fora aqui, eu tô vendo o que é isso.

Lula: É, mas na hora que esse meu amigo faz um papel disso, e a imprensa cai de cacete nele, quem é que defende?!

Roberto Carlos: Foda-se, tá todo mundo fodido, entendeu?

Lula: Porque ele já foi. Eu vou conversar e depois a gente volta a conversar. Eu te ligo amanhã.

Roberto Carlos: Vocês têm a faca e o queijo na mão. Só vocês têm isso no Brasil hoje, mais ninguém. Porra, não vai aproveitar isso?! A sua ousadia, você sempre foi ousado, caralho!

Lula: Uhum.

Roberto Carlos: Você entende? Ousadia, vai levar porrada, a Globo vai bater, "ah, confissão de culpa". Foda-se, o que é melhor?! Ganhar o jogo ou perder o jogo?!

Lula: Uhum.

Roberto Carlos: Eu acho que não pode ser vacilante, eu acho que o partido tá vacilando nesse momento. É vacilação pura.

Lula: Tá bom.

Roberto Carlos: Vocês têm os quadros, a faca e o queijo pra reencaminhar a discussão politicamente falando, tá?! E é você e nosso amigo lá. Foda-se, tá todo mundo queimado. A Lava

253

Jato queimou todo mundo, a Câmara, o Senado; porra, antes era só ele que tava queimado, agora é todo mundo. E daí?

Lula: Uhum. Tá bom, meu irmão, obrigado pelo conselho. Tá bom.

Roberto Carlos: Mete pau, é duro falar isso pra você, mas, porra, eu tô alarmado com tudo que tá acontecendo. Eles vão foder o país, e você pode reverter isso, você e Dilma podem reverter isso.

Lula: Tá bom, meu irmão, tá bom, querido.

Roberto Carlos: Vai lá, tamo do lado, tá?!

Cinco dias depois da decisão do Supremo sobre Wellington Silva, o suspense chegou ao fim. Em 14 de março, o ministro da Justiça escolheu deixar o cargo e voltar para a Bahia.

Uma nova carta foi posta sobre a mesa: Eugênio José Guilherme de Aragão, então subprocurador-geral da República, assumiu o Ministério sem deixar dúvidas sobre seu ânimo. Em entrevista ao jornal *Folha de S.Paulo*, disse:

Os agentes públicos têm código disciplinar. O Estado não pode agir como malandro. A minha grande preocupação é com a qualidade ética desses agentes. Se vaza, é coisa clandestina. Se vaza, esse agente está querendo atribuir um efeito a esses atos públicos, que são essas delações.

Questionado se poderia punir o autor de vazamentos, o ministro afirmou:

A primeira atitude que tomo é: cheirou vazamento de investigação por um agente nosso, a equipe será trocada, toda. Cheirou. Eu não preciso ter prova. A PF está sob nossa supervisão. Se eu tiver um cheiro de vazamento, eu troco a equipe. Agora, quero também que, se a equipe disser 'não fomos nós', que me traga claros elementos de quem vazou, porque aí vou ter de conversar com quem de direito. Não é razoável, com o país num momento de quase conflagração, que os agentes aproveitem esse momento delicado para colocar gasolina na fogueira.

Faltava empossar Lula na Casa Civil. Mas os arranjos já estavam praticamente finalizados, como mostrava uma nova interceptação.

Lula: Alô!

Jaques Wagner: Diga, Excelência, tudo bem?

Lula: Você viu que eu já tirei você da Casa Civil, né, porra?!

Jaques Wagner: Beleza! Eu vou ser segundo lá na Casa Civil, não tem nenhum problema. Com o maior prazer.

Lula: Querido... é o seguinte: Eu tô pensando em ir pra Brasília amanhã. Ela tá aí em Brasília? Eu tenho recebido muito pedido pra mim aceitar, sabe?! Muito, muito, muito! Os sem-terra agora tavam reunidos e ligaram.

Jaques Wagner: Meu cargo está à sua disposição, viu?!

Lula: Tá bom.

Jaques Wagner: Eu posso até ser seu carregador de documento.

Lula: Eu serei seu ajudante.

Jaques Wagner: Eu vou ser seu "AJO".

Lula: Eu serei seu adjunto.

Jaques Wagner: Tá bom.

Lula: Abraço, querido.

Jaques Wagner: Falou! Abraço, tchau.

Ligação a ligação, a PF ouvia como Lula e seus aliados iam construindo a estratégia para blindá-lo. Tudo acontecera em menos de duas semanas, contadas a partir da coercitiva.

Finalmente, na quarta-feira, dia 16 de março, o Palácio do Planalto soltou nota oficial informando que Luiz Inácio Lula da Silva seria o novo ministro da Casa Civil. Dizia a nota:

A presidenta da República, Dilma Rousseff, informa que o ministro de Estado Chefe da Casa Civil, Jaques Wagner, deixará a pasta e assumirá a chefia do Gabinete Pessoal da Presidência da República.

Assumirá o cargo de ministro de Estado Chefe da Casa Civil o ex-presidente da República Luiz Inácio Lula da Silva.

Assumirá, ainda, o cargo de ministro de Estado Chefe da Secretaria de Aviação Civil o deputado federal Mauro Ribeiro Lopes.

A presidenta da República presta homenagem e agradecimento ao Dr. Guilherme Walder Mora Ramalho pela sua dedicação.

Rui Falcão, presidente do PT, se apressou em anunciar em sua conta do Twitter: "Terça-feira é a posse do Lula, o ministro da Esperança!"

A posse do ex-presidente estava prevista para dali a seis dias, em 22 de março de 2016.

A nota provocou revolta e indignação na população que havia ido às ruas três dias antes, na maior manifestação da história do Brasil, pedindo o impeachment de Dilma e a prisão de Lula. Novos protestos tomaram as ruas. Avenidas foram fechadas em São Paulo e no Rio de Janeiro. Os protestos também ganharam as redes sociais.

Mas os acontecimentos se precipitaram.

Horas antes da nota, às 11h12, o juiz Sérgio Moro havia determinado o fim das interceptações dos telefones do ex-presidente. No despacho, Moro determinava que fosse dada "ciência à autoridade policial com urgência, inclusive por telefone".

Às 11h44, a diretora de Secretaria, Flavia Blanco, ligou para Luciano Flores e, assim, cumpriu a determinação do juiz.

Às 12h46, a operadora de telefonia recebeu o e-mail, enviado pela Polícia Federal, com ofício do juiz Sérgio Moro.

No período compreendido entre a comunicação à companhia telefônica e o completo encerramento do sinal, as ligações continuaram a ser direcionadas para o sistema Guardião da Polícia Federal.

Às 13h32, houve uma ligação curta. Prado ajeitou os fones que usava e ouviu mais duas vezes. Queria ter certeza de que havia entendido exatamente o que pensava ter entendido. Ele chamou os outros analistas. Todos ficaram em total silêncio, as vozes de Lula e Dilma encheram a sala.

Dilma: Alô.
Lula: Alô.
Dilma: Lula, deixa eu te falar uma coisa.
Lula: Fala, querida.
Dilma: Seguinte, eu tô mandando o Bessias junto com o papel pra gente ter ele, e só usa em caso de necessidade, que é o termo de posse, tá?!
Lula: Uhum. Tá bom, tá bom.
Dilma: Só isso, você espera aí que ele tá indo aí.
Lula: Tá bom, eu tô aqui, eu fico aguardando.
Dilma: Tá?!
Lula: Tá bom.
Dilma: Tchau.
Lula: Tchau, querida.

Prado chamou Luciano Flores. O delegado também ouviu mais de uma vez.

A ligação criava uma situação muito complicada. A presidente entregaria a Lula um termo de posse que ele poderia "usar em caso de necessidade". Ou seja: se houvesse um mandado de prisão, Lula poderia mostrar que já era ministro e que, portanto, tinha foro privilegiado.

A conversa era a prova de um crime, uma tentativa de obstruir a Justiça.

Não levar ao conhecimento de Moro era o mesmo que ocultar um crime.

No entanto, a PF sabia dos riscos. Todo juiz sabe que existe um intervalo entre a determinação do fim de uma escuta e o corte efetivo do sinal. Aquele caso, contudo, daria enorme relevância àquele intervalo de tempo.

Igor decidiu que o dever da PF era relatar a oitiva. Guardar aquilo não era uma opção.

Prado fez o relatório.

Igor e Luciano levaram o documento a Sérgio Moro. O juiz ficou pensativo e não deu nenhuma indicação do que faria.

Ele agradeceu. Os policiais saíram.

A nomeação de Lula havia se tornado o assunto que dominava o dia. A PF aguardava, como todo o país. No fim da tarde, chegou a notícia bombástica. Moro havia retirado o sigilo das ligações interceptadas.

Por volta das 18h30, Brasília entrou em convulsão. A imprensa já havia começado a divulgar as ligações. Os parlamentares reagiram pedindo a renúncia de Dilma Rousseff. A divulgação coincidiu com o fim do horário de expediente e mais pessoas se juntaram às manifestações já em curso por causa da nomeação do petista. Havia mobilizações em frente ao Palácio do Planalto em Brasília, na Avenida Paulista em São Paulo, na Avenida Copacabana no Rio de Janeiro, em frente ao Palácio da Liberdade em Belo Horizonte.

Panelaços varreram as cidades brasileiras: Araçatuba, Bauru, Belém, Campinas, Campo Grande, Cuiabá, Curitiba, Florianópolis, Fortaleza, Goiânia, Jundiaí, Rio de Janeiro, Recife, Ribeirão Preto, Salvador, São José do Rio Preto, São José dos Campos, Sorocaba, Maceió, Manaus, Natal, Porto Alegre, Porto Velho, Vitória...

Enquanto as manifestações estavam nas ruas contra a nomeação de Lula para assumir a Casa Civil, no teatro da PUC em São Paulo um grupo a favor do ex-presidente e de Dilma participava de um encontro batizado de Ato pela Liberdade Democrática.

Cristiano Zanin, advogado de Lula, disse:

— Há uma arbitrariedade grande, irregularidades no processo. O grampo envolvendo o presidente é um fato muito grave.

Em nota, o Planalto afirmou que o termo de posse havia sido enviado a Lula porque ele "não sabia ainda se compareceria à cerimônia de posse coletiva". O termo de posse deveria ser usado em caso de ausência.

José Eduardo Cardozo usou o mesmo argumento: Lula teria problemas para comparecer à cerimônia que, segundo ele, ocorreria no dia seguinte.

Mas a Polícia Federal sabia que todos estavam mentindo. A posse de Lula estava agendada para acontecer no dia 22, terça-feira da semana seguinte, conforme Rui Falcão havia anunciado em seu Twitter.

A agenda de Lula incluía a posse no dia 22.
Quarta-feira, 16 de março: viagem de Brasília para São Paulo.
Quinta-feira, 17: agenda em São Paulo.
Sexta-feira, 18: agenda em São Paulo.
Sábado, 19: São Bernardo do Campo.
Domingo, 20: São Bernardo do Campo.
Segunda-feira, 21: viagem para Brasília.
Terça-feira, 22: Posse.

Em resposta a uma reportagem que dizia que a PF havia continuado a monitorar Lula depois de Moro decidir pelo fim das escutas, Curitiba soltou uma nota em defesa do procedimento:

Em referência à matéria "PF gravou Dilma e Lula após Moro interromper interceptação telefônica", a Polícia Federal esclarece:

1 — A interrupção de interceptações telefônicas é realizada pelas próprias empresas de telefonia móvel;

2 — Após o recebimento de notificação da decisão judicial, a PF imediatamente comunicou a companhia telefônica;

3 — Até o cumprimento da decisão judicial pela companhia telefônica, foram interceptadas algumas ligações;

4 — Encerrado efetivamente o sinal pela companhia, foi elaborado o respectivo relatório e encaminhado ao juízo competente, a quem cabe decidir sobre a sua utilização no processo.

Apesar da repercussão, Dilma não arredou pé e manteve a posse de Lula para o dia 17.

Em uma cerimônia no Salão Nobre do Palácio do Planalto, um Luiz Inácio Lula da Silva claramente constrangido passou a fazer parte do Ministério de sua pupila. Dilma e Lula foram ovacionados pela plateia composta de simpatizantes e sindicalistas.

Mas a celebração não demorou muito. O juiz Itagiba Catta Preta, da 4ª Vara Federal do Distrito Federal, suspendeu a nomeação ao receber uma ação civil pública impetrada pelo advogado Enio Meregalli Júnior. O governo não desistiu e uma dança judicial começou, com sucessivas liminares.

— Veja como são as coisas — disse Igor a Luciano. — Você foi escolhido para levar o Lula porque era o cara mais calmo, mais isso e mais aquilo. E olha só o que você aprontou: a coisa só piora!

XII. Um dia a parede trinca

Márcio Anselmo abriu os olhos num sobressalto. O cochilo não havia durado mais do que alguns instantes. O placar ainda era o mesmo; ele não tinha perdido nada.

Naquele momento, o senador Blairo Maggi estava se dirigindo para a tribuna. Só faltava mais um voto, dos 41 necessários, para que a abertura do processo de impeachment fosse aprovada.

Márcio pegou o controle remoto e aumentou o volume da televisão. A madrugada avançava e a sessão dava sinais de que ainda levaria horas para terminar. Mas o delegado aguentaria firme até que o 41º voto fosse dado.

Márcio não era o único que estava com sono. Muitos dos senadores, que haviam resistido madrugada adentro no Salão Azul, não escondiam o cansaço. Bocejos eram constantemente flagrados.

A culpa era toda de Renan Calheiros. O presidente da Casa, contrariando pedido das outras excelências, havia determinado que a sessão, iniciada na quarta-feira, 11 de maio, não fosse interrompida. Renan, movido por pura superstição, queria evitar a todo custo que os trabalhos terminassem somente na sexta-feira. Seria um mau agouro a coisa toda acontecer numa sexta-feira 13: presidente saindo, vice-presidente assumindo. Para Renan, melhor não! Márcio havia se divertido com aquilo.

Pelo amor de Deus, senador! Pense um pouco: esse não seria o único 13 presente nesta história toda.

Treze anos de PT no governo desde o primeiro mandato de Lula até o julgamento do impeachment.

É da 13ª Vara Federal de Curitiba que saem as sentenças do Moro.

Treze, número da sigla petista.

Então, qual é a diferença? Ter um 13 a mais, um 13 a menos?

E pior, do jeito que a coisa vai, daqui a pouco o país terá, como herança dos treze anos do PT, 13 milhões de desempregados!

O senador Blairo Maggi começou:

— Nunca pensei de fazer um discurso aqui nesse plenário às 3 horas da manhã...

Pelo jeito que começou, o senador indicava que usaria os quinze minutos aos quais teria direito para justificar a sua decisão. Márcio prestou atenção às primeiras palavras, mas logo se abstraiu. Seus olhos continuaram fixos na TV, mas, como que hipnotizado, ele captava apenas os movimentos dos lábios do senador.

Quatro doleiros investigados e olha só no que deu.

Era nisso que Márcio pensava. Dois anos e dois meses antes, na madrugada de 14 de março de 2014, eles haviam deflagrado a Lava Jato para desbaratar uma rede de lavagem de dinheiro e corrupção. A operação era grande, ela deveria respingar em políticos. Isso eles sabiam. Seria uma operação para pôr a teste as novas leis sobre crimes de colarinho branco, promulgadas meses antes. Para dar um passo no sentido de mudar aquele estado tão antigo de coisas que permitia que os "ladrões do maior calibre e da mais alta esfera roubassem sem temor e sem perigo", como já dizia o Padre Antonio Vieira. Mas aquela convulsão política não estivera nas expectativas de ninguém — nem mesmo de Sérgio Moro, que havia estudado tão profundamente a Operação Mãos Limpas, da Itália. De jeito nenhum, Moro também não poderia antecipar aquele impeachment, alimentado, em boa medida, pelo processo que ele comandava e que tinha no Brasil o mesmo impacto político que a Mãos Limpas tivera na Itália.

A coisa havia começado a mudar de tamanho com o presente de fim de ano que Márcio dera à Lava Jato: a descoberta de um Land Rover comprado por Alberto Youssef para Paulo Roberto Costa. O carrão misterioso fez com que o ex-diretor da Petrobras fosse incluído logo na 1ª fase. Ele entrou em pânico ao ser chamado para depor, mandou a família limpar seu escritório e acabou lançando uma suspeita ainda mais forte sobre seus negócios. Apenas três dias depois da primeira, a PF deflagrou a segunda fase da operação, dessa vez para prender Paulo Roberto Costa — e levar a Petrobras para o centro das investigações.

Na estatal, os diretores cobravam propina de empreiteiras, que, por sua vez, haviam se organizado em um cartel. Mas a propina não ficava apenas no bolso dos diretores — embora uma parte dela tivesse exatamente esse destino, como mostravam os notórios 100 milhões de Pedro Barusco. O seu destino final eram partidos políticos, donos de cargos na Petrobras, e suas excelências, os donos dos partidos políticos.

Do submundo da lavagem de dinheiro à praça dos Três Poderes — esse era o trajeto que a Lava Jato havia cumprido em alguns meses vertiginosos.

Aquela não era a primeira e, muito provavelmente, não seria a última vez que o delegado fazia aquela retrospectiva solitária. Havia se tornado um reflexo involuntário em dias marcados por acontecimentos de impacto nos rumos do país.

Formalmente, a Lava Jato nada tinha a ver com o iminente afastamento da presidente. Dilma, dizia o pedido de impeachment, havia cometido crimes de responsabilidade na gestão do orçamento federal. Ela havia autorizado despesas extras sem a necessária chancela do Congresso, além de atrasar repasses de dinheiro aos bancos públicos — as chamadas pedaladas fiscais —, o que empurrava para os bancos, de maneira ilegal, o custo de financiar programas do governo.

Em outras circunstâncias, talvez aqueles crimes de responsabilidade — inegáveis, apesar do que pudessem dizer os apoiadores da presidente — não bastassem para derrubar Dilma. Num processo de impeachment o julgamento era preponderantemente político. Interromper um mandato presidencial pela segunda vez em 25 anos não era algo que se fizesse com leveza. Mas nesse ponto entravam outros fatores na equação.

Dilma havia mergulhado o país numa brutal crise econômica. Fizera isso expandindo os gastos do Estado para muito além da sua capacidade de arrecadar dinheiro. Suas pedaladas fiscais eram apenas a ilustração, quase anedótica, de uma forma de gerir a economia que levava o país à beira da insolvência.

O segundo fator era a Lava Jato. A operação havia servido de catalisador para a indignação de dezenas de milhares de pessoas por todo o país. Ela havia alimentado os panelaços, havia levado para a rua as passeatas gigantes de 2015 e 2016. Diante daquela mobilização inaudita da sociedade, Dilma não soubera reagir. Talvez um político mais hábil conseguisse arrebanhar apoio no Congresso, recompor a base política e blindar o governo. Eles bem que haviam tentado, com a nomeação de Lula para a Casa Civil... Mas a manobra malogrou, e Dilma ficou entregue à própria sorte.

Tudo que estava acontecendo com o governo petista era merecido, pensava Márcio. Eles eram os sócios majoritários do descalabro implementado na Petrobras e que se alastrava por sabe-se lá quantos outros espaços da administração pública. Mas eles não eram os únicos sócios. Em todo aquele espetáculo no Senado — e na Câmara, semanas antes, de maneira ainda mais espalhafatosa — havia algo de muito incômodo. Criavam um bode expiatório, pensava Márcio, quando a doença era de todo o sistema, de todo o "body politic", como se dizia em inglês.

Até ali, os números da Lava Jato realmente impressionavam: vinte e oito fases deflagradas; 2,9 bilhões de reais devolvidos aos cofres públicos; 2,4 bilhões de reais ainda bloqueados; 179 réus; 93 condenações criminais; 990 anos de penas somadas.

Mas quais eram os números relativos aos processos daqueles com foro privilegiado? Onde estavam? Nada havia acontecido com os políticos da célebre lista de Janot, entregue ao Supremo Tribunal Federal em março de 2015, com 47 pedidos de abertura de inquérito. Qual seria o desfecho daquela parte do enredo?

O relógio digital se movimentou: 3h04. Na televisão, Blairo Maggi ainda falava. A sessão no Senado havia começado às 9 horas do dia anterior. O senador parecia se encaminhar para o final, e Márcio se concentrou em suas palavras.

— O que diz muita coisa para mim é que o Brasil desandou, para ter um projeto político sustentado na enganação das contas públicas. O Brasil se perdeu em 2012, 2013, para conseguir uma eleição em 2014.

Depois de quase dezoito horas de sessão, às 3h06, Blairo Maggi deu o seu parecer. Lá estava o 41º voto esperado por Márcio. Dilma Rousseff seria afastada da Presidência da República, por até seis meses, enquanto transcorreria o seu processo de impeachment. A partir dali, o vice-presidente Michel Temer assumiria o cargo.

Será que a Dilma também está acordada? Será que ela está acompanhando?

No Senado a saga continuaria, pois outros senadores ainda ocupariam a tribuna.

Para Márcio Anselmo bastava. Ele desligou a TV e apagou imediatamente.

* * *

Às 7h45, o despertador tocou. Márcio fez força para sair da cama e ligou a TV. Tudo havia ocorrido como ele imaginava. A sessão no Senado havia chegado ao fim depois de quase 21 horas. Placar: 55 a favor e 22 contra o afastamento.

Aquele resultado tinha cheiro de sentença definitiva. Dilma Rousseff dificilmente voltaria a sentar na cadeira presidencial. Não havia clima social, não havia mais tempo a perder com sua incompetência administrativa e política, sem falar nos discursos atrapalhados e tragicômicos que, não raro, provocavam constrangimento geral. Somente Dilma não se dava conta do vexame.

A presidente afastada era o primeiro grande peso-pesado a sofrer com os efeitos colaterais da Lava Jato.

Mas o sabor ruim da madrugada ainda não estava desfeito para Márcio. E o resto?

Enquanto dirigia, Márcio retrocedeu vários anos, até a Operação Banestado.

Manter os olhos presos ao retrovisor às vezes era sinônimo de tempo perdido. Mas não naquele caso, não naquele momento. Pensar na Banestado ajudava a entender sua irmã gêmea, a Lava Jato. Márcio era um dos poucos que sabiam muito bem disso.

Dinheiro de corrupção, de sonegação, de tráfico de drogas, enviado para o exterior por doleiros. Uma conta-mãe, a Beacon Hill, encobrindo subcontas em nome de diversos titulares. Anotações sugerindo que políticos poderiam ser os titulares daquelas contas secretas.

Podíamos ter colocado o dedo nessa ferida chamada corrupção há muito mais tempo, pensou Márcio. *Como estaria o Brasil hoje se as investigações tivessem ido até o fim? Se a Banestado tivesse alcançado a mesma repercussão que a Lava Jato?*

Márcio chegou à sede da PF. Antes mesmo de passar em sua sala, foi falar com Igor.

— Caramba, você passou a noite acordado?

— Está tão na cara assim? Bom, fiquei assistindo à votação no Senado.

— Imaginei. Você viu o estrago que você provocou com os seus inquéritos?

— Meus não, nossos. Igor, enquanto eu vinha pra cá, a Banestado passou pela minha cabeça como um filme. Como você acha que o Brasil estaria se a Banestado tivesse funcionado como a Lava Jato?

Igor se levantou e caminhou até a sua famosa cafeteira. Fez o primeiro café do dia e entregou para o parceiro de anos.

— Igor, se eu acreditasse em destino, diria que tudo isso já estava escrito. Você percebe que é o mesmo roteiro com um final diferente?

Igor começou a preparar o seu próprio café.

— Primeiro, em 2013, pegamos aqueles inquéritos antigos de Londrina. De cara, em um dos inquéritos encontramos quem? Os mesmos doleiros enrolados na Banestado. Parecia coisa de filme de terror, aqueles cadáveres que a gente dava como enterrados saindo das profundezas. Os mesmos crimes: corrupção, lavagem de dinheiro, evasão de divisas. Depois, alguns delegados e até o Moro em ambas as operações. No passado, um banco público. Agora, a Petrobras.

Igor interrompeu: — Isso não tem nada a ver com destino.

— Já sei. Como você sempre diz, é só mais do mesmo, não é?

— É, mas não é.

— Ah, claro, entendi tudo.

Os dois sorriram.

— No começo da investigação, eu até concordo que era isso: mais do mesmo. Os mesmos crimes, os mesmos esquemas, os mesmos personagens. Mas agora, por tudo o que a Lava Jato já apurou, sem falar no que ainda vamos descobrir nos documentos e mídias que temos para analisar, sinceramente eu acho que não há nada que a gente possa comparar com o que está na nossa frente. Qualquer coisa que a gente diga não ilustra, não descreve esse escárnio. Mas tem uma coisa que pode talvez continuar igual: a maldita impunidade.

— Será?

— Márcio, eu acho que a Lava Jato quebrou o paradigma. Eles não vão mais conseguir brecar a operação com a opinião pública atenta às maracutaias. A gente vai prender esses caras.

— Opa, as coisas estão mudando mesmo por aqui. Igor, o cético, está apostando que vai dar certo?

— Talvez, talvez... — Igor sorriu.

— Não dá pra esquecer que tem muita gente com foro privilegiado, Igor.

— Vamos fazer a nossa parte. As coisas estão mudando; quem sabe isso não muda também? Não suspenderam o mandato do Eduardo Cunha?

De fato, uma semana antes, em 5 de maio, o STF havia suspendido Eduardo Cunha do mandato de deputado federal e, por consequência, da presidência da Câmara. Em sua petição à corte, o procurador-geral da República havia listado onze situações em que o deputado havia usado seu cargo para chantagear empresários e operadores ligados ao petrolão e, principalmente, para obstruir o andamento da Lava Jato.

Os indícios do envolvimento de Cunha com a corrupção na petroleira haviam emergido muito antes, no começo de 2015. Em março, ele resolveu comparecer à recém-instalada CPI da Petrobras para fazer um desmentido em grande estilo. Entre outras coisas, disse que não mantinha contas no exterior "de nenhuma natureza", o que era mentira.

O prosseguimento das investigações mostrou que ele havia recebido pelo menos 5 milhões de dólares em propina ligada à construção dos navios-sonda Petrobras 10.000 e Vitoria 10.000. Mostrou também que as contas estrangeiras existiam, sim. Em novembro de 2015, começou no Conselho de Ética da Câmara um processo contra ele, por quebra de decoro parlamentar. A mentira dita lá atrás vinha cobrar suas consequências.

Em vez de se retrair, ele partiu para o ataque. Ao longo do ano todo, ele havia utilizado sua influência sobre o baixo clero da Câmara para deixar acossada Dilma Rousseff, tristemente inepta na articulação política. Com a faca da cassação de mandato apontada para seu peito, Cunha decidiu ser ainda mais ousado. Manobrou com seus aliados no Conselho de Ética, enquanto procurava negociar com o PT: se o partido do governo o ajudasse, ele não daria andamento a nenhum dos pedidos de impeachment que chegavam até a Câmara, e que cabia ao presidente da Casa engavetar ou não.

A articulação não deu certo. Renegado pelo PT, Cunha recebeu em dezembro o pedido de impeachment apresentado pelos juristas Miguel Reale Jr., Hélio Bicudo e Janaína Paschoal. No mesmo mês, Janot pediu a suspensão do mandato de Cunha. Por vias paralelas, a petista e o peemedebista começaram suas caminhadas para o cadafalso.

Márcio ajeitou os óculos. Cinco meses haviam se passado e Cunha, assim como Dilma, estava afastado. Não era despropositado prever sua cassação, e nesse caso a prisão seria inevitável.

— É verdade, Igor — disse Márcio. — Vai ver as coisas estão mudando.

— Tá vendo, você passa a noite em claro e dá nisso: está aí todo cheio de romantismo.

— Pronto, voltou o velho Igor.

— Vai trabalhar, cara.

* * *

Márcio voltou para sua sala e continuou atento ao noticiário.

A imprensa estava fazendo a cobertura em tempo real. Poucos minutos antes das 10 horas da manhã, Dilma Rousseff recebeu a visita de um mensageiro. Era o senador Vicentinho Alves. O primeiro-secretário da Mesa Diretora do Senado era o portador da notificação de afastamento da presidente.

Alves definiu a missão de maneira econômica: "Não é uma tarefa fácil nem difícil. É meu dever cumprir a atribuição de forma respeitosa e discreta", disse ele. A notificação tinha apenas três parágrafos.

Considerando, Srª Presidente, que a Câmara dos Deputados autorizou, nos termos do art. 51, I e 86 da Constituição Federal, a instauração de processo contra a Presidente da República pela prática de crime de responsabilidade e considerando que o Plenário do Senado Federal, na Sessão Deliberativa Extraordinária do dia 11 de maio de 2016, admitiu o seu prosseguimento, o Presidente do Senado Federal faz saber, por este ato, que fica Vossa Excelência intimada dos termos da Denúncia autuada neste Senado Federal sob o nº 01, de 2016.

Integram o presente mandato cópia digitalizada do processo que tramitado na Câmara dos Deputados e do processo em trâmite no Senado Federal, incluído o relatório preliminar da Comissão Especial desta Câmara Alta, aprovada pelo Plenário.

Faz saber, ainda, que, a partir do recebimento desta intimação, está instaurado o processo de impedimento por crime de responsabilidade, ficando Vossa Excelência, nos termos do art. 86, §1º, II, da Constituição Federal, suspensa das funções de Presidente da República até a conclusão do julgamento no Senado ou até a decorrência do prazo fixado no §2º do referido artigo, de 180 dias, mantendo durante esse período as prerrogativas do cargo relativas ao uso de residência oficial, segurança pessoal, assistência saúde, transporte aéreo e terrestre, remuneração e equipe a serviço do Gabinete Pessoal da Presidência.

Pronto, consumado, pensou Márcio. *Daqui a pouco ela terá de sair do Planalto. Vamos ver como será a despedida. Depois, virão mais 180 dias de luta política, até o julgamento definitivo do impeachment.*

Cento e oitenta dias. O cronograma da Lava Jato era mais imediato. Em cerca de uma semana eles deflagrariam a 29ª fase da operação. Haveria mandatos a cumprir em Brasília, Rio de Janeiro e Pernambuco, e por isso os preparativos estavam a pleno vapor. O alvo mais vistoso era João Cláudio Genu, ex-tesoureiro do PP. Depois da morte do chefão José Janene, Genu havia tentado ocupar o vácuo, orquestrando para o partido os repasses de propina da Petrobras. Ele podia ser considerado um expert nesse tipo de transação suja. No processo do mensalão, fora condenado por corrupção passiva, mas a prescrição da pena o livrou da cadeia. Por causa dos antecedentes de Genu, a nova fase da Lava Jato receberia o nome de Repescagem.

Mas não era isso que mais eletrizava Márcio àquela altura, e sim os achados da grande fase posterior à condução coercitiva de Lula — a Operação Xepa. Deflagrada no dia 22 de março, ela havia exposto ao mundo o departamento da propina da Odebrecht, uma área da empresa com estrutura hierárquica, sistemas de escrituração e controle, metas anuais e bônus para os empregados, tudo isso voltado à corrupção de políticos e funcionários públicos. Depois disso, não havia mais como negar o protagonismo da construtora no esquema de corrupção que havia dominado a Petrobras. Mas a promessa era ainda maior: ir além da Petrobras, alcançando sabe-se lá quantas obras públicas pelo Brasil afora.

Para a Polícia Federal, a descoberta viera um pouco antes, na Operação Acarajé. Dias depois de ser presa naquela ação, Maria Lucia Tavares, a LuciaT, assinou acordo de delação premiada. Quando soube da decisão da ex-empregada, Marcelo Odebrecht desabafou para os companheiros de carceragem: "Acabou!"

Até ali ele não havia cedido um milímetro e agia como se ainda fosse possível tratar tudo como uma terrível injustiça cometida contra ele e sua empresa. Mas, com as entranhas do departamento da propina expostas, já não seria possível manter o fingimento. Marcelo deu sinal de que pretendia negociar uma delação.

E, de fato, no dia da Xepa, a construtora Norberto Odebrecht divulgou uma nota na imprensa. Assim começava o comunicado: "As avaliações e reflexões levadas a efeito por nossos acionistas e executivos levaram a Odebrecht a decidir por uma colaboração definitiva com as investigações da Operação Lava Jato."

LuciaT havia desvendado para a PF o funcionamento do My Web Day, um software desenvolvido pela própria construtora, ainda na década de 1990, com o único objetivo de administrar uma contabilidade paralela.

Entre suas funcionalidades, o My Web Day permitia que os altos executivos liberassem os pagamentos de propina. O processo envolvia poucas etapas.

Passo 1: os diretores de contrato enviavam as solicitações de pagamento de propina para os diretores superintendentes.

Passo 2: os superintendentes escalavam uma patente, direcionando as demandas aos executivos da alta administração.

Passo 3: as solicitações eram autorizadas.

Passo 4: os pagamentos eram feitos. E, em sua grande maioria, em dinheiro vivo: reais, dólares ou euros.

Dali em diante, a equipe do Departamento de Operações Estruturadas contava com relatórios de balanços consolidados, dando posição de pagamentos, liquidação, saldo, obras, diretor superintendente responsável e beneficiário, sempre indicado através de codinomes.

Os codinomes eram uma alegria à parte: Bafo, Cabeça Chata, Coxa, Casa de Doido, Bobão, Viagra, Múmia, Taça, Bonitão, Barba, Sombra, Festança, Chapa, Fofão, Duvidoso, Telefonia, Las Vegas, Professor, Padeiro, Comprido, Encostado, Timão, Baixinho, Grisalhão, Amiga, Avião, Proximus, Abelha...

O épico da corrupção tinha mais personagens do que havia guerreiros nos poemas de Homero sobre a Guerra de Troia.

Maria Lucia Tavares sabia dizer quem era o dono do codinome Feira: o publicitário João Santana. No mais, ela suspeitava da identidade de um ou outro personagem, mas a Polícia Federal precisava de certezas, precisava saber o nome de todos eles.

Enquanto Felipe Pace estava em plena lua de mel, Márcio Anselmo e a delegada Renata Rodrigues começaram a trabalhar na

272

análise do material apreendido com LuciaT, cruzando os dados com tudo que haviam apreendido antes: o conteúdo do computador e do celular de Marcelo Odebrecht, as planilhas escondidas no escritório de Benedito Jr... Foi como explorar uma passagem secreta, que dava acesso a um universo paralelo.

Uma das primeiras providências foi listar os endereços de entrega do dinheiro, indicados nas ordens de serviço registradas no My Web Day. Flats, hotéis, escritórios, residências, empresas e outros endereços que inicialmente não davam pistas do que havia em funcionamento no local. Lá foram eles checar cada um dos endereços. Se era um hotel, verificavam quem havia ficado hospedado nas datas indicadas para entrega, as imagens do sistema de segurança, o rol de visitas. Era um trabalho estafante, mas poderia render dividendos mais tarde.

Mesmo depois da Xepa, contudo, ficou faltando uma peça da máquina: o acesso ao Drousys, a intranet da propina, que permitia a comunicação entre os funcionários e os operadores, responsáveis por disponibilizar o dinheiro vivo necessário às entregas. Tudo o que havia sido tratado e escrito estava guardado naquele sistema de troca de mensagens. Segundo LuciaT, com o avanço das investigações da Lava Jato, a Odebrecht havia descontinuado o uso do Drousys. Mas, assim como a secretária de Marcelo Odebrecht havia guardado uma cópia do HD do computador do chefe por temer que ele, notório obsessivo por controle, exigisse ter acesso aos arquivos que mandara destruir em algum momento no futuro, Márcio não perdia a esperança de encontrar os registros perdidos do Drousys.

— Vai começar a despedida da Dilma — disse Pace, entrando na sala de Márcio, vizinha à sua.

— Eu estava pensando em você. Mas liga a televisão, depois a gente conversa.

Pace sintonizou em um canal de notícias.

— Ela não desceu a rampa! Saiu pela lateral.

— Cadê o Lula?

— Não sei, não dá pra ver. Até que o PT conseguiu levar uma claque. Tem um pessoal de vermelho pra levantar o astral da presidenta.

Por cerca de sete minutos, Dilma Rousseff cumprimentou os apoiadores que se espremiam contra uma grade de proteção posicionada em frente ao Alvorada. Depois, foi a um púlpito preparado para que ela falasse. O sol em Brasília era forte. A câmera da televisão mudou de ângulo para mostrar de frente o discurso.

— Olha ali o Lula. Nossa, ele está com a proverbial cara de velório. Impressionante. Ele está desconcertado, em outro mundo. É muito louco lembrar que quando o Lula foi eleito eu tinha 13 anos e ouvia o meu pai torcendo por ele, morrendo de medo que privatizassem a Petrobras — disse Pace.

— A camisa dele está inteirinha molhada. Será que é suor?

— Sei lá, pode ser. Vai ver ele está nervoso, pensando em tudo que ainda vem por aí. Se só a Petrobras já deu nisso, imagine o BNDES. Imagine todos os contratos do banco para financiar obras em países cada um mais pobre do que o outro, cada um com o seu próprio ditador de quinta.

— Nem me faça lembrar disso, meu humor piora. Cara, só Angola recebeu 3,39 bilhões de dólares de dinheiro público brasileiro. Um dos países mais corruptos do planeta, pode isso?

Márcio ia dizer algo, mas Pace o interrompeu:

— Olha, ela vai fazer discurso.

Dilma começou a falar, dirigindo-se aos apoiadores.

— Um abraço e um beijo pra vocês. Hoje pra mim é um dia muito triste, mas vocês conseguem fazer que a tristeza diminua. A tristeza é porque hoje nós vivemos uma hora que eu vou chamar de uma hora trágica do nosso país. A jovem democracia brasileira está sendo objeto de um golpe. Por que eu chamo esse processo de golpe? Porque o impeachment sem crime de responsabilidade é um golpe. Eu vou pedir pro pessoal só ficar um pouco mais pra trás, pra eu poder vê-los. Eu não cometi crime de responsabilidade. Eu estou sendo objeto, objeto de uma grande injustiça...

Márcio e Pace se entreolharam. Márcio tirou o som da televisão.

— Nenhum momento histórico sobrevive à oratória da Dilma — disse. — E então, Pace, para onde você acha que vão as coisas?

— No país ou na Lava Jato?

— Nos dois. Vamos ouvir a nova geração.

— Sei lá, Márcio. Está tudo estranho. Saem os picaretas do PT para entrarem os picaretas do PMDB. Eu estava até querendo fazer um bolão: quantos nomes metidos na Lava Jato você acha que vão fazer parte do ministério do Temer?

— Sei. E a Lava Jato, está estranha por quê?

— Porque o pessoal do Ministério Público já não está mais na mesma sintonia com a gente.

— Você acabou de voltar da Suíça com eles, por que não está mais na mesma sintonia?

— Pô, Márcio, você mesmo já disse várias vezes que os acordos que eles fecharam com o Cerveró, com o Delcídio, são um lixo, não servem para nada, apenas para reduzir a pena dos bandidos.

— Tudo bem. Mas isso são duas peças num quebra-cabeça gigante.

— Mas e agora, no caso da Odebrecht? Até agora não chamaram a gente para discutir o tal acordo que eles pretendem fazer. Sinceramente, se dependesse de mim, eu nem faria esse acordo. Bastava trazer o Drousys aqui para o Brasil. Nós saberíamos tudo que eles têm para contar. O Marcelo Odebrecht teria de entregar alguma coisa literalmente do outro mundo para ganhar algum benefício.

— Pelo amor de Deus. Se eu soubesse que você ia ficar assim paranoico tinha acabado com a sua carreira quando você foi meu estagiário. — Márcio atirou uma bolinha de papel no colega.

— Vai jogar basquete lá na sua sala, vai.

Pace saiu, rindo. Márcio voltou a olhar a televisão sem som. Dilma falava, com o dedo em riste. Lula ainda parecia perdido. Márcio desviou o olhar da cena patética.

Pace tinha razão. O Brasil continuaria a ser um país fora de prumo. E havia também uma fissura na Lava Jato. O ajuste entre o grupo de trabalho da PF e a força-tarefa do MP já não era tão perfeito. Na opinião de Márcio, os procuradores estavam se tornando subservientes a Brasília, a Rodrigo Janot. E era mesmo preocupante que a PF ainda não houvesse sido chamada para tomar o seu assento merecido na mesa onde seria discutido o acordo com a Odebrecht, quase um mês e meio depois de a empresa anunciar que estava disposta a mostrar seus trunfos.

No começo de maio, os delegados Filipe Pace e Renata Rodrigues, e os procuradores Laura Tessler e Orlando Martello Júnior, haviam embarcado para Berna, na Suíça, com o objetivo de tomar o depoimento de Fernando Migliaccio, um dos gerentes do departamento de operações estruturadas da Odebrecht.

Migliaccio tivera um mandado de prisão expedido por Sérgio Moro logo antes da Operação Acarajé. A PF sabia que ele não estava no Brasil, por isso pediu à Interpol que o incluísse em suas listas de procurados — primeiro no sistema de "difusão vermelha", que mantinha o nome do procurado acessível somente para as autoridades, e, depois da deflagração da Acarajé, sem maiores cautelas.

Vivendo na Itália, Migliaccio não se deu conta nem foi avisado de seu novo status. E, justamente por isso, não se sentiu impedido de colocar em ação um plano arriscado. O executivo da Odebrecht ligou para o seu banco na Suíça, informando que fecharia sua conta. Limusine alugada, pegou a estrada. A viagem poderia fazer parte de um filme, um desses com um bandido sedutor e final feliz fugindo para a Europa. Mas a vida não estava imitando a arte e a realidade era bem diferente. Migliaccio queria esvaziar um cofre cheio de dinheiro e documentos da Odebrecht. Àquela altura, as autoridades suíças também já queriam processá-lo por lavagem de dinheiro, graças às informações compartilhadas pelo Brasil. O banco avisou a

276

polícia, que destacou uma diligência para fazer a prisão no momento em que ele estivesse pegando o dinheiro.

Mas o alvo chegou muito antes do esperado. As câmeras captaram um Migliaccio apressado, mas não a ponto de chamar a atenção. Controlado, mas não o suficiente para esconder a tensão. O mais discretamente possível, ele corria os olhos ao redor. Toda operação aconteceu muito rapidamente.

Quando os policiais chegaram, Migliaccio havia acabado de sair do banco. Eles deram uma volta nas ruas próximas, mas não encontraram o fugitivo.

As fronteiras foram alertadas.

Migliaccio estava tentando retornar à Itália quando foi preso em uma das ações policiais que haviam sido montadas nas fronteiras com a Suíça.

No momento do embarque, a equipe da Lava Jato se deparou com o advogado de Migliaccio, que viajaria no mesmo voo. Eles se cumprimentaram e logo se separaram — o advogado dirigiu-se para a primeira classe, os demais, para a econômica. A viagem foi longa e, com o fuso horário, eles chegaram à Suíça em um final de tarde. A primeira reunião seria no dia seguinte.

Migliaccio estava preso em uma cela no prédio do Ministério Público em Berna. O lugar, contou Pace mais tarde, era asséptico. Tinha um único funcionário na entrada. Tudo funcionava de maneira automática. Mas o procurador que os aguardava, Steffan Lens, não poderia ser mais receptivo e disposto a ajudar. Antes de partir para o primeiro interrogatório, acompanhado por uma intérprete, Lens disse que gostaria de mostrar algo aos brasileiros.

Ele os levou até um computador. Lá estavam centenas, milhares de mensagens trocadas pelos executivos da Odebrecht.

Os suíços haviam apreendido uma cópia do Drousys.

Pace estava em estado de graça. Ouviu com curiosidade como as autoridades policiais suíças haviam feito a extraordinária apreensão.

As movimentações das contas bancárias da Odebrecht tinham sido mapeadas por eles. No meio de tantos créditos e débitos, havia uma transferência recorrente. Os suíços foram a campo para descobrir o que havia por trás da empresa que vinha recebendo mensalmente recursos da empreiteira. Chegaram à sede da empresa Safe Host, no bairro de Plan-les-Ouates, na periferia industrial de Genebra.

Descobriram: a Odebrecht havia celebrado contrato com a Safe Host para prestar um importante serviço: o back-up do Drousys!

Os servidores da Odebrecht estavam protegidos por um esquema de máxima segurança, com monitoramento permanente por meio de câmeras, subestação de energia que alimentava os servidores de forma constante, seis geradores, controle de temperatura e uma rede de fibra ótica própria. O acesso ao centro de dados era feito apenas por pessoas autorizadas pela Odebrecht e, só depois que as identidades fossem comprovadas, os funcionários da construtora entrariam no local.

Pouco importavam as precauções: os servidores agora estavam com as autoridades suíças.

E havia mais.

Doze pen drives apreendidos por ocasião da prisão de Migliaccio continham informações valiosas.

Se a viagem de Pace e Renata terminasse ali, já teria valido a pena.

No entanto, os dois dias seguintes foram dedicados ao ex-funcionário da construtora. Equipes do Brasil e da Suíça, um advogado e uma tradutora formaram o grupo.

Migliaccio começou tentando proteger os amigos, mas aos poucos foi mostrando mais e mais do esquema. Nos dias que antecederam a chegada do time da Lava Jato, os suíços já haviam "quebrado" Migliaccio, ou seja, derrubado suas defesas, mostrando que ele passaria muitos anos na cadeia se não resolvesse colaborar. Assim, ele logo revelou os codinomes que ele e os funcionários do departamento da propina usavam para acessar o Drousys. Waterloo era ele

278

próprio. Túlia era Maria Lúcia. Disse ainda que o Drousys garantia segurança na comunicação entre os envolvidos no esquema, tendo sido instalado inclusive nos escritórios dos operadores, que também possuíam codinomes como Carioquinha e Paulistinha.

Os codinomes que mais interessavam, contudo, eram os dos beneficiários da propina. O Drousys poderia entregar todos eles. Mas Migliaccio poderia fornecer um aperitivo, e não decepcionou. Para encerrar a diligência à Suíça, ele concordou em assinar um acordo de delação.

Aquele havia sido um momento extraordinário, um dos mais importantes da Lava Jato, pensava Márcio. Com o Drousys seria possível juntar todas as pontas soltas, desvendar todos os segredos da Odebrecht.

Bastava um pedido de cooperação para trazer as informações do sistema ao Brasil. Até aquele momento, contudo, a PGR não havia apresentado esse pedido à Suíça. Em vez disso, parecia negociar um acordo de delação com a cúpula da Odebrecht que talvez fosse desnecessário.

Márcio Anselmo voltou a olhar para a televisão. A transmissão do discurso de Dilma havia acabado, os comentaristas do canal a cabo pareciam exaltados. Dali a algumas horas Michel Temer tomaria posse como presidente interino. O bolão de Pace não era uma ideia ruim — ele apostaria em sete ou oito nomes enrolados.

O ceticismo — aquele ceticismo que todos consideravam uma das principais características de Igor — mordiscava a consciência de Márcio Anselmo. Mas, como sempre em seu caso, ele vinha acompanhado de uma forte indignação, quase raiva. Com PT ou sem PT, com Temer ou sem Temer, com foro privilegiado ou sem foro privilegiado, com Drousys ou sem Drousys, o trabalho precisava continuar.

Márcio lembrou de seu pai, de um dos ditados que ele costumava repetir: "Filho, continue batendo, porque um dia a parede trinca."

Este livro foi composto na tipologia Minion
Pro Regular, em corpo 11/16, e impresso em
papel off-white no Sistema Cameron da
Divisão Gráfica da Distribuidora Record.